JN124235

# 科学者たち58人の神観

森上逍遥

$$S = \int d^4x \sqrt{-\det G_{\mu\nu}(x)} \left[ \frac{1}{16\pi G_N} \left( R[G_{\mu\nu}(x)] - \Lambda \right) - \frac{1}{4} \sum_{i=1}^{3} \mathrm{tr} \left( F^{(i)}_{\mu\nu}(x) \right)^2 \right.$$
$$\left. + \sum_{g,h} \left( y_{gh} \Phi(x) \bar{\psi}^{(g)}(x) \psi^{(h)}(x) + \mathrm{h.c.} \right) + | \right.$$

$$S = \int d^4x \sqrt{-\det G_{\mu\nu}(x)} \left[ \frac{1}{16\pi G_N} \left( R[G_{\mu\nu}(x)] - \Lambda \right) - \frac{1}{4} \sum_{i=1}^{3} \mathrm{tr} \left( F^{(i)}_{\mu\nu}(x) \right)^2 + \sum_{f} \bar{\psi}^{(f)}(x) i \not{D} \psi^{(f)}(x) \right.$$
$$\left. + \sum_{g,h} \left( y_{gh} \Phi(x) \bar{\psi}^{(g)}(x) \psi^{(h)}(x) + \mathrm{h.c.} \right) + | D_\mu \Phi(x) |^2 - V[\Phi(x)] \right]$$

# 科学者たち58人の神観

# はじめに

〈神〉について語ることは極めて困難な作業である。如何に語り尽くそうとも必ず反論が存在し結論を見出すことは出来ない。そもそも〈神〉という概念を作り出すこと自体が不可能であり、〈神〉を理解している者などこの世に存在しないのである。宗教的教義としての「神」なら勉強すれば誰もが理解するのだが、知識としての「神」と真実の〈神〉とには天地の差以上の断絶にも近い差異が存在する。そこをどう埋めていくのかが、これからの人類の新たな課題と言えるだろう。

世の中には明らかに「無神論者」が存在し彼らは激しく「有神論者」を攻撃する。そうかと思うと熱烈な宗教信者から積極的「無神論者」は激しい攻撃を受け続けてもいる。片やわが国では一般大衆間に於いて神霊を信じるなどと言うと即座に怪しげな人物と烙印を押されてしまうことになる。果たして形而上学としての〈神〉は如何なる存在であるのか、人間には追求の責務があると言えるだろう。

哲学者のウィトゲンシュタインが「語り得ぬものについては沈黙しなければならない」と語って形而上学を捨て置いたが、それは思考と感性の放棄であり、完全な誤りであった。たとえ理解不能の〈神〉であっても、われわれはその理解への挑戦を諦めてはならないのである。

本書は、二〇二〇年度ノーベル物理学賞者のロジャー・ペンローズを筆頭に量子力学という人類の中で最も頭が良いとされる分野の研究者を中心に、彼らが如何に神を信じているかを紹介するものである。その流れから、古くはギリシャ哲学の巨人そして日本の湯川秀樹や現代の天才たちと、必然的に西洋文明に属する自然科学者、哲学者、心理学者、生理学者、文学者ら58人を選んだ。彼らの神観は三種に大別できる。

一つは量子論の産みの親マックス・プランクに代表される宗教的「人格神」は信じないが宗教を受け入れているグループと、次にアインシュタインのような宗教的「人格神」を否定し宇宙創造者「理神（りしん）」を信ずるグループである。アインシュタインの「理神」への思い入れは並々ならぬものがあって周囲の研究者たちに多大な影響を与えている。そして三つ目がシュレーディンガーに代表される印度哲学的「梵神」を研究するグループである。百年前この天才たちの中で一番の若手であったディラックが当初、プランクやアインシュタインの発言を嫌悪していたにも拘わらず、晩年にはすっかり有神論者となっていたのは、量子の世界の不思議によるところが大きかったと思われる。

彼らの中でも最も深く〈神〉を理解しようとしたのがシュレーディンガー方程式（波動関数の収縮）で有名なエルヴィン・シュレーディンガーである。天才という意味では二十世紀最高の頭脳アインシュタインと並ぶ人物で、霊性という点ではアインシュタインよりも上位者であったかも知れない。彼は現代が自然科学一辺倒となり「認識」や精神の代弁者である「文化」の発展が無視され極度に弱められていることを指摘し、その回復に人類は向かうべきであることを主張する。この点については拙著『ループ　忘れ去られた記憶の旅』の中でも〈長さの秘密〉と題して論じているので、興味のある方はお読み頂きたい。

有神論者と無神論者の違いはカントが言う、先験的（ア・プリオリ）に持って生まれた機能や能力が帰属するところを有とするか無とするかにある。有とする者はそこに原初の存在として「神」を設定し、無とする者は「単なる偶然の産物」と断定するのである。ただそれだけの違いである。この為に、時に殺人までもが引き起こされていることには慨嘆する。本書が未来の平和の為に些かの役に立ってくれることを願うものである。

目次　科学者たち58人の神観

# 序章

# 渾沌（こんとん）とした社会

## 日本人の精神の頽廃

この社会は渾沌とした中にある。時代と共に価値観は変容し、いまや普遍的価値という呼び名さえ陳腐に思われるようになった。世界の中にあってこの日本ほど価値観の移り変わりが激しい国はないと言われている。その典型として挙げられるのが言語である。日本以外の国では百年前の住民と何の違和感なく会話が出来るというが、わが国だけはそうはいかない。更に書き言葉になると候文となるが如くその違いは甚だしい。

欧米ではキリスト教文化が二千年弱にわたって継承され、それに基づく価値観がいまも根強い。日本人から見ると実に違和感がある彼らのカネに対する執着や契約主義も、実は彼らの精神的支柱である聖書に起因している。彼らはいまも教会を大切に思い鐘の音に心癒される伝統を持つ。

一方、わが国では、寺の梵鐘がうるさいと訴訟までが起こされ寺側が自粛させられるまでに到っている。特に除夜の鐘が都市部から完全に消え去ろうとしているのは、日本人の人間性が問われるところまで来たことを意味する。幼稚園などで子どもの声がうるさいと苦情を役所に言い、「苦情が来たから」と役人が無思考に園側に注意するという構図は、もはや正常な社会とは言えない。

人権の名の下に犯罪者が優遇され被害者は死ぬまで苦しみ続ける現実。義務と責任を果たさず注意されるとパワハラと逆ギレし正当化される現代。言論の自由の名の下に匿名で他者を誹謗中傷することが許されているわが国の実態は明らかに誤っている。政教分離を理由に、地域に根付いてきて住民を繋いできた祭りなどの文化が抑圧されているのも、人間よりも法律を優先するという誤解に基づいている。この構図を許している日本人はもはや知性も理性も捨て去っているとしか言えない。恥知らずであり、情愛・哀憫・仁・恕といった精神の基盤を失なった民族と言うほかない。

昨今、二十代三十代の若者が八十代九十代の老人を襲って傷付け、時に殺害し、金品を強奪するというニュースが絶えないのは、正に日本人に根付いてきた精神文化の崩壊を見せつけられている感慨に襲われる。まことに残念の極みである。その背景に、日本人の宗教観の喪失を挙げることが出来るだろう。

正月という伝統でさえ忘れかけている。一方で、クリスマスツリーを飾りケーキを食べるという現代日本人の風習は完全に定着し、この事が何を意味するのかわれわれは一度、熟慮する必要がある。ハロウィンに興ずる若者も正月の静寂を身に付けることはない。いまや都会では正月飾りすら付けない家が大半となった。

いまだ欧米文化に迎合するその意識は、その表面だけをまね、その精神性は拒絶するという日本人特有の短絡性から来ていると言うほかない。せめて西欧のクリスマスに於ける静寂を知るならば、わが国伝統の精神性にも気付けたであろうし、神棚や仏壇を失なうこともなかったと思われるのである。

全ての民族にとって、自分たちの伝統を継承することはアイデンティティを身に付けることであり、自身への誇りへと繋がることを日本人だけが失念してしまっている。

欧米では自身の民族性を語れない者は見下される。他者の物まねしかしない精神は全く相手にされない。そこには自身の〈存在〉について、明確な意思表示が求められるからである。この点において、現代日本人は完全に自分を見失なっている。

その結果、日本人は、伝統的神や仏を失なったのである。挙句、無神論者が知識人の大半を占めるようになり、権威を持った彼らの発言力によって国民は無神論こそが正しいと洗脳され、神霊を口にする者を見下すようになった。だが、いまだ世界が圧倒的な評価を与えている古代の聖人賢者たちが有神論者であったことを無視することは出来ない。

欧米においては中世キリスト教による科学者の弾圧という歴史への反発から、一部に反宗教、無神論が語られているが、その神とはキリスト教の神なのであって、そういう科学者らもキリスト教から破門されたスピノザの「神即自然」といった汎神論的立場に立つ者が多い。「無神論者」と口にする者の多くがキリスト教的人格神を否定するのであって宇宙創造者〈理神〉は認めていることをわれわれは誤認してはならない。

いまや日本は価値の多様化が声高に叫ばれるようになったが、実の所、何も進歩していないというのが実態である。「価値の多様化」という叫びも結局は権利主張の場に過ぎず、マイノリティからの強い権利主張に対してそれを認めようとするマスコミの活動であることが明らかとなっている。つまり、力有るマスコミこそがわが国の最高権力者として君臨し、彼らの〝御意向〟によって社会の価値が決められているというのが現実であるのだ。それ故、マスコミが認めない限り、それらはマジョリティであっても差別され続けるのである。それが正に神や霊や宗教ということになる。

日本人の八割が神社や寺に参拝に行く習慣を持つにも拘わらず、この巨大なマジョリティに対してマスコミや学者という部類の〝権威者〟たちが無知と偏見とに満ちた差別を仕続けており、その対象こそが、神や霊魂の存在であるのだ。一方で、何らかの信仰心を持つ者が自分の宗教観と異なるという理由で別の信仰者を差別し中傷するなどの危害を加えるという愚かな行為もある。宗教戦争がその典型である。実はこれも自分の都合を優先した権威主義の表われでしかないのである。有神論者も無神論者もそれが何らかの権威に根付いた主張である限り、正しいものとはなり得ないことを、われわれは認識しておく必要がある。

何故かわが国に於いては、宗教の分野には価値の多様性が認められないのである。かと思うと、インドネシアからの観光客の誘致を図って、霊的浄化が行なわれた（ハラル）専用の肉料理を用意することで、異文化の受け入れを推進するという流れもあり、このこと自体は良いのだが、恰も心が広そうに見えるこの行為も、金のためなら即座に許容していく日本人の性根の表われでしかなく、矛盾を感じないわけにはいかないのである。

何であれ、マスコミや偏狭な学者たちによる宗教弾圧と神の否定は許されないものがあることをここに述べなくてはならない。信じるも信じないも個人の自由であり、一方が他方を中傷し侮蔑し弾圧するという現在の日本の実態は、信教の自由を保障した憲法下に於いても知的さに於いても恥ずべきである。信じる者が信じない者に対して明らかな侮蔑をすることも現実には存在する。信じる信じないはどちらだっていいのだ。人それぞれが互いを尊重仕合う社会でなければならないからである。イスラム教徒の一部によるテロ行為はユダヤ・キリスト教徒からの侮蔑に対することに端を発している。この解決は個の尊厳の厳守から始まるのだ。これなくして世界人類の和平は訪れない。

# 物理学者の神の肯定

## 世界観の変容

物理学の内容は実に興味深い。その気になれば、量子力学の手法をもってあらゆる物質を作り出すことも消し去ることも出来るからだ。それは精神の場に於いても、本人が何らかの努力なり行為をなすことで、意識の変革変換が出来ることを意味していると言えるだろう。遺伝子の組み換えと同じ理屈である。

そういう意味で、物質の最小世界を扱う量子力学は大変に興味深い。「フィールド」に於ける、ゆらぎの問題というのは、決して軽々に考えてはいけない。つまり我々に限りない可能性というものを示している物理的法則であることを理解しておく必要がある。

筆者は原子の原理が、人間の原理とほとんどまったくイコールであるということを、拙著『タオと宇宙原理』

の中で語っているのだが、残念ながら、〈知性言語〉に生きる多くの科学者たちはまだ理解するまでに到達していないようだ。特に宗教的素養を身に付けていない我が国の学者や知識人にはそれが顕著である。しかし、意外とヨーロッパの学者には理解する人が多い。ギリシャ哲学やキリスト教の基盤があるからである。

ついこの間まで、科学者は、多次元宇宙を誰一人認めていなかった。それどころか何十年か前までは、宇宙の出発点である「特異点」を研究すること自体、莫迦（ばか）と言われていた。いまや物理学の最先端である超対称性を論じた超弦理論も当時は物理学と認めてもらえず相手にもされていなかった。その発案者は世界中からの冷視に堪えられず若くして自殺してしまっている。さらに百年以上前になると、原子という単位を誰一人認めずにいた。また、四次元までしか認めず、それ以上なんてないと全員が思っていたのが、いまや、物理学者はみな多次元世界があることを信じている。

四、五十年前、私がそんなことを言ったら、オカルトや無知と言われたものである。二、三十年前ですらそうだった。何故いつもそういう批判中傷という展開なのか、筆者にはよく理解できないのだが、轍を踏み続ける人たちであるようだ。大半の学者は自分たちが犯してきた失敗を未だ反省することなく、大天才アインシュタインやシュレーディンガーらが肯定した宇宙意志の存在を否定し続けている。しかし、それはいずれ明かされる時が来るであろう。真の天才物理学者が出るのを待つばかりである。

科学者たちが「神」の存在というのを認めるか否かは二分する。しかし、表面的には大半が否定する。厳密に言うと、量子論の産みの親であるマックス・プランクのような極めて信仰心の厚い人たちを除いて、学者は宗教的神は認めない。特に中世におけるキリスト教による数々の弾圧と殺戮の歴史的経緯もあって、学者たちはキリスト教的人格神を基本的に認めない。けれども、量子論の基礎をつくりノーベル賞を受賞したプランクなどは、信仰に生きた人物である。プランクにしても、人格神は全く認めていない。しかし、キリストに対する敬意を持っていたし、宇宙創造神を肯定している。自分が物理原理というものを追求していく過程で、逆に、神の存在を自覚させられ信仰をより強めていった人だ。少ないがプランク型の現宗教肯定の科学者は、ある一定数存在する。それ以外は完全にキリスト教と対立したアインシュタイン型と東洋哲学に根付いた湯川秀樹やシュレーディンガーやパウリ型に部類できるだろう。

アインシュタインがいう「宇宙宗教者」としての学者はまだまだ少ない。彼らの対極に位置して無神論者を勇気付け仕続けたのが車椅子の天才、ホーキングである。世界における彼の存在感は大きく、その発言の影響力は絶大であった。その後の彼の有神論者への非常に厳しい否定の意志は揺るぎないものであり、特異点の共同研究者だったペンローズに対しても否定する。しかし、彼のこの極端な態度は、彼が身体の自由を奪われたことからくる神の否定へと繋がっていると推察されるものでもある。

時代はいま、大きく変わろうとしている。昔だったら、「無知」と言われていたことが、いまや誰もが「当たり前」という時代になった。大いに結構である。因みに量子力学が語るところの物質を基礎とした時間と空間の存在否定はすでに仏教哲学が二千五百年間に亘って語ってきたことであり、漸く科学が認める時代になった。

# キリスト教から見た有神論

## ファラデー研究所　ロドニー・D・ホルダーの主張

イギリス・ケンブリッジ大学セント・エドモンド・カレッジにあるファラデー科学・宗教研究所のロドニー・D・ホルダー英国教会牧師（天体物理学専攻）が2007年の「ファラデー論集」（本多峰子 訳）の中で、「宇宙は生命が発達できるように微調整されているように見える」として以下の様に述べている（一部抜粋で全文ではない）。

「ゴルディロックと三匹の熊のお話の中のお粥のように、宇宙は多くの興味深い点で、生命のために『ちょうどよい』ように思われる」。というように、宇宙論者ポール・デイヴィスは著書『ゴルデイロックの謎』で言っている。もし宇宙が偉大な一神教の神によって創造されたのならば、これは驚くべきことではない。神には、知性のある生物が進化しうるような属性を持った宇宙を創造する十分な理由があるだろう。彼らが神と関係を持つことが出来るように。この「設計」仮説の主たる代案は、物理のパラメータが広い範囲を取る多数の宇宙が存在するという仮説である。本論は、多元宇宙仮説がはらむ多くの問題を明らかにし、神の設計の方が宇宙論的データに基づいてはるかに合理的な説明であると論じる。

## 宇宙の微調整

いわゆる〈人間原理〉は、物理の法則とビッグ・バンの初期状態がわれわれの存在を可能にするようなものであったと言っている。さらに、分析によれば、これが事実であるためには、その法則と初期状態の両方が、非常に特別の――「微調整された」――ものであった必要がある。

微調整の例は枚挙にいとまがない。状況説明のためにその例をいくつかだけ見てみよう。

### A．物理定数

物理の法則は、自然の四つの基本的力（重力、電磁力、強い核力、弱い核力）の影響を受けて物質がいかに振舞うかを表している。われわれの目的のためには、われわれの関心は、これらの諸力の相関的な大きさを決定する定数や粒子質量のような他の重要な量の値にある。

（ⅰ）生命、つまり、われわれの知っているような生命のために最も必要な元素の一つは、水素である。――水素がないということは、水がないということで、それゆえ、命もないということだ。もし弱い核力という、放射線崩壊を起こす核力がおそらく偶然に重力と特殊とも言えるやりかたで結びついていなければ、ビッグ・バンから2～3秒のうちにすべての水素がヘリウムに変わってしまっていたか、ヘリウムに変わる水素が全くなかったかどちらかであろう。前者の場合には、弱い核力がいくらかさらに弱い場合だが、結局それ以降の宇宙の歴史には、水や生命の可能性が全くないことになるだろう。さらに、巨大な恒星が作った元素を放出するためには超新星爆発をする必要があるということは、弱い核力と重力の両方向の関係を制約する。

（ⅱ）われわれが知っている生命は炭素に基づき、他のいずれかの元素が異なる形の生命を生み出すだけ安定した有機物をもたらすことはありえないであろう。酸素もまた不可欠である。炭素は酸素や周期表のその他の元素を作る道程への一歩である。われわれはまず初めに炭素まで行き着き、そして、さらに微妙なことに、酸素やその他の元素を作るために炭素を燃やし尽くさないようにせねばならない。

一つの常識的な解釈は、超自然の理性が物理や化学や生物学の世界を操作したのであり、自然界には語るべき盲目の力はないということである。この事実から計算できる数字はこの結論に疑いの余地がないと私に感じさせるほど膨大なものである。

B．初めの状態

（ⅰ）第一に、最初の宇宙の物質の平均密度は、いわゆる「臨界密度」の前後1060分の1のうちに入らねばならない。この臨界密度は、宇宙を開いた（膨張し続ける）宇宙とするか閉じた（ビッグ・クランチでつぶれるほうに戻る）宇宙にするかの境目となる。もし密度がこれ以下であれば、宇宙は、あまりに急速に膨張してしまい、銀河や恒星は形成され得ない。もしこれ以上ならば、宇宙全体は、重力でわずか数カ月のうちに再びつぶれてしまうであろう。

（ⅱ）第二に、そして、右と関連して、われわれの直観に反して、人類が存在するためには宇宙は今のような広大な大きさが必要である。これが、臨界値に近い密度の膨張する宇宙が140億年で達する大きさであり、140億年は人類が発達するためにかかるだけの年数なのである。それゆえ、宇宙の広大さが人間の〈取るに足りなさ〉を示すという議論は、真逆であり、宇宙がこれほどに広大で、1000もの銀河を含んでいるからこそ、私たちが存在できたのだ！

## ほんの小さな変更を加えて生まれた宇宙は興味深い発達をする余地はない

(iii) 第三に、ビッグ・バンの時には信じられないほど正確な秩序がなければならない。われわれは、宇宙が秩序からますます無秩序の状態へと向かっていること（熱力学の第二法則であるエントロピーの法則）を知っている。そして、われわれが目にする銀河や恒星の秩序だった構成を宇宙が生み出すことができるためには、最初に非常な秩序が必要であったということになる。

オックスフォードの数学名誉教授ロジャー・ペンローズ卿は、われわれの宇宙は$10^{10}$の123乗の可能な宇宙の一つであるが、その$10^{10}$の123乗個のうち、われわれの観察するほどの複雑さを生み出すのに必要なだけの秩序を持ちえたような宇宙はただ一つであろうと証明している。われわれがここに存在するためには大体これほどの秩序が必要だったのだ。もし$10^{10}$の123乗を書こうとするならば、宇宙の分子一個にゼロ一つずつ書いていったら、可視の宇宙全体の分子の数でもまだ足りないだろう。

とどのつまり、ほんのわずかでも変更を加えた場合に生まれる可能性のある宇宙は、興味深い発達をする余地はないし、特に、それらの宇宙を観察するわれわれのような複雑な生物を生み出すことはありえない。そして、もちろん、物理学者たちはこうした偶然に驚きを感じてきた。

イギリス・アメリカの理論物理学者・数学者のフリードマン・ダイソンが言うには、「私は宇宙とその構造を観察すればするほど、宇宙が、われわれの到来を何らかの意味で知っていたに違いないという証拠をますます見出すのである」。

これらすべてから引き出せる非常に自然な結論がある。つまり、われわれが考えている宇宙の偶然の一致は、実際、偶然などではない。神が宇宙を設計したのだ。そしてその設計は、意識と道徳観のある理性的生物を作り、その生物が神の御業(みわざ)を観想し、神と関係性を結ぶようにとの、明白な意図を持ってなされたのだという有神論的仮説は、確かによりふさわしい、との結論である。有神論の仮説は、なぜ神が宇宙を創造したか、それも、なぜ、このような特別なやり方で創造したのかという理由を提示する。たとえば、キリスト教の想定する善なる神は、彼の創造力を行使して彼の御業のすばらしさを味わうことのできる被造物を作りそうなものである。そのようなシナリオは確かに、われわれが観察している微調整のできた宇宙と一貫している。

## ホルダー牧師の結論

本論の目的は、設計理論の代案を詳細に展開することではなく、むしろ、宇宙は設計されたのではないという議論のいくつかを批判することである。しかし、神の設計ははるかに単純で、より簡潔な説明であるという強力な議論があり、それは、多元宇宙の仮説と対照的に、もし神が設計したのならばわれわれが完全に秩序だった宇宙を観察できることは非常にありそうだということである。実際、有神論的仮説は、はるかにより包括的な説明を与えてくれる。なぜなら、神は、伝統的に考えられているところでは、必然的な存在であり、物理的な宇宙は、多元宇宙でさえも、偶発的存在だからである。

つまり、神は存在せずにはいられず、全能、全知など、神が持っている属性は持たないことがありえない。これは、少なくとも、神という概念が意味するところの一部である。それと対照的に、宇宙は存在するかもしれないし存在しないかもしれず、今ある宇宙と異なることもありえるだろう。同じことは、多元宇宙にもあてはまり、実際のところ、われわれの宇宙の特異さについての問いは、多元宇宙では解決されず、それに転移されるだけである。なぜ多元宇宙が存在し、なぜ、この多元宇宙なのか？　神は必然的な存在としてなぜそもそも何かが存在するのかを説明し、また、なぜこれほど特別で、実際、われわれを生み出すほど超特別な宇宙なのかとの理由をも与えてくれる。

さらに、人は多元宇宙を観察できないのと同様に、神を観察することはできないけれども、多元宇宙の場合と異なり、神がわれわれの宇宙に観察可能な影響を及ぼしていないと考える理由は、原理的に、全くない。キリスト教徒には、そのような影響はたくさんあり、もちろん、それらの真正性はすべて吟味して判断すべきではあるが、神の受肉もその一つである。

最後に、確かに、宇宙は神によって意図的に設計されたと考える方が、つまり、知性を持ち創造主と関係性を持つ能力を持った被造物を造ろうというはっきりした意図を持って神が宇宙を造ったと考える方が、神無しの多元宇宙という代案よりもはるかに合理的である。この特別な宇宙の非常に特別な性質を説明するために、ほとんどの広大な部分が死んでいるところの退屈で、観察不可能な仮説的宇宙についてとっぴで全く非科学的な思索にふけることは、非合理的に見える。

（本論は Rodney D. Holder,"Is tile Universe Designed ?"［Faraday Paper 10, April 2007］の一部抜粋である）

以上、「ファラデー論集（The Faraday Paper)」の中からロドニー・ホルダー牧師の主張をかいつまんで紹介したが、彼らの研究所が主張しているのは、キリスト教の神概念である。その主張は感情が先走っている感を否定できないのではあるが、少なくとも、このような主張がキリスト教側の有神論者から積極的に語られ続けていることをわれわれは知っておく必要がある。その意味では、筆者や主要の物理学者の見解とは少々異なるところではあるのだが、少なくとも反唯物論者という点で一致している。

キリスト教は「サタン」という概念を正しく理解出来ていないため、本来一神教であり、一元論であるはずが、神対サタンの二元論的傾向を示すところがあり、その点は大いに改善される必要があるだろう。その意味では、仏教やヒンドゥー教のような梵我一如の思想は存在せず、あくまで人は神の創造物にすぎない。生かすも殺すも、神しだいである。アインシュタインらはこういう点を指摘して宗教的神を否定したのである。

# 素粒子の世界は不思議だらけ

## 物質の驚異の単純原理

この本の主要の人物たちが量子力学を研究する理論物理学者たちであるので、なぜ彼らが神を肯定するに到ったか、その背景となる素粒子の世界について、読者のためにここに予備知識を述べたい。理系に拒絶反応がある方は飛ばして頂いて結構だが、そうでない方は簡潔に紹介しているので、是非、頭に入れておいて頂けると、彼らの発言の深意が理解しやすくなるだろう。これは拙著『タオと宇宙原理』からの引用であるので、興味のある方はそちらを読んでもらうと、この世界がいかに面白いかが分かって頂けるだろう。

最新の研究によると、誰もが知っている原子モデルの構造は少しだけ修正されることになった。

## 図 A

## 〈原子の構造〉

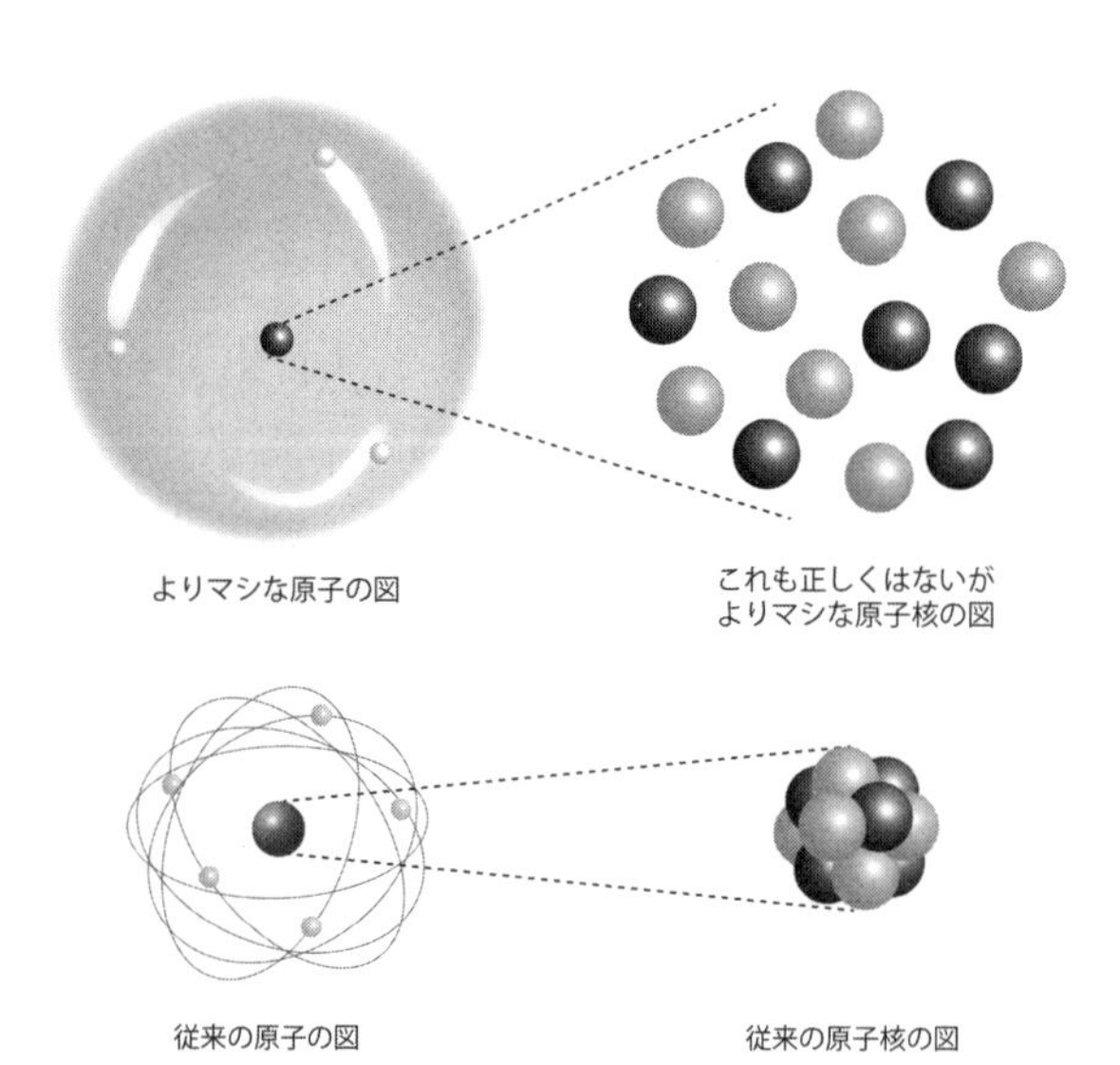


電子の位置は定まっておらず、
従来の太陽系型モデルは今は用いられない。

図Aの従来型モデル（右下）が今までの原子核の構造の図であったが、現在では、右上のように、陽子と中性子が、バラバラに離れていて、しかもこれらは、核内においてしょっちゅうお互いが入れ替わっているということが分かった。陽子と思ったら中性子、中性子と思ったら陽子になる、というふうに常に入れ替わっているのである。それは、β（ベータ）崩壊現象に伴うものであるが、原子核を構成している核子は、実に不思議な動きをしていることが解明されている。この原理は、仏教の刹那滅（せつなめつ）の原理とも合致する。また、時間のスケールは大きく違うが、DNAの二重構造において交互に行なわれる破壊と再生の原理とも基本的には同じ作用なのではないかと思われる。

そして物質というものは、基本この陽子と中性子と電子からしか出来ていないという事実に驚く必要がある。生物の形成が遺伝子の四つの塩基の配列の違いのみで出来上がっているのと同様に、物質は陽子と中性子と電子という三つ（或いは核子と電子の二つ）の素粒子の組み合わせから全てが出来上がっているということなのである。

さらにその奥に陽子や中性子を構成するクォークという、もっと小さな単位があることも分かっている。陽子はアップクォーク（電気量２／３ｅ）二つとダウンクォーク（同マイナス１／３ｅ）一つの計三個で形成され、中性子はその逆で、アップクォークが一つでダウンクォークが二つの計三個で形成されている。その結果、陽子はプラス電荷となり中性子はゼロ電荷となる。なお、それらの全てに反粒子が存在する。

クォークが三つまとまって分割可能な複合粒子の「ハドロン」として中性子や陽子を作り、分割できない最小単位と考えられている「レプトン」のひとつである電子がその周りをまわっている。そして、電子と陽子と中性子とで原子が構成されている。全ての物質の基本的な構成要素はこれだけだ。それはつまり、物体（原子）はクォークと電子の二素粒子だけで出来ていることを意味する。何度も言うが実に驚くばかりである。

しかし、東洋哲学は紀元前の大昔からこの原理に伴うゆらぎ性の基本原理は疾に知っていた。この事実に我々は謙虚に頭を垂れるべきだ。敬意を払うべきである。東洋の易学を迷信や非科学と蔑称して顧みないのは理性有る者の正しい姿勢ではない。その意味では心理学のユングは実に優れた学者であった。それにしても原子を並べ変えれば、全ての物質を作り出すことが出来る。これは驚くべきことだ。しかし、そのことは易の原理を理解していれば何ら驚くことではない。

つまりは塩基配列に手を加えることで、理論上新たな生命を簡単に作れるように、あらゆる物質も理論上簡単に意のままに作り出せることを意味しているのである。そうなると、この世に不可能なるものは一切無いと思える程の可能性が広がることになる。超未来においては、自分の意思で身体を鋼鉄の皮膚に変身させてしまうといったことも可能になるのかも知れない。

## 四つの力の相互作用

さて、陽子や中性子の内側の空間は、測定不可能だが、常に粒子（クォーク）が現われたり、消えたりしていることが分かっている。実はこのおかげで、我々は存在しているのである。人間の常識からすると、生滅しているような物質から人間が構成されているとは到底考えられないのであるが、実はこの不思議な現象こそが、人間の細胞に活性化を与え固定化する（死んだ状態）のを防ぐ働きをしているのである。物体もこの不思議な素粒子の性質によって、生きた物体として存在しているというのだから、量子（素粒子）の世界は、人間の常識ではまったくもって理解不能の世界なのである。しかし、これが事実なのだから、そのまま受け入れるしかない。極めて非常識に映る構造なのだ。

そしてまた、陽子の質量のほとんどはクォークからではなく、現われては消えるゆらぎ性の仮想フィールドから作られているため、そこは現実の世界というよりテレビゲームのような世界が展開している。原子核内の世界は将に仮想フィールドと呼ぶほかない構造になっていて、その場の不思議な力に支配された不思議な核子が存在するのだ。仮想フィールドのおかげで、重さが生まれ、原子核が安定し、我々物体が存在しているのである。そこには、印度哲学にいう純粋精神のプルシャ（無極）から根本原質プラクリティ（太極）が生じる「ゆらぎ」という基本原理が作用し続けていることが分かる。この根本原理が存在の全てを支配し、我々の全てを導いているのである。

このことを、仏教では「刹那滅（せつなめつ）」と呼び、仏教哲学の存在論における最も根幹的教義となっている。これを理解しないで仏教を知っているとは言えない決定的内容である。そこには発生と安定と変化と消滅という微細な変位（ゆらぎ性）が語られており、同時にそれは時空存在論へと発展することになった。

さて、陽子より遙かに小さいスケールには、ヒッグス粒子が存在する。これは、光子や重力子等の一部を除いたその他の全存在に質量を与えるものだ。ヒッグス場にあるヒッグス粒子が他の素粒子にからまって、重みを生じさせ電気を生じさせるのである。

何故質量を持つ粒子と持たない粒子があるのか、それは未だ判明されていないが、それは生命が誕生するための条件であったのだろうと筆者は考えている。全ては人間の存在肯定へと向かっているという方が、無神論者の説よりも説得力がある。

何故、ヒッグス粒子が存在するかはまだ謎である。素粒子には初めから質量があっても良さそうだからだ。ヒッグス粒子が何故、これ程の極小サイズなのかは新たな疑問であるが、たぶん、素粒子をからめとるためには細かくなければ無理だったからだと想像する。我々の存在に関する重大な謎の一つである。だが重力の働きを知ると理解できてくる。

「重力」がこのマクロの宇宙を支配していることは周知の事実である。重力の力を伝えるのは「重力子（グラビトン）」と呼ばれる未発見の素粒子である。なんと粒々の粒子が重力の正体だったのだから、一般常識は量子物理学の世界ではまったく通じない。しかも相対性理論によれば、それは空間のゆがみという形で作用しているらしい。読者の皆さんもびっくりのことだと思う。重力とは地球上で高所から低所にものが落下する力作用のことだ。地球と月の間にも引き合う力として作用している。昔は万有引力と呼ばれていたものである。ヒッグス粒子によって質量を与えられていないので、無限の宇宙までその力を伝えることが出来る。

同じく質量を持たない光子を交換し合うことで電気を発生させているのが「電磁気力」である。重力同様、際限なく力が伝わるが、重力と違いミクロの原子内でも作用している。その力を伝えるのは「光（量）子」である。陽子と電子を引き合わせる力であると同時に、我々が日常感じるあらゆる物理的力は、この電磁気力（電子の反発力）であるのだ。この重力と電磁気力という二つの力は、私たちが日常生活で経験するあらゆることに関わっている。肌感覚や硬い柔らかいなどの感触は電磁気力そのものである。さらに、原子核内にはより小さいスケールで働く、あと二つの力がある。「強い力（強い相互作用）」と「弱い力（弱い相互作用）」と呼ばれるものだ。

「強い力」は、原子核が壊れないように核内の陽子と中性子を結びつける強い力として、また陽子や中性子のハドロン内に三つのクォークを閉じ込める力として、クォークの間に働く自然界で最も強い力だ。「強い相互作用」や「強い核力」ともいう。その力を伝えるのは「グルーオン」という素粒子である。電磁気力の約一三七倍、弱い力の約一〇の六乗倍（約一〇〇万倍）、重力の約一〇の三八乗倍（一〇〇澗倍）の力がある。ただしその作用は一〇のマイナス一五乗メートル以内という極めて限られた世界での特別な力なのである。要するに原子核内だけの作用であるためマクロ的作用は一切ない。

一方の「弱い力」とは「弱い相互作用」「弱い核力」とも呼ばれ、力は「ウィークボソン」という素粒子によって核内だけの一〇のマイナス一七乗メートル内に伝えられる。β（ベータ）崩壊と呼ばれる中性子と陽子が入れ替わるときの力作用として働く。

β崩壊とは、原子核がβ線（電子）とニュートリノ及び反ニュートリノを放出して他の原子核になる現象をいう。それには二つあり、「β－（マイナス）崩壊」は中性子がβ－線（電子）と反ニュートリノを放出し、陽子に変わる現象で、原子番号は一つ増える。一方、「β＋（プラス）崩壊」は陽子がβ＋線（陽電子）とニュートリノを放出し、中性子に変わる現象。原子番号は一つ減。なお、β－崩壊においては、なんと中性子から負電荷を持った電子が放出されるので、残った中性子は正電荷を帯びて陽子に転移する。β＋崩壊はその逆の作用で、陽子から正電荷を持った電子が放出されるので、残った陽子は正電荷を失い中性子に転移するのである。

図B

〈β崩壊〉

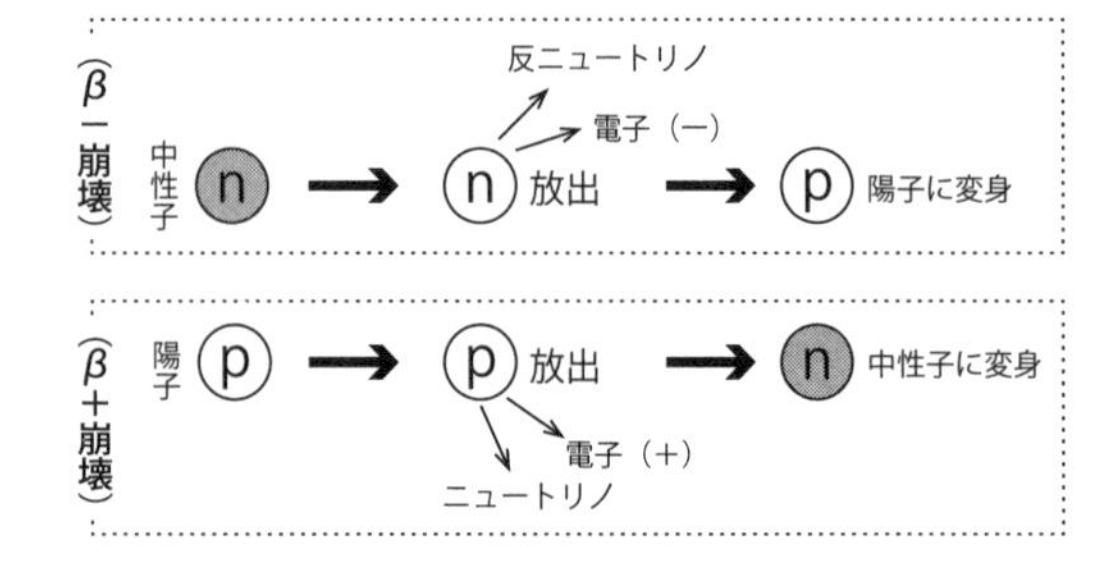


（具体例）

〈トリチウム（三重水素）〉　陽子１
（β－崩壊）　反ニュートリノ　電子（－）
〈ヘリウム３〉　陽子２　中性子１

（質量数）（原子番号）$^{3}_{1}\mathrm{H}$　　（質量数）（原子番号）$^{3}_{2}\mathrm{He}$

トリチウム（三重水素）は陽子１つに中性子２つだが、β崩壊により１つの中性子が陽子となり陽子２つに中性子１つのヘリウム３となる。陽子が一つ増えたため原子番号は一つ上がり、１の水素から２のヘリウムとなる。中性子が陽子に変わっただけなので、核子の総数（質量数）は変化しない。この種の変化が万物の多様性を生み出し、生命や意識の根源性をも意味している。

つまり、「弱い力」は原子の放射性崩壊の原因となるクォークやレプトンなど亜原子粒子間の働きに作用する。

特に太陽における熱核過程における動力となる水素のヘリウムへの核融合を誘発させる働きをなしていることは

重要である。要するに「強い力」が原子核を安定させる力であるのに対して、「弱い力」はクォークが別なクォークに変わるための相互作用である。当然のことながら、それは電荷の対称性を破る作用ということでもあり、これにより物質や現象の多様性が生まれることになる。極めて重要な役割である。

重力や電磁気力を感じるのは、それが長距離に達する力だからで、私たちが普段感じることのない「強い力」と「弱い力」は原子核のスケールでのみしか作用しない。その理由はヒッグス粒子である。この二つの力はヒッグス粒子の影響で、原子核の距離内でしか力が届かないのだ。

一方、「電磁気力（光子）」と「重力（重力子）」にはヒッグス粒子が絡んでおらず質量がない。重さのない粒子のため遠方までその力が伝えられている。その力は宇宙を自由に飛び交うことが出来る。それにしても「四つの力」のうち我々がよく知っている重力が一番力が弱いというのは何とも驚きである。

この何とも絶妙な宇宙の仕組みを見ていると、これが単なる偶然の産物とはおよそ想像できない。「偶然」と言い切る無神論者たちは余りに鈍感としか言いようがない。実に巧みに何らかの宇宙の意志が働いているとしか考えにくいからである。

ニュートン力学を学んでいる限りは、それほどの衝撃は生じないだろう。ところが量子力学の世界ではあらゆる常識がすべて通じないだけでなく、あらゆる物体がミクロの世界では存在していないことまで分かったのである。しかも、「ゆらぎ」という現象が物の生滅の正体でもあり、そこには無限の可能性が見出されるのだ。百二十年前にプランクが画期的なエネルギーの量子仮説を唱え、それまで連続体と認識されていたエネルギーが、実は粒子だったことを発見したことを契機に一気に量子物理学が発展することになる。重力や電磁気力なども粒子であることが判明し、ただただ唖然とするばかりである。

しかし、この事が、現在哲学者のチャーマーズらが唱える世界の構成要素の一つとしての意識論へと発展してきた。いまや意識も粒子の集合体と言われるようになってきたのである。一コマ一コマの連写で映像が動き出すように、人の意識も一粒一粒の意味のない機械的パーツが集合して蟻の集団活動のような創発現象となって人の前に現われるのかも知れない。その点についてはペンローズは否定的であるが、脳生理学上は一般にそう考えられている。

だがここで問題なのは、脳に於ける意識は人が意識する前段階に於いてすでに発動されているという検証結果が出ていることである。創発現象の前に、「何らかの意志」が働いているということなのである。有神論者はそれを魂と捉えるのである。

## ロジャー・ペンローズ
## Sir Roger Penrose

（1931～　イギリス　数理物理学者　数学者　科学哲学者
2020年ノーベル物理学賞受賞）

1931年8月8日、イギリス、エセックス州コルチェスター生まれ。1960年代にブラックホールの基本的な特徴の多くを計算したイギリスの数学者および相対主義者。ブラックホールに関する業績により、2020年のノーベル物理学賞を受賞した（アメリカの天文学者アンドレア・ゲズとドイツの天文学者ラインハルト・ゲンツェルとの共同受賞）。

博士号を取得した後、1957年にケンブリッジ大学で代数幾何学を専攻し、英国と米国の両方の多くの大学で一時的な職を務めた。1964年から1973年まで、ロンドンのバークベック大学で教授、そして最終的には応用数学の教授を務めた。1973年からはオックスフォード大学で数学のラウズ・ボール記念教授を務める。

1969年、スティーブン・ホーキングと共に、ブラックホール内のすべての物質が特異点、つまり質量が無限の密度とゼロ体積に圧縮される空間内の幾何学的点に崩壊することを証明した。また、ブラックホールを取り巻く時空の領域をマッピングする方法を開発した。また、繰り返しパターンを使用せずに平面をカバーするために一連の形状を使用できるペンローズタイルを発見した。

1994年、科学への奉仕でナイト爵を授けられた。意識を定義する問題に興味を持ち、意識を説明するために量子力学が必要であると主張した2冊の本『The Emperor's New Mind』（1989）と『Shadows of the Mind』（1994）を著した。また、数学と物理学の広範な概要である『The Road to Reality』（2004）を執筆した。『Cycles of Time：Extraordinary New View of the Universe』（2010）で、共形サイクリック宇宙論を提唱し、ビッグバンを際限なく繰り返される出来事として定式化した。2008年に王立学会のコプリメダルを受賞した。

# ペンローズの量子脳理論

二〇二〇年のノーベル物理学賞を取った数学者にして理論物理学者のロジャー・ペンローズと麻酔科医のスチュワート・ハメロフによって提唱されている量子脳理論。意識に関しては「Orchestrated Objective Reduction Theory」（統合的客観収縮理論）、略して「Orch-OR-Theory」と呼ぶ。この中で彼らは脳内における量子の作用が意識を生み出すことを主張する。それは従来の脳生理学において、ニューロンネットワークの働きによって偶発的に意識が生まれてくるとしていた理論を一歩進めたもので、量子レベルにまでおとしこんだものである。

更に決定的に従来の考えと異なった点は、量子作用によって意思が発生する以前の段階での意志の存在を主張したことにある。

彼らによると、意識はニューロン単位で発生するものではなく、「微小管」と呼ばれる部位において量子的過程が生じる構造段階で発生するとしている。微小管とは真核細胞内の管状構造であり細胞の形成と細胞分裂を含む動きを決定する器官である。この微小管がペンローズが理論上に求めていた量子デバイス（マイクロチューブル）であるとしている。その働きはニューロン同士を結びつけるシナプス結合の強さの制御を行なっている。微小管の対称性と核子構造がペンローズが専門とする量子力学との連関を感じさせるとペンローズは考えているのである。つまりそこに量子の「重ね合わせ」状態が出現し、そこに於いて〈原意識〉の要素が起こると言うのである。そしてまた、人に意識が有ること自体が、宇宙が存在する理由とも語っている。また肉体の死に際しては、意識を物質の最小単位である素粒子よりも小さい物質と仮定し、心臓が止まると意識は脳より拡散し外に出ていくとする。そして情報（意識）は宇宙に留まるか、別の人間として転生すると考えているのである。

主導しているのはハメロフの方であるとは言え、ノーベル賞を取った天才がここまで明瞭に語るのは久し振りではあるが、物質世界を探求していれば、ある意味当然の帰結のようにも思えるのである。いまや、還元主義的唯物論が日本や世界を席捲しているのであるが、量子力学の発見解明によって、あらゆるものの存在に絶対性が見出せなくなったことは確かであり、その逆説として従来無いと思われていた霊的な意識というものの存在を、肯定的にとらえ得ることが可能となったのである。

この問題の滑稽さは、霊的存在を認めることや神的存在を認めることが、即科学の否定に繫がると主張する人たちが多くいることである。それは人間の意識を認める限り科学は正しく解明されることはない、と言っているのと同じで、ナンセンスであることに、彼らは全く気付こうとしない。

それは恰も「あなたの言ってることは決めつけであって〈決め付ける〉という行為は絶対にやってはいけない

のよ！」と言って相手に対し〈決め付ける〉言動をしている様なものだ。実に滑稽としか言い様がない。神を信じていようが何の迷いもなく科学理論を追究することは可能だからだ。中世のようなキリスト教がヨーロッパ世界に君臨し、キリスト教教義に反するものは一切認めない、反する者は死刑、といった時代ではない。況してや日本という国においては、そういうことは一切考えられない。有神論者だろうが無神論者だろうが方程式を解くのに何の違いもないし、検証の際に違うことをするなどということもあり得ない。そんなことはちょっと考えれば誰だって分かることなのに、何故か尤もらしく有神論者は科学研究をすることは出来ない、資格がないと言い出す人がいるのだから呆れるのである。

その理屈をもってすれば、理論を追うことをしている科学者は感性の働きである芸術や音楽、感覚で作る料理などは身に付ける能力がないということになってしまう。ピアノやバイオリンが上手な欧米の科学者はワンサといることからも、彼らの批判がいかにナンセンスかが分かるのである。

次にペンローズの発言を紹介する。この中で彼はキリスト教関係者との神についての討論をしているのであるが、その要約を載せるものである。これ以外にもホーキングとの共同研究などにも言及しているが、それらはカットして前半部分の彼の発言のみ紹介する。この中での彼は正直に自分の考えを述べていて裏表のない人だというのが分かる。

その意味では、彼の興味は神よりも意識すなわち霊魂の方にあるように思われる。それは彼の年齢（現89歳）がそうさせているということも出来るだろう。何であれ老いたとは言え世界トップの頭脳の一人が意識という表現で霊魂を分析仕続けていることは、実に興味深いことである。

「Unbelievable?」より　ビデオシリーズ「The Big Conversation」シーズン2　エピソード2
宇宙―それはどこから来たのか、なぜ我々はその一部なのか

ペンローズにはホーキングとの共同研究でビッグバン宇宙論の裏付けの助けとなる「ペンローズ・ホーキングの特異点定理」などの注目される研究がある。彼はキリスト教徒に対しては、キリスト教的人格神を認めないという意味で自身を無神論者と称するも、宇宙が目的のないものであるという考えは否定している。要するに宇宙の創造者について肯定している。宇宙の存在にはより深い何かがあるが、いまはまだそれについてほんの少しのヒントしか我々は得られていないと語っている。

ペンローズは科学者だった父親の影響が大きい。父親は主にヒト遺伝学者で、医学的な訓練もしている。哲学的にも数学的にも研鑽を積んでいて、数学に理解が深い人であった。こうしてペンローズも数学者となった。子供時代は、物理の幾何学のパズルが好きで、父親と長い道のりを歩き、植物を眺め、宇宙について語り合ったりしたという。

彼の父親はクエーカー教の家系で、そういったバックグラウンドが彼に影響していることは確かである。彼は規律正しく真面目でよく働くクエーカー教徒に共感を持っており、平和主義者であり、対立を好まないところがある。とは言え両親ともに宗教的信仰という意味では信者ではなかった。だから信仰が家族の教育の中にはない環境で育っている。

スティーブン・ホーキングの死後に出版された著書に宇宙の起源とビッグバンについて彼が語っている章がある。そこについてペンローズは「私には全体の中で一番納得のいかない部分」だったと述べている。

つまり、以下のように述べる。

ここでの大きな皮肉は、私がこれらすべてについて考えを変えたということです。そのため特異点定理は、この特異点の起源の確認のため、ここで説明する必要があります。これは、本質的に方程式が無限大になり、言い換えれば、方程式が機能しなくなり、それらの方程式があなたに何をすべきかを教えなくなる場所です。

その考えは、宇宙の膨張について観察し、アインシュタインの方程式が背景を推定し、一般的な定理を使用して、特異な起源を実際に回避できないことを示しているため、方程式が破綻し、方程式に頼って最初の状態で何が起こったのかを教えてもらうことはできません。スティーブンはそれを見る特定の方法を持っています。それは私自身ではうまくいかないと思う興味深い方法でした。彼はカリフォルニアにいるジェームズ・ハルタルと別のとても面白い人物のアメリカ人と共にその考えを開発しました。その考えは非常に興味深いものだと思いますが、私にはそれについていくつか疑問があります。

その主なところについての私の現在の見解は、ビッグバンは、そこに存在はしたけれども、それは始まりではなかった、したがってビッグバンの前に何かがあったというものです。つまり何のために宇宙があるのか、私たちはその中で何をしているのか―ということです。

私は、宇宙には目的があると言うことが出来ると思う。それ（宇宙）は単に偶然そこにあるものではない。思うに、宇宙とは単に我々と一緒にそこにあって進んでいる、言ってみれば計算のようなもので、私たちは偶然このことに気づいた、という見方をする人もいる。しかし私はそれが宇宙に対して充分有意義で役立つ見方だとは思わない。宇宙について、何か、より深いものがあるが、現時点ではまだそれについてほとんどヒントが得られていない、という。

そして、現実を見るときに「精神、物質、抽象の三つの見方がある」と次のように言う。

私が世界を表わすのに使っていた三つの言葉すなわち〈物質〉〈精神〉〈抽象〉は三つの謎でもあるのです。〈物質世界〉とは、テーブルなどといったものです。〈精神世界〉は、物などについての経験や意識や気持ちです。より具体的に言うと、それは〈数学的抽象〉です。【一つ目の謎】は、この物理世界が数学的方程式によって非常に精密に導かれていることです。探求すればするほど、これがより正確であることがわかります。より正確には、この物理的な世界が機能するような正確な方法で支配する数学的原理のことです。私たちが決して確信していないこれらのことを私は「謎」と呼んでいるのです。測定には並外れた精度があります。アインシュタインの一般相対性理論は、非常に正確に決定された量子力学の法則であり、いくつかの点で重力と時間が内部的にどのように相関しているか明らかとしています。アインシュタインの予測の一つは、ここにある時計よりもゆっくりと動く時計があるということです。この精度は、ここから一センチメートル上までで、差を測定できます。私たちがそれらを正しく理解するときの数学的理論は、まだ完全には正しくはっきりとしているわけではありません。しかしそれでもその精度は並外れています。

【二つ目の謎】は、これらの状況が正しいものと思われる場合、では意識的経験はいかにして生じるのかということです。これはただの推測ですが、それはこのグラスやグラスの中の水には存在しないと思います。しかし人間や動物にはそれは起こっているということです。脳の構造がこの意識を引き起こしているようです。本当に謎です。そしてそれは単なる複雑な計算の問題ではなく、より微妙な何かが起こっていると思うのです。

これが二つ目です。

【三つ目の謎】は、我々が自分の体験とは大きくかけ離れた数学やこれらの桁外れに首尾一貫した、それでいて深い考えを把握する意識的理解力を使うことが出来るということです。つまり、数学は発明されたというより発見されたもの、そして独立して存在するものです。私たちの存在と世界がどのようにできてきたか、自然淘汰が我々が生き残ることをどのように手助けしてきたかなどは、とても非直接的につながっています。だからそれらのことがどのように起きたか知るのはとても難しい。

(この三つの世界を統一するものがあるとすればそれらを)統一するのはプラトン的数学世界であると思います。よくわからないのは、どのように精度を高めるのか、つまり精神的なものは私には、私はなぜそれが役立つのかよく分かりません。つまり誰かが超精神的な存在か何かを前提とするのはいいのですが、それが物質的なものを持たない存在というなら疑問です

こういった説がよくわからないのは、精神が無限だから数学世界や他のすべてを含むと言うが、ではその理由はどこからくるのでしょう。私にはなぜそれが問題の解決法になるのかが分かりません。

三つの謎は私の世界と関連があるわけです。それを説明します。クリスチャンは精神世界が必須と言い、私は数学だと言う。

まず〈物質世界〉は数学的全体性からするとごく一部です。私たちは物理法則が分かりますがそれは小さな一部にすぎません。古い数学の記録を見れば、それが物理的な世界との関係性を意図していないものでいっぱいであることがわかります。これが一つ目です。

次の謎は、私たちが滅多に起こらない方法（不可能な確率）で、秩序ある物理的世界（宇宙）の非常に小さな部分として存在している理由です。つまり周りの惑星などもそうですし、そしてその物質世界に意識的生命が具体的に生じたということもです。

仮にこの宇宙の誕生因を精神世界に置いたとしましょう。神でもなんでもよいのですが、それによって造られたとすることはできるかもしれないように思えます。ですが、それを理解するのは私には難しいです。全てをコントロールする神のような存在は私には奇妙に思えます。

私にはなぜそれが問題の解決法になるのかが分かりません。つまり、ある人は例えば神と呼ばれるような何かがあり、それが心的世界であるこの世界に存在するということを前提とします。私にとってそれは、どのように扱ってよいかよく分からない仮説です。それが間違っていると言っているのではなく、なぜそれに原因を帰するべきなのかが分からないのです。

その見方には一つの真実が有るのかもしれませんが、なぜ私がそれを信じなければならないのかは私にはわかりません。その神的な存在がなぜ意識を持ったものであるべきなのか分からないのです。それ（神と呼ばれるものが意識を持っていること）を認めないと言っているのではありません。ただ、この神のような存在が何であれ、独自の意識を持っていると言うことが、なぜ適切な説明となるのかわからないのです…。その考えは間違っているとは言いません。そのようなものがあるのかもしれません。宗教的見方をすれば、死後、人の意識はそれの一部になるのかもしれません。

必ずしもその考えを間違っていると言っているわけではありません。

以上のようにペンローズは慎重に言葉を選びながら語っている。その意味するところは、神を否定しないが、神が宇宙の根本因とすることに対しては理解できないとしている。彼の中では、宇宙の根本因は精神性としての神なのではなくして、何らかの物理的発動があると考えているようである。あえて分類するならば、インドのサーンキヤ哲学にいうプラクリティ（根本原質）ならば納得すると言っているようにも聞こえてくる。なんであれ、ペンローズが死後の霊の存在について肯定的に捉えていることは確かである。彼やハメロフに代表される新しい時代の科学者たちが、意識（霊）へ言及し始めたことは、新しい時代を象徴していると言ってよいだろう。それにより、広く世界の科学者たちにも大きな影響を与えている。

# ハンス・ペーター・デュル
# Hans-Peter Dürr

(1929～2014　ドイツ　科学者)


ドイツ、シュトゥットガルト生まれ。核物理学、素粒子工学、素粒子重力学、認識論、哲学の分野で優れた論文多数。科学者の責任とエネルギーポリシーについての提言多数。

1978年～1992年ドイツ、マックス・プランク研究所、物理学・宇宙物理学研究所所長を歴任。1972年～1977年マックス・プランク物理学研究所の副所長。1997年までLudwig Maximilian Universityの教授。

1953年にシュトゥットガルト大学で博士号取得後、1956年、カリフォルニア大バークレイ校のエドワード・テラー(Edward Teller)のもとで博士号取得。その後、バークレイとインドのマドラス校の客員教授。ウエルナー・ハイゼンベルク(Werner Heisenberg)の後継者として核物理学、素粒子工学、素粒子重力学、認識論、哲学に専念する。ハイゼンベルクはナチの原爆開発に協力していないとの立場をとっている。社会運動にも積極的で、ババリア州に建設予定であった核燃料再処理工場の建設への反対運動「ダビデとゴリアテ」を戦った。1980年にパグウォッシュ会議のメンバーとなり世界平和の為に行動する。1983年にマインツで開かれた科学者の"平和への責任"を問う3300人の科学者集会の副発起人となった。ここでマインツ・アピールと知られる非核武装宣言が行われた。1990年にはゲッチンゲンで開かれた大規模な宇宙の軍事利用に対する反対集会も主催した。ドイツのほとんどの有名大学で講義を行なった。スターウォーズ計画として知られるアメリカのSDI計画に反対意見を述べる急先鋒であった。

1986年に世界平和イニシアティブを提案。SDI計画と同予算を地球環境問題と貧困と不平等の撲滅に使う事を提言した。これが後日、Global Challenges Networkと発展し、1987年に、もう一つのノーベル賞と言われるライトライブリフット賞を受賞。

ローマクラブの会員でもあった。

# ハンス・ペーター・デュル　Hans-Peter Dürr

（1929 ~ 2014　ドイツ　科学者）

デュルはドイツに於ける量子物理学の最高権威であるマックス・プランク研究所や物理学・宇宙物理学研究所の所長を歴任したドイツ物理学会の大御所である。その彼が以下のようにインタビューに語っている。

**（1）英紙「Express」（2018年9月26日付）**

「我々が、『いま、ここ』と考えているもの、『この世界』と考えているものは、分かりやすい物質的レベルのものです。その向こう側には、はるかに大きな無限の現実があります。そこにこの世界は根付いています。そのように、この存在次元にある我々の生命は、すでに死後の世界に包み込まれているのです。
肉体は死にますが、霊的量子場は継続しています。そういう意味で私は不死身なのです。」

**（2）「量子力学と創造性」についてのディーパック・チョプラ（インド系アメリカ人作家）との対談より（2014年3月20日）**

私は60年、金属について、物質の動力学を研究してきました。人は、何が面白かったか、主な成果は、と私に尋ねます。その成果は、物質は存在しない、ということです。当初からその結論は出ていたのですが、私には信じられませんでした。私は、それを理解したかったのです。

そしてついに、物質は存在しないということを理解しました。我々が分からなかったことは、その背後に何かがある、ということでした。それは、ハイゼンベルクの最初の発見にとても近いものです。ハイゼンベルクは不確定性原理という、新しい、とても風変わりな物理学を発見しました。

量子力学の発見の主要な点は、我々が「もの」と呼んでいるものは、実はものではなく、「過程（プロセス）」に過ぎないということです。それが過程なのであれば、誰が最初に行動し、誰が2番目に行動したか、という順番が重要です。それによって結果が違ってくるからです。

超越の可能性は、この宇宙の時空の外にあり、それは意識の中にあります。

ドイツ語が母国語の私にとって、英語で説明するのは難しいですが、それは実在（リアリティ）です。しかし、それはただ起きているだけで、存在してはいないのです。それは我々の意識の中でだけ起きているのです。

しかし、我々が意識というとき、それは間違った説明です。何故なら、普通に意識という場合、それはこの時空にあるものだからです。意識というのは、別のものです。

コンピュータで例えると、それはソフトウェアであり、目の前にある印刷されたものとは全く関係ありません。意識を探そうとして我々の脳を観察するということは、ソフトウエアではなくプリンターを見るに等しく、どうやって印刷され紙が出てくるかだけを見ているようなものです。そこに印刷された内容の起源を見出すことは出来ません。それはあなたのソフトウエアの中に書かれているからです。

我々が犯す誤ちは、我々の意識について話すとき、私と、主観、客観をちゃんと区別できていると思っていることです。しかし、それらは結びついているのです。客観は主観なしには存在できませんが、我々がそれをバラバラに切り分けているのです。切り離されたものは、「もの」であり、ものが現実を作る。それが、言語を使うと、我々は真にそれを取り戻すことが出来ない理由です。相互作用という考え方を持ち込むことで、それを再び導入することができると考えるのは、誤った思い込みです。それは精神性を何かに置き換え、相互作用の観点で描写したものにすぎません。

今という時間もありません。英語でモメンタム（気運、契機）という言葉がありますが、潜在的な可能性、無限にある異なる可能性の中から、現実として現われるのです。

時間とは、一瞬一瞬、新しい現実（他に表現する言葉がないためこの言葉を用います）が、その背後にある記憶によって新たに作られることです。しかし、個々に特有な方法ではありません。ここで創造的な側面が加わります。我々は人間は創造的だと思っています。それは正しいですが、我々だけが創造的なのではありません。あらゆるものが創造的であり、無生物でさえ生き生きと活動しているのです。それはこの秩序の中においてです。

これまで言われてきたような伝統的なビッグバンはありません。誰もがバング（爆発）しているのです。我々は非常に創造的だと信じている人だけでなく、あらゆる人が創造的です。そしてこのバング（爆発）が、ある意味、次のレベルの宇宙を生み出しているのです。

我々は、エンプティネス（空虚）ということの要点を理解したいから、瞑想するのです。そこでは、全ての力が消えてはいないが、無効になり、この背後にある他のフィールドを見始めることができるのです。これはこの世界とは全く異なるものです。超越的で、可能性の重ね合わせがある、無限の次元の空間です。だから、我々は空間と場所に対して何もできないのです。そこには、全てのものに自由裁量はありません。ロジックが全く異なる場です。

# ロバート・ランザ
# Robert Lanza

（1956～　アメリカ　医師　科学者　哲学者）


アステラスグローバル再生医療の責任者。アステラス再生医療研究所の最高科学責任者。ウェイクフォレスト大学医学部の非常勤教授。

世界で初めて初期段階のヒト胚をクローン化したチームの一員。体細胞核移植を使用して成人から幹細胞を生成することに初めて成功（治療的クローニング）。着床前遺伝子診断で使用される技術により、胚性破壊なしに胚性幹細胞を生成できることを実証。2001年には絶滅危惧種ガウルのクローンを世界で初めて作成。2003年には、絶滅危惧種の野生の牛バンテンのクローンを作成。核移植が老化プロセスを逆転させ、クローン細胞から実験室で成長した最初の臓器を含む免疫適合性組織を生成するために使えることを最初に示した。臨床スケールアップに適した条件下で、ヒト胚性幹細胞から機能的な酸素運搬赤血球を生成することが可能であると示した。ヒト胚性幹細胞から機能的な血管芽細胞（「救急車」細胞の集団）を生成する方法を発見。動物ではこれらの細胞は血管の損傷を迅速に修復し、心臓発作後の死亡率を半減、切断が必要な虚血性肢への血流を回復させた。2012年、ハーバード大のチームと細胞を遺伝子操作してタンパク質を増やすのではなく、タンパク質と培養することで人工多能性幹（iPS）細胞を生成する方法を報告。幹細胞から網膜色素上皮細胞を生成でき、その後これらの細胞が黄斑変性症の動物モデルの視力を回復できることが判明。

「世界で最も影響力のある100人」のTIME Magazineの2014Time 100リスト、「Top50 World Thinkers」のプロスペクトマガジン2015リスト、Marquis Who's Who 2018など、数々の受賞やその他の表彰多数。

# ロバート・ランザ　Robert Lanza

（1956～　アメリカ　医師　科学者　哲学者）

## （1）英紙「Express」（2018年9月26日付）

米『タイム』誌の「世界で最も影響力のある100人（2014年度）」にも選ばれたこともある再生医療の専門家ロバート・ランザによると、死後、人間の意識は陽子・電子といった亜原子レベルで宇宙に放出されるという。

ランザは、「生命中心主義（バイオセントリズム）」を標榜し、意識と物質である肉体はまったくの別物であると仮定、意識こそが物質を生み出しているという大胆な仮説を提唱していることで知られる。この仮説の根底には量子力学に見られる観測者問題がある。光が観測されている状態では粒子として振る舞い、観測されていない状態では波として振舞う「二重スリット実験」から、物質に還元できない意識が宇宙において重要な役割を果たしていると、ランザは考えているのだ。

また、ランザによると、時間や空間でさえも脳が世界を統合するためのツールに過ぎないため、肉体を脱した意識は時空間を自由に行き来できる「新たな時間」を経験するという。

時に、単純でありながら急進的な考え方というものが知識の基盤そのものを揺るがす。世界が平面ではないという驚くべき発見は、人々が自分自身と世界との関係を認識する方法に疑問を投げかけ、最終的にそれを変えた。15世紀のほとんどの人間にとって、「もし地球が本当に丸いのなら、球の底にいる人々は下に落ちてしまうだろう」と異議が唱えられた。西洋の自然哲学全体は、地球が岩の球だという考えはばかげていた。量子論の実験的発見によって、大転換を強いられている。同時にこれらの発見は、宇宙の起源と構造についての伝統的な物理的説明に対する私たちの疑問と疑念を増大させた。

## (2) バイオセントリズム／ロバート・ランザ『万物の理論』

生命中心主義（バイオセントリズム）は、生命が宇宙を作り出すという革命的な見方で、地球の概念を再び根底から覆し、この世界観の変化を完了する。この新しい枠組みでは、生命は物理法則の偶発的な副産物ではない。

生命中心主義（バイオセントリズム）は、高く評価されている生物学者と一流の天文学者の観点から、一見ありそうもないが、最終的には避けられない宇宙の旅、つまり私たち自身の旅に読者を連れて行くのだ。視点を物理学から生物学に切り替えると、西洋科学が無意識のうちに自分自身をかろうじて閉じ込めていた檻の錠が外されるのだ。生命中心主義（バイオセントリズム）は、読者の人生、時間と空間、さらには死についての考えを打ち砕く。同時に、生命は単に炭素と他のいくつかの元素の混合物の活動であるという味気ない世界観から私たちを解放するのである。それは生命が根本的に不滅であるという爽快な可能性を示唆している。

生命中心主義（バイオセントリズム）は読者に新しい可能性の感覚を呼び起こし、読者が二度と同じように現実を見ることはないほど、多くの衝撃的な新しい視点に満ちている。

# ピーター・ラッセル
# Peter Russell

（1946～　イギリス　数学者　理論物理学者　実験心理学者）

純粋知性科学研究所の教員。世界ビジネスアカデミーとフィンドホーン財団のフェロー。ブダペストクラブの名誉会員。
ケンブリッジ大学で、数学と理論物理学を学んだ。その後、人間の精神の謎にますます魅了されるようになると、実験心理学に転向した。この興味を追求して、瞑想と東洋哲学を研究するためにインドに旅行し、帰国時に瞑想の心理学に関してイギリスで最初の研究ポストに就任した。
また、コンピュータサイエンスの大学院の学位を持っており、仮想現実の出現を約 20 年前に予言して、3 次元ディスプレイに関する初期の作業のいくつかを実施した。
1970 年代に、企業分野に人間の潜在的なセミナーを導入した最初の人々の 1 人であり、20 年間、創造性、ストレス管理、自己啓発、持続可能な開発に関する上級管理職向けのプログラムを実行した。クライアントは、IBM、Apple、Digital、American Express、Barclays Bank、Swedish Telecom、ICI、Shell Oil、BritishPetroleum など。
1982 年に、インターネットとそれがもたらす影響を予測した 1980 年代のベストセラーに『グローバルブレイン』という用語を名付けた。他の著書は、『TM テクニック』、『ウパニシャッド』、『ブレインブック』、『クリエイティブマネージャー』、『意識革命』、『時間の目覚め』、『科学から神へ』などがある。
より革命的な未来派の 1 人として、ヨーロッパ、日本、アメリカで開催された多くの国際会議で基調講演。マルチイメージショーとビデオ、グローバルブレインとホワイトホールインタイムは、世界中から賞賛と賞を獲得している。

# ピーター・ラッセル　Peter Russell

（1946～　イギリス　数学者　理論物理学者　実験心理学者）

より革命的な未来派の一人として、ピーター・ラッセルはヨーロッパ、日本、アメリカで開催された多くの国際会議で基調講演を行なってきた。彼のマルチイメージショーとビデオ、グローバルブレインとホワイトホールインタイムは、世界中から賞賛と賞を獲得している。1993年、環境雑誌「Buzzworm」から「Eco-Philosopher Extraordinaire」に得票した。

彼の主な関心は、私たちが通過している時代のより深く精神的な重要性である。彼の作品は、世界の精神的伝統の本質を抽出し、それを現在の時代に関連する方法で提示することを目指している。

**（1）英紙「Express」（2018年9月26日付）**

「臨死体験を研究したことで分かったのですが、どうやら個人の意識は死後に無限の意識に溶け込むようです。私が経験している意識は限定的なものです。なぜなら肉体、神経系、目や耳を通して機能しているからです。死後、肉体から意識が離れると、意識はアイデンティティを手放します。そして、無限のアイデンティティと再結合するのです。臨死体験者の多くは感覚が消失し、光へ吸い込まれる経験をしています」。

# 本章

## マックス・プランク
## Max Karl Ernst Ludwig Planck

（1858～1947　ドイツ　物理学者　ノーベル物理学賞受賞）


量子理論の創始者として物理学に大きな変革をもたらした。彼の研究は、現代物理学の多くの偉大な発見の礎となった。最も重要な業績は、エネルギーの概念を根本的に改変したことである。古典的物理学では、エネルギーは波動のように連続した形で伝達するということが前提とされており、実に科学界全体でもそのように信じられていた。研究によって導いた結論は、エネルギーは、後に量子と名付けられる不連続の単位で存在し得るということだった。この理論についてさらなる解明を進め、事実上の普遍定数を発見した。これは光の速さといった他の普遍定数と同等の重要性を持つもので、プランク定数として知られるようになる。

1900年に画期的な量子の理論を提唱。1918年、ノーベル物理学賞を受賞し、その時代の最も偉大な科学者としての地位を確立した。彼の研究は原子力のような将来の試みも可能にした。ヴェルナー・カール・ハイゼンベルクやヴォルフガング・パウリ、そしてアルベルト・アインシュタインの理論の基礎を作った。

私生活では多くの悲劇に見舞われた。幼なじみの恋人と1885年に結婚し3人の子供を儲けたが、1909年に妻を亡くし、二人の娘も出産で亡くなった。その後、息子も第一次世界大戦で死亡した。後に再婚するが、このときの息子もヒトラー暗殺を企てたとして1944年に処刑される。死のわずか2年前の1945年には家も空襲で破壊された。

1926年にベルリン大学を退職。徐々に哲学的・精神的な問題に精力を傾けるようになっていく。1935年には、科学・芸術・宗教の関連性について研究した著書を出版した。死後に出版された「Philosophy of Physics」では物理学に共通の論題を見出すことの重要性を訴えた。1947年死去。

# マックス・プランク

## Max Karl Ernst Ludwig Planck

（1858 ~ 1947　ドイツ　物理学者　ノーベル物理学賞受賞）

### （1）イタリア・フィレンツェ会議でのスピーチ（1944年）

皆さま、その生涯を事物に即した学問、すなわち物質の研究に捧げた物理学者として、私は、熱狂的宗教家とみなされる疑いはないと確信しております。それ故、私は私の原子の諸研究に従って、皆さまにこのように申し上げます。

物質はそれ自体では存在しません。すべての物質は、原子粒子を振動させ、原子粒子を万物の最も小さな太陽系にまとめているところの力によってのみ生じ、存続しています。しかし、全宇宙には知的な力も永遠の力も存在しておらず、待望の永久機関を発明することに人類は成功しなかったのです。そのため我々は、この力の背後に、意識的で知的な精神を受け入れなければならないのです。この精神があらゆる物質の根源です。目に見え、しかしながら移ろい行く物質は実在的なもの、真なるもの、現実的なものではありません。というのも、物質は精神なくしてはそもそも存続しないであろうからです。そうではなく、目に見えず不滅の精神が真なるものなのです！

しかしながら、精神もそれ自体では同様に存在することができず、どの精神も実体に属するがゆえに、我々はやむを得ず、諸精神実体を受け入れなければならないのです。しかし、諸精神実体もまた自己自身から存在しうるのではなく、造り出されなければならないがゆえに、私はこの秘密に満ちた創造者を、地球上のすべての文明民族が数千年前に名付けたのと同じように、『神』と呼ぶことに躊躇しなかったのです！　それとともに、物質に携わらなければならない物理学者は、物の領域から精神の領域に入るのです。そして、これをもって我々に課せられた仕事は終わりを告げ、我々は我々の研究を哲学の手に渡さなければならないのです。

より多くの法則が我々に顕わになればなるほど、より多くの力が我々に明らかになればなるほど、万物の背後にあるひとつの力への畏敬の念はますます大きくなります。私はきわめて深く宗教的ですが、しかし、人格神もキリスト教の神も信じておりません。

## （2）著書『科学は何処へ行く?』（1932年）

そして、ここに、少なくとも精神的領域では、厳密な因果関係の原則に、確かな、克服できない限界を設けるような問題が出てくるのだ。これは、人間が興味を抱く非常に差し迫った問題なので、講義を終える前に語っておくと良いと思う。それは、人間の意志の自由の問題だ。我々の意識は、我々の意志は自由だという。意識が直接我々に与える情報は、我々の理解力を最大限、最高に行使したものだ。

人間の意志が自由なのか、それとも厳密な因果の法則によって決定されたのか、少し考えてみよう。これら二つの選択肢は、間違いなく、互いを排除しているように見える。そして、人間の意志が自由だということが明らかに肯定されるはずなので、宇宙にある厳密な因果の法則の推測は、少なくともこの場合は、不合理なことになり下がると思われる。言い換えれば、もし厳密な力学の因果の法則が宇宙全体に存在していると思うなら、人間の意志をその作用からどのように論理的に除外することができるのだろうか？

このジレンマを解くのに沢山の試みがなされた。ほとんどの場合、目的は、因果の法則が当てはまらない正確な境界を確立することだ。最近の物理科学の発展がここで関わってくるが、人間の意志の自由は、物質的宇宙で作用する統計的な因果のみを受け入れる論理的な根拠を示すものとして提案されている。すでに他の場所で話したが、私はこの考えにはまったく同意しない。もし受け入れるなら、その論理的な結果は、人間の意志を、単なるやみくもな偶然の揺らぎに影響されるものに変えてしまう。私が思うに、人間の意志の問題は、因果物理学と統計物理学の対立とは何も関係ないと思う。その重要性は、もっと深い性質のもので、物理学的あるいは生物学的仮説からは完全に独立しているものだ。

他の多くの著名な哲学者同様、私は問題の答えは全く別の領域にあると思う。よく考えてみると、上に述べた選択肢、「人間意思は自由なのか、あるいは厳密な因果の法則によって決定されるのか？」は、証拠として認められない論理的選言肢に基づいている。ここで対立している二つの状況は、互いに相いれないわけではない。では、人間の意志は因果的に決定されているとは、どういう意味だろう？　それは、一つの意味しかない。つまり、すべての動機を含む意志の一つ一つの行動は、当然、その人の精神的、身体的特徴をすべて知っており、その意識的な生活と潜在意識的な生活を直接的に明白に見通している誰かによってしか、予測することはできない。しかし、このような人は、完全に明らかで霊的な洞察力を与えられていることを意味する。言い換えれば、神の洞察力を与えられているのだ。

さて、神の目からみれば、すべての人間は同等だ。ゲーテやモーツァルトのようなこの上ない才能を持つ天才でさえも、神の目の前では、ほんの未発達な存在でしかなく、彼らの最も内部の思考と最も精密に紡がれた感情の糸も、真珠の鎖が規則正しく繋がって広がっているようなものなのだ。これは、卓越した男たちの偉大さをけなしているのではない。しかし、もし、我々が研究に基づいて、神の目と同じくらい明確に見、神の心が理解するのと同じくらいはっきりと理解できる力を不当に自分たちのものとするならば、それは愚かな冒涜だ。

奥深くにある思考は、普通の知性では理解することは出来ない。それは抽象的な性格のもので、現実の外の世界が存在すると言うとき、その言葉は立証の可能性を免れている。それは出来ない。我々が、精神的な出来事は決定されていると言うのと同じだ。しかし、精神的な出来事は決定されているという言葉は、論理的に論破することは出来ず、我々の知識の追求において非常に重要な役割を果たす。なぜならそれは、複数の精神的な出来事の繋がりを理解する試みの基礎を作るからだ。どの伝記作家も、自分が書いている英雄の行動を支配する動機を探る時、それを単なる偶然としては片づけないだろう。伝記作家は、資料が足りないから書けないとするか、あるいは、自分自身の精神的な理解力は、それらの動機の深いところまで探ることができないと認めるだろう。そして、日常生活でも、我々の他人に対する考え方は、彼らの言動が、その個人の性格、あるいは取り巻く環境の中にある、はっきり知覚できる原因によって決定されているという推測に基づいている。これらの原因の源は、自分たちでは発見できないことを認めているにもかかわらず。

では、人間の意志が自由だと言うとき、何を意味しているのか？　それは、決定するとき、いつも二つの選択肢から選ぶチャンスを与えられているということだ。これは、私が既に言ってきたことと矛盾するものではない。もし、人が、神が見通すように、自分を完全に見通すことができるなら、これは矛盾となるだろう。なぜなら、因果の法則に基づいて、この人は自分の意志するところのすべての行動を予測でき、彼の意志はもはや自由ではないからだ。しかしこんなケースは必然的に除外されている。なぜなら、動いている機械がその機械自体に作業できないのと同じく、最も見通せる目もそれ自体を見ることができないからだ。知るという行動の客体と主体は、決して同一にはなれない。なぜなら、知られる客体が、知るという行為を開始し行なう主体の行動に影響されないときにのみ、知るという行動を語ることができるからだ。それゆえ、誰かが、自分の上に自分を持ち上げられるか、あるいは影を追い抜くことができるかと聞くのと同じように、自分の意志の行動にそれを当てはめてみれば、因果の法則がこのケース、あるいはあのケースに当てはまるかどうかという質問はそれ自体無意味だ。

原理上は、すべての者は、自分を取り巻く世界の出来事に、精神的そして物質的な秩序に於いても、自分自身の知力の程度によって、因果の法則を当てはめることができる。だが、因果の法則を当てはめるという行為が、その出来事自体に影響しないと確信している時だけそれができる。それゆえ、自分の将来の考えや、自分の意志の行動には、因果の法則を当てはめることが出来ない。これらは、その影響がわかるような因果の法則の効力内には入らない唯一のものだ。そしてこれらは、本人にとって最も大切で親密な宝なのだ。人生の平和と幸せは、それらを賢く管理することにかかっているのだ。因果の法則は本人の行動に道筋をつけることはできず、その行動に対する道徳的責任の規則から免れさせることは出来ない。なぜなら、道徳的責任の制裁は、因果の法則とは関係ない別の法則からくるからだ。自分の良心が道徳的責任の法則の法廷であり、聞きたければいつでも助言や制裁を聞けるのだ。

人間の行動は、避けられない自然の法則の必然的な結果だ、と言って不快な道徳的義務から逃れようとするのは、危険な自己欺瞞の行為だ。自分の人生は既に運命によって決められていると思う人、国家の衰退は自然の法則によって容赦なく運命づけられているという予言を信じる国は、もがきやり抜く意志力の欠如を認めるのみだ。

そして、科学が、超えることができないかもしれない限界を認めるところに行きつく。それは、科学活動の領域の外側に広がるさらに遠くの領域を指し示してもいるのだ。科学がその限界を宣言することは、科学分野内での結果を語る時の信頼度を増す。しかし、その一方で、人間の心の活動の異なる領域は、互いに完全に切り離すことは出来ないということは忘れるべきではない。なぜなら、それらの間には深く、親密なつながりがあるからだ。

我々は、特別な科学の領域から始めて、純粋に物質的な性質の問題の数々を扱ってきた。しかし、これらは、単なる感覚認識の世界から、実在する形而上学的な世界へと我々を導いた。そして、この世界は直接的に知ることができない。謎の世界なのだ。我々人間の知的理解力では理解できない性質を持つ世界だ。だが、我々はそれを理解しようと奮闘していく中で、そのハーモニーと美しさに気づける。そして、この形而上学的な世界の入り口で、我々は最も高等な問題に直面させられている。人間の意志の自由の問題だ。これは、この人生の意味が何かを真剣に考えるならば、それぞれが自分で思いを巡らせなければならない問題だ。

## エピローグ、ソクラテス式問答（対談者、マックス・プランクとジェームズ・マーフィー）

**プランク：** 教会は多くの人が求めている精神的拠り所を与えることができていないように見えます。だから人々は他の方向へ向いてしまうのです。最近、宗教団体が人に訴えることが難しいと感じるのは、その訴えが必然的に信じる精神、一般的に言われる信仰、を要求してしまうことにあります。いたるところに疑念がある中で、この訴えは乏しい反応を得るだけです。だから、数多くの預言者が代わりの品を出してくるのです。

**マーフィー**：この点では科学が宗教の代わりになると思いますか？

**プランク**：懐疑的な心には、ならないでしょう。なぜなら、科学も信じる精神を必要とするからです。真剣に科学研究に携わったことのある者は皆、科学の神殿の門の入り口には、「そなたは信仰を持たねばならぬ」という言葉が書いてあることに気づきます。それは、科学者がなしで済ませられる資質ではないのです。

実験のプロセスから沢山の結果を扱う者は、その追求している法則の想像図を持っているはずです。彼は、これを想像上の仮定に具体化しなければなりません。理性の能力だけでは、先に進むことができません。なぜなら、排除と選択のプロセスによって秩序を創り上げる建設的な心の性質がなければ、様々な要素の混沌状態から何の秩序も生まれないからです。何度も何度も、秩序を創り上げようとする想像上の計画は壊され、また別のやり方を試みなければなりません。最後には成功するというこの想像上のビジョンと信仰は必要不可欠なのです。純然たる合理主義者など、ここに役割はありません。

**マーフィー**：偉大な科学者たちの人生の中で、どれくらいこれが実証されたのですか？　ケプラーの例をとってみましょう。彼の300年の記念日を祝っていたあの夜、アインシュタインが科学アカデミーで講義をしたあの夜を覚えているでしょう。あの講義では、ケプラーがある発見をしたのは、彼が建設的な想像力で追及を始めたからではなく、むしろ、ワインの樽の寸法が気になり、どの形が一番合理的な容器になるかを考えていたからと言いませんでしたか？

**プランク**：公衆に名の通っているほぼすべての人に関して、このような話は広まるものです。事実、ケプラーは、私が話していたことの最高の例です。彼はいつも金に困っていました。次々と襲う幻滅に苦しみ、レーゲンスブルクの国会議事堂が滞納していた給料を払うよう、懇願しなければならないほどでした。彼は、魔女の罪で起訴された自分の母親を守るという苦しみも受けなければなりませんでした。ですが、彼の人生を見て気づくのは、彼が自分の科学に非常に深い信念を持っていたからこそ、とてもエネルギッシュで、根気強く、建設的だったのだということです。天文学の観察によって数論的な統合に最終的に行きつくだろうという信念ではなく、創造全体の裏にある明確な計画の存在に深い信念を持っていたのです。彼がその計画を信じていたから、自分の骨折れる作業も価値があると思えたでしょうし、信念が決して薄れないようにすることで、彼自分の活動が、悲惨な人生に活気を与え、教え導いたのです。ティコ・ブラーエと彼を比べてみてください。ブラーエはケプラーと同じ材料と、ケプラーよりも良いチャンスを持っていたが、ただの研究者で終わりました。なぜなら、彼は創造の永遠の法則の存在に対して、ケプラー同様の信念を持っていなかったからです。ブラーエはただの研究者のままでしたが、ケプラーは新しい天文学の創造者となりました。

これに関連して、もう一人思い浮かぶ名前はユリウス・ロベルト・マイヤーです。前世紀の中盤は、教育を受けた人の間であっても自然哲学の理論について非常に大きな疑念があったので、彼の発見はほとんど注目されることはありませんでした。でも、マイヤーは研究し続けたのです。彼が発見して証明できたもののためにではなく、彼の信じたもののために。ヘルムホルツが会長を務めるドイツ物理学者医者協会が、マイヤーの研究をようやく認めたのは、1869年になってからのことでした。

**マーフィー**：科学の進歩は、何か根本的なことが解明されたと感じる瞬間の、新しい謎の発見の中にあると、あなたはよく言われます。量子論は因果の大問題へ道を開きました。私は、この問題はきっぱりと答えられるとは思っていません。もちろん、明確な立場をとって因果などないと言う人は非論理的であることは簡単にわかります。実験によっても、あるいは、意識の直接的な命令とそれを擁護する良識に訴えることによってもこのような発言は証明できないという意味において。しかし、全く同様に、少なくとも、現代科学の必要に応じて古い因果の定式は修正されなければならないという方向を示すことは、決定論者の義務であるように思えます。

**プランク**：最初の点、新しい謎の発見について、これは、疑いなく真実です。科学は、自然の究極的な謎を解くことは出来ません。なぜなら、結局のところ、我々自身が自然の一部なのであり、解こうとしている謎の一部だからです。音楽と芸術も、ある程度、その謎を解くための、あるいは少なくとも謎を表現する試みです。しかし、私にとっては、どちらでも進歩向上すればするほど、我々は自然そのものと調和してくるのです。そして、それが科学が個人に為す偉大な奉仕の一つなのです。

**マーフィー**：ゲーテはかつて、人間の心が得られる最高の達成は、自然の基本現象に対する驚嘆の念だと言いました。

**プランク**：はい、我々は、常に不合理なことと向き合っています。そうでなければ、信仰を持つことは出来ません。もし、我々が信仰を持たずに、人間の理性で人生のすべての謎を解くことが出来たら、人生とはなんと耐えられない重荷となることでしょうか。芸術も、音楽も、感嘆するものもないのです。科学もありません。なぜなら、科学は科学者にとっての一番の魅力、つまり不可知の存在の探求を失うだけでなく、科学の構造の土台をなくすことになるからです。その土台とは、外側にある現実の存在を意識で直接的に認識するものなのです。

アインシュタインは、外界が実際に存在するということを知らなければ科学者にはなれないと言いました。しかしその知識は、論理的思考のプロセスでは得られないのです。それは直接的認識であるので、その性質は、我々が信仰と呼ぶものと同種なのです。それは形而上学的な信念です。それは懐疑論者が宗教について問題にすることですが、科学についても同じなのです。

しかし、理論物理学に与（くみ）して次のことが言えます。つまり、それは非常に積極的な科学で、一般の人の想像に訴えかけるということです。この意味で、理論物理学はある程度は、最近の宗教が満たすことのできない、形而上学的な渇望を満たせるかもしれません。だが、これは、まったく、宗教的な反応を間接的に刺激することによって起こることです。科学それ自体は、決して宗教の代わりになることは出来ません。これは、この本の最後から二番目の章で説明しています。

**マーフィー**：では、質問の二番目の部分ですが、因果原理の従来の定式が修正される方向について、アインシュタインは、科学が進むにつれて、我々の認識能力が発達することについて語っていますが。

**プランク**：正確には、彼は何を意味しているのですか？

**マーフィー**：恐らく、私の言葉で言った方が良いでしょう。現代的な速度の現象を例に挙げましょう。50年前は、移動の平均的な速度は小走りする馬の速度でした。今では、列車の速度よりも速い。列車と自動車と飛行機の平均値をとると、馬での移動の時代の1時間に6マイルという速度ではなく、1時間に60マイルと言った方がいい。自転車が最初に人気となったときのことを覚えているでしょう。人々は、毎日、子供や女性を乗せて道を下っていきました。今は、自転車でおばあさんを乗せて下ることは出来ません。おばあさんはすぐに落ちてしまうでしょう。自動車が初めて道を疾走したとき、馬はおびえたのを覚えていますね。今は、馬でさえも、その知覚を新しい速度の発想に調和する能力を発達させました。現代の人間が、新しい速度の現象に対して、何らかの能力を発達させたことは疑いがありません。アインシュタインの考えは、このようなことは発達し続け、今日の科学者よりもはるかに鋭い知覚を持つ科学者が現れるだろう、ということだと私は思うのです。もちろん、彼らはより繊細な器具も持ち合わせるでしょう。しかし、ポイントは、我々が発達させなければならないのは、知覚能力そのものだということです。研究室で訓練された種類の科学者は、ついには、自然の中の深く多様な因果の作用を知覚することができるかもしれません。偉大な音楽の天才が、俗物が夢に見ることもできないような内なるハーモニーを知覚するように、そして、音楽を愛する者が、単純な民族音楽しか聞き慣れていない農民には良さがわからないベートーベンの交響曲の美しさを敏感に知覚できるように。だから、知覚の力を開発することは、我々がなさなければならない主な課題の一つなのです。これが、アインシュタインの考えだと思います。

**プランク**：もちろんそれは明確です。理論物理学が現在到達した段階は、平均的人間の能力を超えており、さらにその偉大な発見者たち自身の能力さえも超えていることは、少しの疑いもありません。しかし、覚えておかなければならないことは、我々が自分たちの知覚能力を素早く発達させたとしても、最終的に自然の謎を明らかにすることは出来ないということです。恐らく、原子のより微細な活動の中に、因果の作用を見ることはできるでしょう。我々が、古典力学の因果の定式の古い基盤に基づいて、自然の中で起こっているものとして観察されたすべての物質的イメージを知覚し作り出したように。

今日、矛盾があるのは、自然と因果の原理の間ではなく、むしろ我々が作り出した自然のイメージと自然の現実の間です。我々のイメージは観察結果と完全に一致していません。そして、私が何度も指摘したように、進化する科学が、よりきめ細かな一致をもたらすのです。最新の発見に至るため、この一致をもたらすことは、因果の否定ではなく、その定式の拡大と改良にあるにちがいないと私は確信しています。

二

宗教は人間を神に結び付ける絆だ。それは、すべての人間の命が影響を受け、我々の幸福と悲しみを支配する超自然の力を前にした尊敬の念に満ちた謙虚さの上に成り立っている。この力と調和し、その愛を享受することが、宗教的な人の絶え間ない努力であり最高の目的なのだ。このようにしてのみ、彼は、この世の人生で彼を脅かす予測できる危険と予測できない危険から守られていると感じることができる。そして、神との固い絆と神の全能と慈悲への無条件の信仰によってのみ確保される最も純粋な幸福、心と魂の内なる平和を享受できるのだ。この意味で、宗教は個人の意識に根付いている。

だが、その重要性は個人を超えている。個人が独特の宗教を持つことよりも、宗教は、より大きなコミュニティ、国家、人種、そしてついには全人類に正当で有意義となることを求める。なぜなら神はこの地球上のすべての国の統治者で、全世界とそのすべての宝と恐怖は神の支配下にあり、神の全能がなければ自然の領域も心の領域もないからだ。

それゆえ、宗教の精神は、信奉者を普遍的な同盟にまとめ、信仰を通して互いを知る課題を与え、共通の顕現を与えた。しかしこれは、宗教をはっきりした外側の姿で包むことによってのみ達成できる。この外側の姿は、直感的に明瞭なので相互理解を作るのに適しているのだ。人種が様々であり、その生活様式も様々であるので、この外側の姿が世界の異なる場所ではまったく違うということは当たり前だ。だからそれぞれの時代で、非常に多くの宗教が現れたのだ。それらすべての共通点は、人格化された、あるいは少なくとも人間の性質を与えられた神の、むしろ自然な仮定があることだ。これは、非常に多様な神の性質の考え方の余地を残す。それぞれの宗教は独特の神話と儀式があり、高度に発達した宗教では細部まで非常に緻密だ。これらが、宗教崇拝の解釈的シンボルの源であり、それらは大勢の人々の想像に直接的に働きかけることができる。そして、宗教の事柄に関して彼らの興味を喚起し、ある神の理解というものを与えるのだ。…

三

…いずれにせよ、手短に言うと、正確な自然科学が我々に教えることによれば、このちっぽけなチリである惑星にいる我々人間が極小にちっぽけな部分を担う自然の全領域は、思考する人間の存在とは独立した明確な法則によって支配されている。しかし、これらの法則は、我々の感覚で理解できる限りにおいては、目的ある活動に合った定式を与えられる。だから、自然科学は自然と人類が支配される合理的な世界秩序を示すのだが、その内なる本質を、いまだ我々は知ることができないのだ。なぜなら、我々の感覚所与(センスデータ)（決して完全には除外できない）のみが、その証拠を提供するからだ。それでもなお、自然科学研究の真に豊かな結果は、努力を継続すれば、少なくとも我々は達成不可能なゴールへと徐々に近づくという結論を正当とし、自然を支配する全能の理知のあり方への洞察を絶えず前進させたいという我々の内なる希望を強めるのだ。

四

一般化された世界の見方という最も崇高な問題への我々の考え方に対して、宗教と科学が出す要求を知ったところで、この異なる要求がどのように互いに調和できるのか分析してみよう。まず第一に、この分析は、宗教と自然科学が対立し合う法則だけに及ぶということは自明である。なぜなら、これらは、まったく互いに関係しない広い分野だからだ。ゆえに、普遍定数の次元が宗教とは関連しない一方で、すべての道徳的問題は自然科学の領域の外側にあるのだ。

他方では、世界を支配する最高の力の存在と性質に関しては、宗教と自然科学は接点がある。ここで、両者から得られる答えは、少なくともある程度は比較できる。すでに見てきたように、両者は決して矛盾し合うのではなく、まず第一に、人間から独立した合理的な世界秩序が存在するという点、第二に、この世界秩序の性質は直接的にはわからないが、間接的にわかったり、薄々感じたりするという点で一致している。宗教はこの関係性において、自ら特有のシンボルを使い、自然科学は知覚の経験に基づいた計測を使う。ゆえに、どこでも作用する謎の二つの力を同一であるとみなすのに、何も我々の道を阻むものはなく、さらに、統合された世界図を求める我々の直観的な知的努力はそれを要求しているのだ。つまり、自然科学の世界秩序と宗教の神だ。ゆえに、宗教的な人が明白なシンボルによって近づこうとする神は、科学者のセンスデータがある程度の証拠を示す自然の法則に一致して作用する力と同本質である。

しかし、この完全な一致にもかかわらず、根本的な違いには注意しなければならない。宗教的な人にとって、神は直接的に即座に与えられる。神と神の全能の御意志は、この世の世界と精神の世界において、すべての命、すべての出来事の根源だ。神は理性では理解できなくても、宗教的なシンボルが直接神の考えを示し、神は、自らを誠実に神に委ねる者の魂に神聖なメッセージを吹き込む。これとは対照的に、自然科学者が即座に与えられるものとしてみなすのは、自分の感覚の体験内容とそれに基づく計測のみだ。彼は誘導研究の道をここから始め、彼の探求の最高で永遠に達成不可能なゴール、つまり神と神の世界秩序へと、できる限り突き進もうとする。それゆえ、宗教も自然科学も、それぞれの活動に神への信仰を必要とするのだが、宗教にとって神は始まりであり、自然科学にとって神は全ての思考プロセスの目指すものなのだ。前者にとって神は基盤で、後者にとって神は全ての一般化された世界観の体系の最高部なのだ。

この違いは、人間の人生における宗教と自然科学の役割の違いと一致する。自然科学は人に学ぶことを望み、宗教は人に行動することを望む。学びの唯一の確かな基盤は、感覚認識によって得られたものだ。整然とした世界秩序の作用という前提は、ここでは単に有益な質問を作るための必須条件でしかない。しかし、これは行動のためにとられる道ではない。なぜなら、人間の意志に基づく決定は、認識が完璧になるまで、あるいは人間が博識者になるまで待てないからだ。我々は人生の途中に立ち、多くの場合、人生の多様な要求と必要は、我々が決断し、あるいは考えを即座に行動に移すことを肝要とする。長く面倒な沈思では、適切に決断や考えを形作ることは出来ない。神との直接的な繋がりから得られる、的確で明快な指示だけがそれを可能とするのだ。ただこの指示だけが、我々に、人生における最高の恩恵として理解されるべき内なる堅固さと永続する心の平和を与えることができるのだ。そして、もし我々が、神の全能と全知に加え、善と愛の特質をも、神に帰するなら、神を頼ることは癒しを渇望する人間の中に安心と喜びの感覚を増すのだ。この考えに対して、自然科学の観点から異論はまったくない。なぜなら、既に指摘したように、道徳の問題は、完全に科学の領域外だからだ。

どこを見ても、どのくらい深く見ても、宗教と自然科学の間に矛盾は見つからない。それどころか、決定的に重要な点においては、完全な一致がみられるのだ。宗教と自然科学は、現代の多くの人が信じ、あるいは心配するように、互いを排除したりしない。両者は互いを補足し、相互に調整するのだ。…

**（4）ジョン・L・ハイルブロン著『公正な男マックス・プランク：ディレンマとドイツ物理学の将来』（2000年）に掲載**

…宗教と科学が共に遂行するのは、懐疑主義と独断主義、そして不信仰と迷信に対する揺るぎない、継続する、決して弱まることのない戦いだ。この戦いを指揮する合言葉は、はるか昔の過去から、はるか遠い将来まで言われ続けるのです。「神へと向かって！」

**（5）ティホミル・ディミトロフ著「神を信じた50人のノーベル賞受賞者とその他の偉大な科学者」の研究』（2010年3月）に収録の言葉**

これらの状況下では、宗教が権力を求める神父たちの単なる意図的な空想で、高き力への敬虔な信仰など誤魔化しの言葉に過ぎないという無神論者たちの動きが、しきりに進歩的な科学知識を利用して、それと一致するように見える形で、地球のすべての国とすべての社会的階級に対して崩壊させる行為を非常に速いスピードで広げるのも不思議ではない。無神論者が勝利したら、我々の文化の最も貴重な宝が消えるだけでなく、さらに悪いことに、よりよい未来への展望も消えるだろうということは、これ以上の詳細を持って説明する必要はない。

# アルベルト・アインシュタイン
# Albert Einstein

（1879～1955　ドイツ／アメリカ　理論物理学者　ノーベル物理学賞受賞）


おそらく20世紀で最も著名な科学者である。1879年、ドイツのウルムに生まれる。父の電気化学事業が破綻すると、アインシュタインがドイツ人を嫌悪していたこともあって、一家でスイスへと移住し、1901年に同地で市民権を取得した。1896年、スイス連邦工科大学チューリッヒ校へ入学し、物理と数学を学んだ。卒業後、教職に就くことができず、1902年から7年間、ベルンのスイス特許庁で3級技術専門職として働いた。

ここでの仕事は負担が軽く、自分の時間で科学の研究に集中できたため、この職を気に入っていた。この期間は、1905年に科学の歴史を形作った4編の論文を発表するなど、彼のキャリアの中でも最も実りある時期となった。4本目の論文「物体の慣性はそのエネルギー量に関係するか」では、アインシュタインの有名な式、$E = mc^2$ について述べられている。

大学での役職は1908年ベルン大学にはじまり、1914年、ベルリンのプロイセン科学アカデミー会員、カイザー・ヴィルヘルム物理学研究所所長に就任し、安定した地位を得た。1916年には特殊相対性理論をさらに追究した論文「一般相対性理論の基礎」を発表した。この中で彼は、特殊相対性理論をあらゆる状況に当てはめられるように拡大した。遠くの星から発せられた光が太陽のそばを通った場合、太陽の影響でわずかに曲がって見えるだろうという彼の予想は、1919年の日食の観測で正しいことが分かり、世界的な名声を博した。1921年、ノーベル物理学賞を受賞した。

1933年、ナチス政権下のドイツを去り、新しくできたプリンストン高等研究所に勤めた。1940年にはアメリカの市民権を得て、フランクリン・ルーズベルト大統領に、ナチス政権が原子力で大量殺戮兵器を開発していることを伝えた。1955年に大動脈瘤の破裂で死去するまで、平和に関する活動を続けた。

# アルベルト・アインシュタイン　Albert Einstein

（1879 ～ 1955　ドイツ／アメリカ　理論物理学者　ノーベル物理学賞受賞）

### （1）秘書ヘレン・デュカスが物理学者のバネシュ・ホフマンと編集した書籍（『保存記録に見るアインシュタインの人間的な顔』1979年）より

（ニューヨークの日曜学校6年生の児童が、先生に勧められて、1936年1月19日に、科学者は祈るのか、もし祈るなら何を祈るのか、という内容の手紙を書いた。アインシュタインは、1936年1月24日に、次のように答えた）

私は、あなたの質問にできるだけ簡単に答えようと試みました。ここに私の答えを書きます。

科学研究は、起こることはすべて自然の法則によって決定されるという考えに基づいているので、これは人間の行動にも当てはまります。自然法則が人間にも当てはまるのですから、科学研究者は、物事がお祈り、つまり超自然的存在に向けた願いに影響されることがあるかもしれないなどとは考える気にもならないでしょう。

けれども、これらの法則に関する私たちの実際の知識は不完全で断片的であることは認めるべきで、実は、自然界に根本的で包括的な法則があるという信念も、信仰の類に基づいているのです。同様に、この信仰は、これまで科学研究の成功によって、大方は正当だとされてきたのです。

しかし、一方で、科学を真剣に追求する者は皆、宇宙の法則には心（spirit）が現れていると確信するようになります。それは人間の心よりもはるかに優れた心で、少しの力しか持っていない私たちは、その心の前では謙虚にならなければならないのです。このようにして、科学の追求は、特別な種類の宗教的感覚へと導いていくのです。それは実に、もっと単純な人の信心深さとは、まったく異なるものです。

（この手紙は、ハイゼンベルクの不確定性原理と、厳密な決定論の否定をした量子力学の確率解釈が現れた10年後に書かれたということには触れる価値がある）

（アインシュタイン・アーカイブの中に、コロラドの銀行家からベルリンのアインシュタインに宛てた1927年8月5日付の手紙がある。「数カ月前、私はあなた宛てに、次のように書きました」という文章から始まっているので、アインシュタインがまだ返信していなかったと推測できる。銀行家は、ほとんどの科学者やそれに類する人は、天使に囲まれ、髭を生やした慈愛に満ちた父としての神の考えを捨てたが、多くの誠実な人はこのような神を崇拝し、あがめている、と書いている。ある文学グループの議論の中で、神が議題に上り、何人かのメンバーが、出版できる形で、著名人に意見を書いてもらうことを決めた、と。銀行家は24人のノーベル賞受賞者が既に返信しており、是非アインシュタインにも返信してほしい、と書き加えてあった。この手紙の上に、アインシュタインはドイツ語で次のように綴った。実際に送られたかはわからない。）

個人の行動に対して直接的に影響を与えたり、自身が創った生き物を直接裁く人格神は、私には想像できません。現代科学では、機械論的因果律にある程度疑いの目が向けられていますが、それでも私は人格神を思い描くことはできません。私の信仰心は、私たちの乏しい束の間の理解力で、現実について理解できるわずかなものの中にかいま見える、無限に優れた精神（spirit）を謙虚に称賛することにあります。死は最重要事項です。しかし、それは我々にとってです。神にとってではありません。

（…彼は自分を無神論者だと言った。真の教育は本を読むことだ、と。彼は、アインシュタインの宗教的信念が書かれている記事を引用し、記事の正確さに疑問を呈した…　１９５４年３月24日、アインシュタインは英語で次のように返信した。）

私はものすごい数の手紙を受け取りますが、あなたの手紙のように面白いものは珍しいです。我々の社会に対するあなたの意見は非常に妥当だと思います。
あなたが私の宗教信念について読んだ記事は、もちろん、嘘です。システマティックに繰り返されている嘘です。私は人格神を信じておらず、このことを否定したことはなく、明確に述べています。もし宗教的と呼ばれる何かが私の中にあるとしたら、それは、我々の科学が明かせる限りの世界の構造への限りない称賛です。…

（１９４７年９月29日、アインシュタインはオット・ユリウスバーガーに次のように書いた。）

友人たちから、最近あなたが――信じがたいことですが！――80歳の誕生日を祝っていると聞きました。あなたや私のような人間は、他の人と同じように死を免れない運命ではありますが、どんなに長生きしても老いることはありません。私が言いたいのは、私たちは生まれ落ちた偉大な神秘の前に、好奇心旺盛な子供のように立ち尽くすことを決して止めない、ということです。このことで、私たちは人間の世界の望ましくない全てのことと距離をおいていられます。これは小さなことではありません。毎朝、『ニューヨークタイムズ』のニュースに吐き気を催すとき、私たちが辛うじて終わらせたヒトラー主義よりは、なんだかんだ言ってもましだと考えるようにしています。

## （2）著書『思想と意見』（1954年、1982年）
## 「科学の宗教心」（出典「私の世界観」アムステルダム、Querido Verlag, 1934）

深遠な科学者で、自分自身の宗教的な感覚を持ち合わせない人はほとんどいないだろう。しかし、単純な人の信心深さとは違う。後者にとって、神とは、恩恵にあやかりたいと思う存在、罰を怖れる存在で、子供が父親に感じるのと似た感情の高揚であり、深く畏敬の念を帯びているとしても、いわば個人的な関係を持つ存在である。

しかし科学者は、普遍的な因果関係の理解に取りつかれている。彼にとって将来とは、まったく、過去と同じように必然的で決定されている。道徳規範には何も神聖なところがなく、単なる人間に関する事柄だ。彼の宗教心は、自然の法則の調和に対する熱狂的な驚嘆という形をとる。自然の法則は極めて優れた知性を現すので、それに比べると、人間のすべての秩序だった思考と行動は、まったくちっぽけなものだ。彼が利己的な欲望の束縛を避けることに成功し続ける限り、この感覚が、彼の人生と仕事の従うべき原則なのだ。それは疑いなく、あらゆる時代の宗教界の天才たちに取りついた感覚と非常によく似ている。

**科学と宗教**

**パートⅡは『科学、哲学、宗教：シンポジウム』（庶民的な人生と関係する科学・哲学・宗教についての会議より出版、ニューヨーク、1941年）を出典とする。**

パートⅡ

我々が科学として理解していることに合意するのは難しくはない。科学は体系立てられた思考によって、この世界の知覚できる現象を、できる限り徹底した関連性へとまとめる一世紀に亘る努力だ。大胆に言うならば、概念化のプロセスによる、存在の事後再建の試みだ。しかし、宗教とは何かを自分に問いただしてみると、そう簡単に答えが出てこない。そして、その瞬間に私を満足させるような答えが見つかった後でさえも、この問題を真剣に考えた人々の考えを、いかなる状況でも、少しもまとめ上げることができないと確信しているのだ。

ならば、宗教とは何かを問う前に、まず、宗教心があるという印象を与える人の強い願望を特徴づけるものは何かを問いたい。宗教的に啓発された人は、全力で利己的な欲望の足かせから自らを解放し、個を超えた価値のある思考、感情、願望に夢中になっている人のように思える。大事なのは、個を超えたものの力と、その非常に強い有意味性に対する確信の深さのように見える。この個を超えたものと神を一つにする試みがなされたかどうかは関係ない。なぜなら、そうすると、ブッダとスピノザを宗教的人物とみなすことができないからだ。それゆえ、宗教心のある人は、理性的な基盤を必要としない、あるいは持てない、個を超えた目的や目標の重要性と高潔さに微塵の疑問も抱かないという意味で信心深い。その目的や目標の存在は、自分が存在するのと何ら変わりなく、必然であり事実であるのだ。この意味で、宗教は、個を超えた価値と目標を明確かつ完全に自覚し、絶え間なくその影響を強め広めようとする人類の古くからの試みなのだ。もし、宗教と科学を、これらの定義によって思い描くなら、両者の対立は不可能だろう。なぜなら科学は、「あるべきこと」ではなく、「あること」を解明するだけで、その領域の外側では、あらゆる価値判断が必要となるからだ。一方で宗教は、人間の思考と行動の評価だけに対処する。事実や、事実の関係性について正当に語ることはできない。この解釈によれば、過去の宗教と科学のよく知られた対立は、上記した状況の誤解に起因する。

例えば、宗教教団が聖書に記録されている言葉すべての絶対的な真実性を主張する時、対立は起きる。これは、宗教側から科学の領域に介入してきたことを意味する。ガリレオとダーウィンの理論と教会の対立はここからくる。その一方で、科学者たちは、多くの場合、科学の方法に基づき、価値と目的に関して根本的な判断に至ろうとしてきた。そうして宗教と対立する立場を取った。これらの対立は、すべて致命的な誤りから生じたことだ。

さて、宗教と科学の領域ははっきりと区別されているが、それにもかかわらず、二つの間には強い相互関係と依存関係が存在する。宗教が目標を決めるのかもしれないが、広い意味で、宗教は科学からその目標に到達するにはどんな方法が役立つのかを学んできた。しかし、科学は、真実と理解への大志を完全にその身に染み込ませた者によってしか創られない。だがこの感覚の源は宗教の領域なのだ。現存する世界に通用する規則は合理的、つまり理性で理解できるという可能性に対しての信念も、この領域に属するのだ。この深い信念のない真の科学者など、私には想像できない。これは、次のようなイメージで表現できるだろう。つまり、宗教なしの科学は足が不自由で、科学なしの宗教は盲目だ、と。

これまで実際には宗教と科学の対立は論理的にはありえないと述べてきたが、それでも私は歴史的な宗教の実際の内容に基づいて、この主張をもう一度本質的な点で適格としなければならない。これは神の概念に関係する。人類の精神的進化のまだ始まりの頃、人間の空想で、勝手なイメージに基づいて神を作り上げた。その神々は、その意志により、現象世界を決定、あるいは影響するものだと考えられた。人間は、神々の意向を、魔術と祈りで自分たちに都合のよいものに変えようとしてきた。現在教えられている宗教の神とは、古い神々の概念を理想化したものだ。神を擬人化するその特徴は、例えば、人が神への祈りや懇願によって、自分たちの願いが叶うように求めるという事実に見られる。

もちろん、全能で、公正で、全てに慈悲深い人格神の存在が、人間を慰め、助け、導くという考えは、確かに、誰も否定することはないだろう。また、その単純性から、多くの未発達な心にわかりやすい。しかしその一方で、この考えには、歴史の始まりより痛切に感じられてきた決定的な弱点がある。それは、もしこの存在が全能であるなら、全ての人間の行動、全ての人間の考え、全ての人間の感情と希望を含む、起こり得る全てのことは、神の御業ということになるということだ。このような全能の存在の前で、人間に自分たちの行動と考えの責任を負わせることなど、どうして考えることが出来よう？　罰と褒美を与えることで、神は、ある意味、神自身に判断を下していることになる。これは、神に帰する善と正義とどのように組み合わせることができるのだろう？

今日の宗教と科学の論争の主な原因は、この人格神の考え方にある。物体と出来事を時間と空間の中で互いに繋げることを決定する一般規則を確立するのが科学の目的だ。これらの規則、あるいは自然の法則には、絶対的な一般的妥当性が必要だ。それは証明されていない。それは主にプログラムであり、原則として、部分的な成功があって初めて、それを達成する可能性を信じることができるのである。だが、これらの部分的な成功を否定し、これらを人間の自己欺瞞とする人はほとんどいない。このような法則に基づいて我々は特定の領域の一時的な現象を正確で確実に予測できるという事実は、これらの法則の内容についてほぼ理解していないのに、現代の人間の意識の中に深く埋め込まれている。太陽系の中の惑星の軌道は、限られた数の単純な法則に基づき、非常な正確さで、前もって計算できるかもしれないと考えればよいだけなのだ。同様に、同じ正確さではないが、今までにない開発であっても、電動機、伝動装置、無線電信機の動作モードを事前に計算することも可能なのだ。

確かに、複合的な現象に作用している要因が多すぎると、ほとんどの場合で科学的な手法は役に立たない。天気のことを考えればすぐわかる。数日後の予測さえ不可能なのだ。にもかかわらず、我々が直面しているのが因果関係であり、その大部分の原因因子がわかっていることを、誰も疑わないのだ。この領域で起こることは、自然に秩序が欠如しているからではなく、様々な要素が作用しているから、正確な予測ができないのだ。

我々は生物の領域の中にある規則性をあまり深く理解していないのだが、少なくとも、不変の必然性の規則があると感じるくらいには深く理解している。遺伝や、有機体の行動に対するアルコールのような毒の影響に見られる、系統的な自然の理法を考えればよいだけだ。ここでまだ欠けているものは、深い普遍原理の繋がりの理解で、理法そのものの理解ではない。

人間がすべての出来事の秩序ある規則性をしっかりと理解すればするほど、この秩序ある規則性の中に、性質の異なる原因が入り込む余地はないという確信が深まるのである。彼にとって、人間のルールも神のルールも、自然の出来事の独立した原因としては存在しない。もちろん、科学は、本当の意味で、自然の出来事に介入する人格神の原理に決して異議を唱えることは出来ない。なぜなら、この原理は、科学知識の踏み入れたことのない領域にいつでも逃避することができるのだから。

しかし、私は、宗教の代表者のこのような態度は卑しむべきものであるだけでなく、致命的だと確信している。明らかな光の中ではなく、暗闇の中にのみ存在できる原理は、人類の前進に計り知れない害を与え、必然的に人類への影響力を失うからだ。倫理的善のための戦いの中で、宗教者たちは人格神の原理を捨てる立場をとるべきだ。つまり、過去に司祭の手に偉大な力を与えた恐怖と希望の源を捨てるべきなのだ。彼らは人間の中にある善、真実、美しさを育むことができる力を利用するべきだ。これは確かにずっと難しい課題だろうが、比較にならないほど価値のある課題だ。(この考えは、ハーバート・サミュエルの書『信仰と行動』の中で細かく書かれている)。宗教家がここで述べた純化するプロセスを成し遂げれば、彼らは、科学知識によって真の宗教が高められ深められたことを、喜びをもって認めることになるだろう。

もし宗教の目的の一つが、人類を自己中心的な欲望、願望、恐怖の束縛からできる限り自由にすることならば、科学の論理的思考はまた別の形で宗教を助けることができる。事実を関連付け予測する規則を見つけるのが科学の目的だということは事実だが、これだけが目的ではない。見つかった関連事項を、できるだけ少ない数の相互に独立した概念要素に減らしていくことも目的なのだ。多様性の合理的な統合を求めることは、幻想に陥る一番のリスクとなるのだが、同時に最高の成功をもたらすものなのだ。だが、この領域で進展をうまくなし遂げたという強烈な経験をした者なら誰でも、存在が明らかになった合理性への深い畏敬の念に心動かされるのである。理解することを通じて、彼は個人的な希望や欲望の足かせから広範囲にわたる自由を得、存在に具現化する理性の偉大さに対して謙虚な心を得るのだ。その理性の最も深いところには、人間は手が届かない。だが、この姿勢は、その言葉の最も高次な意味において、「宗教的」だと思える。だから、科学は、神を擬人化するような無価値な宗教的衝動を純化するだけでなく、我々の生命に対する理解を宗教的に浄化することにも貢献するのだ。

人類の精神的進化が進むにつれ、本当の信心深さへの道は、生の恐怖、死の恐怖、あるいはやみくもな信仰の中にあるのではなく、理性的知識を求めることの中にあるのだということが、私にはより明白に思える。この意味で、司祭は、高い教育的使命を果たしたいのなら、教師になるべきなのだ。

### 科学的真実について

**日本人学者の質問への答え。アインシュタインの50歳の誕生日に、『Gelegentliches』（1929）の限定版で出版された。**

I.「科学的真実」という言葉に正確な意味を付すのは難しい。「真実」という言葉の意味は、体験の事実を扱っているのか、数学的な定理を扱っているのか、科学理論を扱っているのかによって変わる。「宗教的真実」という言葉は、私に何もはっきりしたことを伝えない。

II. 科学的研究は、人々に物事を因果の観点から考え見るように促すことで、迷信を減らすことができる。宗教的感覚にも似た、世界の合理性あるいは明瞭さの確信が、すべての高次な科学的研究の裏にあることは確かだ。

III. 経験の世界に現れる優れた知性への確固たる信頼は、深い感覚に固く結びつけられたものであるが、これが私の神の観念である。通俗的には、これは「汎神論」（スピノザ）と呼ばれるだろう。

IV. 私は、宗派の伝統については、歴史的、心理的にしか考えられない。私にとって他の重要性はない。

## （3）インタビュー記事「アインシュタインにとって人生とは何か：作家ジョージ・シルベスター・ヴィレックによるインタビュー」（『サタデー・イブニング・ポスト』紙、1929年10月26日）

（あなたはどれくらいキリスト教に影響を受けていますか？）

子供の頃、私は聖書とタルムードの両方で教育されました。私はユダヤ人ですが、輝くナザレ人の御姿に魅了されています。

（エーミール・ルートヴィヒのイエスに関する本を読んだことはありますか？）

エーミール・ルートヴィヒのイエスは浅い。イエスは壮大すぎて、どんなに巧みに美辞麗句を連ねる人も書くことは出来ません。誰もキリスト教を名文句で扱うことは出来ないのです。

（あなたは歴史上、イエスが存在したことを認めますか？）

もちろん。誰も、イエスが実際にそこにいると感じずに福音書を読むことは出来ません。イエスの人格は福音書のすべての言葉に鼓動しています。どんな神話も、このような活力で満たされているものはありません。例えば、（ギリシア神話の）テーセウスのような古代の伝説的英雄の話から受ける印象と、どれくらい違うでしょうか。テーセウスやその種の英雄には、イエスの真正の活力がありません。

（ルードヴィヒ・レヴィゾーンは、ある最近の本で、イエスの言葉の多くは、他の預言者の言葉を言い換えているのだと言っています。）

誰も、イエスが存在したこと、あるいは彼の言葉が美しいことを否定できません。その言葉のいくつかが過去に言われていたとしても、誰もイエスのように神々しく表現していません。

…私のキャリアは疑いなく、私自身の意志ではなく、私のコントロールできない様々な要因——第一に、創造主が用意された生命の源である内分泌が流れる神秘的な腺——によって決定されました。

### （4）掲載記事「宗教と科学」（ニューヨーク・タイムズ・マガジン、1930年11月9日）

人間が行なったり考えたりすることはすべて、欲求を満たしたり、苦痛から逃げることだ。精神的、あるいは知的な活動と、それらがどのように発展するのかを理解しようとするなら、これは心に留めておかなければならない。なぜなら、感情と欲望が、人間のすべての努力と生産性の原動力だからだ。その努力と生産性がいかに立派に見えたとしてもだ。

ならば、広い意味で、人類を宗教的思考と信仰へと引き入れた感情と必要性は何か？　少し考えてみると、宗教的思考や経験は、様々な感情から始まっていることがわかる。

太古の人々にとって、まず第一に宗教心を目覚めさせるのは恐怖だ。飢えの恐怖、野生動物の恐怖、病気や死の恐怖だ。因果関係の理解は、普通このレベルの存在に限られているので、人間の魂は、自分の魂と似たような存在をでっちあげ、怖れる体験が、その似たような存在の意志と働きに作用されるようにする。人は、行ないと捧げものにより、この存在に気に入られることを願うのだ。それは、民族の習わしによると、この存在をなだめたり、ご機嫌をとったりすると考えられている。私はこれを恐怖の宗教と呼ぶ。

この宗教は、人々と彼らの怖れる存在の間を仲介すると主張し、権力の座を獲得する聖職者の階級を作ることにより、大幅に安定させられる。彼らが宗教を作ったのではないのだが。指導者か独裁者、あるいは他の方法で権力を維持する特権階級が、さらなる安全のため、聖職者の機能と自らの一時的な支配を一体化することはしばしばあるし、政治権力と聖職者階級の利害が結びつくこともありうるだろう。

二つ目の宗教発展の源は、社会的な感情に見られる。父や母、そして偉大な人間コミュニティの指導者たちも、皆、誤りを犯し、死ぬ運命にある。導きや愛と援助を切望する気持ちに触発されて、神の社会的あるいは道徳的概念が発展する。これが、守り、決定し、報い、罰する導きの神だ。これが、人間の視野の広がりに合わせて、人種や人類の命を愛して与え、あるいは命そのものさえも愛す神なのだ。神は、不幸と満たされぬ切望の中の癒しであり、死者の魂を守るものだ。これが社会的あるいは道徳的な神の考えだ。

ユダヤ人の神聖な書物で、恐怖の宗教が道徳の宗教へと発展した経緯をたどるのは簡単だ。それは、さらに新約聖書へと繋がっていった。文明人の宗教、特に東洋人の宗教は、主に道徳の宗教だ。人間の人生で重要な進化は恐怖の宗教を道徳の宗教へと変えることだ。しかし、原始的な人々の宗教が純粋に恐怖の宗教で、文明化した人々の宗教が純粋に道徳の宗教だと思う偏見は避けなければならない。道徳要素は社会生活の高いレベルに優位を占めているが、全ては混ざりあっている。これらに共通するのが、神を擬人化する考えだ。

並外れて優れた人、あるいは際立って高潔なコミュニティだけが、「本質的に」このレベルの上を行くことができる。そこには、たとえめったに純粋な形では見つからなくても、宗教体験の三番目のレベルがある。私はこれを、宇宙宗教の感覚と呼ぶ。これは、それを体験しない人に説明するのは難しい。なぜなら神を擬人化する考えとは関係ないからだ。

このレベルでは、人は、人間の欲望と目的の虚しさを感じ、自然と思考の世界に現れる高潔さと驚くべき秩序を感じる。個人の運命とは監禁されていることと感じ、存在の全体性を、非常に重要な統一性として体験することを求める。この宇宙宗教の感覚の兆しは、発展の早い段階でも見られる。例えば、旧約聖書の詩篇や預言者の書だ。この宇宙の要素は仏教にもっと強くある。特に、ショーペンハウアーの優れた随筆に見られるように。

史上の天才宗教家たちは、教義も人のイメージで作られた神も認めないこの宇宙宗教の感覚で区別されてきた。それゆえ、宇宙宗教の体験に基づいた教義を持った教会はありえない。だから、それぞれの時代の異端者の中から、この最高の宗教体験によって触発された者たちが見出されるのだ。彼らは、大体同世代の人たちから無神論者と見られていたが、時には聖人とも見られていた。この視点から見ると、デモクリトス、アッシジのフランチェスコ、スピノザは似ている。

この宇宙宗教の体験は、神や神学の明確な概念と結び付けられないのなら、どのように人から人へと伝えられるのだろうか？　私は、芸術と科学の最も重要な作用は、受け入れる力のある人たちの中に、この感覚を引き起こし、生き続けさせることだと思う。

このように、我々は、通常の考えとはかなり異なる科学と宗教の関係の解釈へとたどり着くのだ。

歴史の勉強をすると、人は宗教と科学を共存できない競争相手だと考えがちだが、この理由は非常に簡単だ。起こるすべてのことに因果の法則を如実に感じられる人、因果関係の推測を真剣に受け止める人にとって、世界の一連の出来事に介入する存在など、まったく有り得ない。恐怖の宗教も、社会道徳の宗教もこの人をとらえることは出来ない。

この人にとって、報い、罰する神など考えられない。なぜなら、人は内部と外部の必要性に応じて行動し、神の目から見れば、無生物がその動きにほとんど責任を持たないように、その行動に責任を持たないのだ。

その結果、科学は、道徳を傷つけるとして非難されてきたが、これは間違いだ。人間の道徳的な行動は、思いやり、教育、社会関係に基づくのが宜しく、宗教の助けは必要ない。人の状態が、罰を恐れる恐怖と死後に報われるという希望によってうまく保たれなければならないなら、実に悲しいことだ。

教会がいつも科学と戦い、科学を擁護する者たちを迫害してきたのは、それゆえ、まったく自然なことだ。

しかし、その一方で、私は、宇宙宗教の体験が、科学研究の最も強く最も高潔な原動力であることを強調する。素晴らしい奮闘、そして何より、それなしでは科学的思考のパイオニア的創作物が生まれてこなかったであろう情熱を理解しない者は誰も、その感覚の強さを評価することは出来ない。その感覚は、実生活から離れたところで、そのような努力をする中から芽生えるものなのだ。

長年の孤独な努力の中で、天のメカニズムを明かすことを可能にした、ケプラーとニュートンの中には、世界の構造の合理性に対する何という深い信仰、そして、世界に示されたわずかな理知を理解したいという何という切望があったことだろうか！

科学研究の実用的な応用しか知らない人は、同時代の疑い深い人々に囲まれながらも、あらゆる時代、あらゆる国に似たような精神性への道を示した人たちの心理状態を、簡単に誤解するだろう。同じような目的に命を捧げてきた者だけが、数えきれないほどの失敗にもかかわらず自分たちの目的に忠実で居続ける力を与えるインスピレーションの生きた概念を理解することができるのだ。

ある現代人が、ほとんどが物質主義のこの時代に真に信仰深くいられる人々は真剣な研究者だけだ、と正しいことを言っていた。

### （5）ドイツ人権連盟でのスピーチ「私の信条」（1932年秋、ベルリン）

…この地球での我々の状況は奇妙に見えます。我々一人一人が、意図せず、招かれることなく短期滞在のためにここに現れるのです。なぜか、何のためかも知らずに。日常では、人は他人のためにここにいる、愛する者たちや自分と運命が繋がっている人や他の多くの人々のためにここにいるのだと感じます。

私は、私の人生が、かなりの程度で私の同胞たちの働きに基づいているという思いにしばしば悩まされます。そして、彼らに対して大きな恩義があることに気づいています。

私は自由意志を信じません。ショーペンハウアーの、「人は自分のやろうとしていることはできるが、自分の意志を決定することはできない」という言葉が、私の人生を通していかなる時もつきまとい、かなり苦痛ですが、他人の行動と私を一致させるのです。自由意志がないというこの気づきは、私に、自分と他人が行動し決断する個体であるなどと真面目に思わないようにさせ、そして腹を立たせなくさせるのです。

私は、豊かさや贅沢を切望したことはなく、むしろそれらを非常に嫌悪します。私の社会正義に対する情熱は、絶対的に必要ではないと思った義務や依存への嫌悪と同様に、しばしば私を他人と対立させました。

…私は日常生活では典型的な一匹狼ですが、真実、美、正義を追求する目に見えないコミュニティに属しているという意識が、私を孤独にさせていません。

人間が持ちうる最も美しく深い体験は、神秘を感じることです。これは、宗教、そして芸術と科学におけるすべての真剣な取り組みの根本となる原理です。この体験をしていない人は、死んでいないのならば、少なくとも盲目だと私には思えます。体験できることの裏には、我々の知性が理解できない何かがあるということを感じることは、敬虔であることです。その「何か」の美しさと崇高さは、我々に間接的にしか届きません。この点から言えば、私は宗教心があります。私にとっては、これらの神秘に驚嘆し、ただそこにそびえ立つ構造物のイメージを自分の知性で慎ましく理解しようとすることだけで十分なのです。

### (6) ジョージ・S・ヴィエレック著「偉大なる人の片鱗」(1930年) 収録のインタビュー

あなたの（神についての）質問は世界で一番難しい。イエスかノーで簡単に答えられる質問ではありません。私は無神論者ではなく、汎神論者と呼べるとも思いません。この問題は、我々の限られた知性には、巨大すぎます。たとえ話で答えてもいいですか？　人間の知性は、どんなに訓練されても、宇宙を理解することは出来ません。私たちは、多くの異なる言語で書かれた本が天井まで覆っている巨大な図書館に入っていく、小さな子供のようなものです。子供は、誰かがこれらの本を書いたことは知っています。でも、誰がどのように書いたかはわかりません。それが書かれている言語も理解できません。

かすかに、本の並べ方にはっきりした計画、一定の不思議な順序があることも感じていますが、それが何なのかはわかりません。一番賢く教養のある人でさえも、神の前ではこのような姿になるのだと思います。

我々は、宇宙が見事に整えられ、特定の法則に従っていることはわかりますが、これらの法則をおぼろげにしか理解していません。我々の限られた知性では、星座を動かす神秘的な力を把握することができません。

**（7）ハインリッヒ・ザンガーへの手紙（1914年3月10日付）ジーン・アイゼンスタット著『相対性原理の興味深い歴史：アインシュタインの重力理論はどうやって失われ再発見されたのか』収録**

（同じころ、アインシュタインは、友人のハインリッヒ・ザンガーに手紙を書いた）

長く沈黙していたことに怒らないでほしい！　再度、疲れ果てるまで重力理論に向かって骨折っていましたが、今回は前例のない成功です。つまり、重力の方程式は、無作為な動作の照合システム（arbitrary moving reference system）に適用でき、それゆえ、加速度と重力場の等価の仮説は、広義には完全に正しい、ということの証明に成功したのです。その理論での相互関係の一致は正しいということに、私はもはや微塵の疑いもありません。

造物主はライオンの尾だけを我々に見せます。ライオンが大きすぎて一気にはその姿を明かさないとしても、ライオンが造物主に属していることは、私にははっきりとわかります。我々は、ライオンにくっついているシラミが見るようにしか、ライオンを見ることができないのです。

**（8）ヴィンセント・ミュラー（編）「哲学と人工知能の理論」（2013年）に収録**

適切に才能を授かった自然科学者が認識論に関心を持つなど、どのように起こるのだろう？　彼の専門内で、もっとやるべき重要な仕事がないのだろうか？　これが、私の同僚の多くが私に聞くことで、他にもそのように思っている人たちは沢山いると思う。しかし、この気持ちは共有できない。私の教えた中で一番有能な学生たちを思い浮かべると、つまり、頭の回転が速いだけでなく、独立して判断できることで群を抜いている学生たちだが、彼らは認識論に積極的な興味を持っていたと言える。彼らは楽し気に科学の目的と方法についての議論を始め、自分たちの意見を粘り強く主張することで、この論題は彼らにとって重要だということを明白に示していた。

物事を整理するのに有益だと証明された概念は、簡単に我々の上に非常に大きな権威となって現れるので、我々は、その概念の俗界の発端を忘れ、不変の当然なこととして受け入れるのだ。だから、それらは「思考の必需」「先天的な既定事実」などと印を押されるかもしれない。科学の発展の道は、しばしばこのような間違いによって長い間通り抜けられないものとなってしまう。ゆえに、長年の平凡な概念を分析し、その正当性と実用性が左右される状況と、それが経験の既定事実から個別にどのように発展してきたかを明らかにすることに熟練することは、決して無益な遊びなどではない。そしてそれらの概念の過度な権威は壊されるのだ。概念は、適切に正当化されなければ取り除かれ、既定事実との相関関係がまったく不適切ならば修正され、我々が何らかの理由で好む新しいシステムが確立されれば、取り換えられるだろう。

**（9）『論理実証主義の起源』（ロナルド・ギアー&アラン・W・リチャードソン著、1996年）に収録**

（…だから、彼［アインシュタイン］はエドアルド・スタディに、『Die realistische Weltansicht und die Lehre vom Raume』（Study 1914）に関する「ファン・レター」のような形で、1918年9月25日に以下を書くことができたのだ。）

「物質的世界は実在する」。これは根本的な仮説とされています。「仮説」とは何でしょう？　私にとって、仮説は意見で、その真実性は差し当たっては前提とするけれども、その意味はすべての曖昧さを超えて引き上げられなければならないものです。ですが、前述の意見は、私にとって、誰かが「物質的世界はコケコッコーだと思う」と言うのと同じように、無意味なものです。「実在する」と言うのは、もともと空っぽで意味のないカテゴリー（分類棚）です。途方もなく重要なことは、私がこの世界で、これができ、これはできないという事実だけです。もちろん、この区別は気まぐれなものではありませんが…。

自然科学は「実在」に関連することは認めますが、それでも私は実存論者ではありません。

## ⑽ 哲学者エリック・ガトキンド宛の手紙（1954年1月、亡くなる1年前）

（1954年1月、亡くなる1年前に、アルベルト・アインシュタインは次の手紙を哲学者のエリック・ガトキンド宛に書いた。ガトキンドの著書『人生を選べ～反乱への聖書の叫び』を読んだ後に書いた手紙で、アインシュタインの宗教に対する考え方を知らせた。どうやらアインシュタインは、共通の友人であるライツェン・エヒベルトゥス・ヤン・ブラウワーの度重なる勧めにより読んだだけだった。）

…あなたの本は私には理解しづらい言葉で書いてあるので、ブラウワーが勧めなければ、この本をじっくりと読むことはなかったでしょう。神という言葉は、私にとって人間の弱さの表現と産物でしかなく、聖書は立派だが、それでもやはり単に原始的な、非常に子供っぽい言い伝えを集めたものでしかありません。どんなに鋭い解説をされても、私の見解は変わりません。私にとって、ユダヤ教は、他の宗教同様、もっとも子供っぽい迷信の化身です。そして、私が喜んで属するユダヤ人の考え方には深い親しみを持っていますが、私にとってユダヤ人は他の人種と何ら変わった資質を持っているわけではありません。私の経験からすると、ユダヤ人には力がないので最悪の社会悪からは守られているものの、他の種類の人間よりも優れているわけではありません。彼らが「選ばれし者」だとは考えられません。

全体的に、私はあなたが特権のある立場を主張し、それを二つのプライドの壁で擁護しようとしているのを見て、痛ましく思います。一つは、人としての外側の壁、もう一つはユダヤ人としての内側の壁です。あなたは、いわば、一神教の特権であるユダヤ人として、さもなくば受け入れる因果律から免除されることを主張しています。しかし、制限された因果律など、もはや因果律ではありません。我々の素晴らしいスピノザが、恐らく一番最初に、全てを切り開いて認めたように。そして、自然信仰のアニミズム的な解釈は、原則として、独占によって無効になるものではありません。このような壁を持つなら、我々は単にある種の自己欺瞞を得ますが、倫理的努力は前進しません。その逆でしょう。…

**（11）マックス・ヤンマー著『アインシュタインと宗教：物理学と神学』に収録**

（アインシュタインはベルンにいるとき、オリンピア・アカデミーの友人たちとスピノザの『エチカ』を既に勉強していたが、数年後、再度勉強を始めた。アインシュタインが一番最初にスピノザに言及したのは1920年だ。その年、彼は『Zu Spinozas Ethik』という詩を書いた。以下の言葉で始まる。）

どれほどあの高貴なお方を愛しているか
言葉では言い表せない
だが、彼は孤立したままだろう
神聖な後光を放ちながら

**（12）ベルギー皇太后宛の手紙（1939年1月9日）オット・ネイサン／ヘインズ・ノーデン編『アインシュタイン平和についての書簡』に収録**

（1939年1月9日、アインシュタインはベルギーの皇太后に手紙を書き、ドイツにいる年老いたいとこがベルギーに住む許可を得るのを手助けしてもらえないか頼んだ。彼は機に乗じて、人生、仕事、世界について も哲学的に書き綴った。）

…私は最近煩悶しており、楽しげには書けません。我々は道徳の退化を否応なく見せつけられ、それが生み出す苦しみは非常に耐えがたいので、それを一瞬でも無視することは出来ません。どんなに深く仕事に没頭しようとも、逃れられない悲劇の感覚がまとわりつくのです。

それでも、人間の限界と力不足の認識から解き放たれる感じがするときがあります。このようなとき、人は小さな惑星の上に立ち、永遠、深淵の冷たくも非常に深く感動させる美しさを呆然と眺めるのです。生と死が一つに流れ、進化も運命もない。ただあるだけです。

この1年の研究は有意義でした。私は、希望の持てる道を見つけたので、骨を折って、だが揺るぎない足取りで、若い同僚数名と共に歩んでいます。それが真実あるいは誤りに導くかは、私に残された短い時間の中で、確信をもって証明できないかもしれません。でも、私は、私の人生を心躍る体験にし、有意義にしてくれた運命に感謝しています。…

### ⒀「神が一番に考慮したことは何か?」、デビッド・ボーム宛に意見を述べた手紙（1954年、プリンストン）

1954年2月10日
デビッド・ボーム教授
サンパウロ大学　サンパウロ、ブラジル
ボームへ

あなたの2月3日の手紙をカーラー夫妻から受け取りましたが、非常に感動しました。ローゼンが、あなたを呼び寄せようとしているのを聞いて本当に嬉しく思います。もうローゼンには連絡しました。勿論、私は、この計画が実現するよう、喜んで何でもお手伝いします。ですので、もし私が手伝えることがあれば、いつでも遠慮なく手紙を下さい。

あなたの写真に写っているのどかな環境を見て、鮮明な印象を受けました。あなたのレポートは何も残すことなくすべてを網羅していたものと思います。

あなたがこの現象を客観的に説明することに深く没頭し、これまで思っていたよりもそれはずっと難しいと感じているということを嬉しく思います。この問題の巨大さを悲観すべきではありません。もし神が世界を創造したならば、第一に考慮したことは、我々に容易に世界を理解させないことだったに違いないのです。私は、50年来、そう強く感じています。

ご多幸をお祈りします。

心をこめて。

（署名）

アルベルト・アインシュタイン

# エルヴィン・シュレーディンガー
# Erwin Schrödinger

（1887～1961　オーストリア　理論物理学者　ノーベル物理学賞受賞）


物質の波動説やその他の量子力学の原理の発展に貢献した。新たな形式の原子理論によりイギリスの物理学者P・A・ディラックと共に1933年のノーベル物理学賞を受賞した。

1887年8月12日、オーストリアのウィーンに生まれた。ウィーン大学で学び、ドイツのシュトゥットガルトとヴロツワフ（現在はポーランド）、スイスのチューリッヒで物理学の教授職に就いた。1927年にはベルリン大学でマックス・プランクの後任として物理学教授職を務めた。1940年にはアイルランドのダブリン高等研究所の教授となった。1956年に退職しウィーンに帰郷、1961年1月4日、同地で死去。

彼の数学的・原子物理学的分野での研究は、ルイ・ド・ブロイの考えを広げたものだった。ニールス・ボーアは、原子は原子核とその周りの一定の軌道上を回転する電子で構成されているとした。ボーアの原子では、電磁波は一つの軌道から別の軌道へ電子が移るときのみ吸収・放出され、エネルギーは個々の単位で吸収・放出される。そして、ある波動が原子核の周りを回る電子に関連していることを示して、これを修正したものがド・ブロイの波動力学または物質波の理論だった。シュレーディンガーは、これらの波動は互いに重ね合わせることができると理論構築し、これらの考えを広げた。こうして彼は放出と吸収の振動数を軌道の振動数と結び付けた。これらの考えは実験的観察によって裏付けられた。波動力学についていくつかの本を著し、また、新しい分野の理論を展開した。

# エルヴィン・シュレーディンガー

# Erwin Schrödinger

（1887 ～ 1961　オーストリア　理論物理学者　ノーベル物理学賞受賞）

**（1）著書『自然とギリシャ人』（1954年）より**

次の直喩はあまり良くはないが、私が考えられる中では一番良い。子供が様々なサイズ、形、色のレンガが入った精巧な箱を与えられている。家、塔、教会、中国の壁などを作ることができる。でも、二つのものを同時に作ることはできない。なぜなら、少なくとも部分的に、全てのものに同じレンガが必要だからだ。

これが、私の周りに現実世界を構築する時、私は実は自分の心を切り離しているということが真実だと信じる理由だ。そして、私は切り離していることに気づいていない。そして、私を取り囲む現実世界の科学的イメージが、非常に不十分であることにとても驚くのだ。科学的イメージは、多くの事実の情報を与え、見事に一貫性のある秩序の中に我々の体験を置くのだが、本当に我々の心に近く、本当に我々に重要なありとあらゆることについては、不気味なほど静かなのだ。赤と青、苦みと甘み、物理的な痛みや喜びについて、何も語れない。美しさと醜さ、善と悪、神と永遠についても何も知らない。時に科学は、これらの領域についての疑問に答えるふりをするが、答えは非常にばかげていることが多いので、真剣に聞く気にはなれない。

ゆえに、手短に言えば、我々は、科学が構築するこの物質世界に属していないのだ。我々は、その中にはいない、外側にいるのだ。我々は単なる傍観者だ。なぜ我々がその中にいて、その状況に属しているのかというと、我々の体がその状況の中にあるからだ。我々の体はそこに属している。私の体だけでなく、私の友人、そして犬や猫や馬、他のすべての人と動物の体も、そこに属している。そして、これが、私が彼らとコミュニケーションが取れる唯一の方法なのだ。

さらに、私の体は、この物質世界で継続する、もっと興味深い変化、動き、などの多くに暗示され、私はこれら起こっていることの部分的な作者であると感じるように示唆されている。しかし、行き止まりがくる。つまり私は作者として必要とされていないという、気恥ずかしい科学の発見があるのだ。科学世界の状況内では、起こるすべてのことは自己解決し、直接的なエネルギーの相互作用によって十分に説明される。人間の体の動きでさえも、シェリントンが言うように「自力」なのだ。

科学的な世界の状況は、全ての起こることの完全な理解を与えるが、やや理解しやすくしすぎるのだ。機械のぜんまい仕掛けのように、完全な表示をイメージすることを許すのだ。それは、科学が知るすべてのことに対し、意識、意思、努力、痛み、喜び、責任が繋がっていない状態で同じように継続する。しかし、実際にこれらは繋がっているのだ。そして、この当惑させる状況の理由はこれだ。つまり、外界の状況を構築する目的で、我々は自らの個性を切り離す非常に簡素化された方法を使い、切り離したので、それはなくなり、蒸発し、表面上はいらなくなってしまったのだ。

特に、一番重要なのは、これが、科学的世界観に、道徳的価値も美的価値もなく、我々の究極的な領域や目的地に関して一言もなく、そしてあきれたことに、神がない理由なのだ。私はどこからきて、どこへ行くのだ？

科学は、なぜ我々が音楽を聴いて楽しむのか、なぜ、どのように古い歌を聞いて涙を流すのかについて、何も説明できない。

科学は、原理上は、何が起こっているのか細部にわたって説明できる、と我々は信じている。つまり、涙を流すのは、感覚中枢と「運動神経」の働きで、圧縮と膨張の波が我々の耳に届き、ある分泌腺がしょっぱい液体を分泌して目から現れる、という具合だ。しかし、この過程に付随する喜びと悲しみの感情について、科学は全く無知で、無口なのだ。

科学は、パルメニデス（註：プラトンの中期対話篇の1つ）の一つで、我々がどういうわけか一部をなし属する偉大な一なる存在（Unity）の問題に関しても無口だ。我々の時代で一番有名な名は、神だ。大文字ではじまるGodだ。科学は、よく無神論的だと烙印を押される。我々が言ってきたことを考えると、これは驚くことではない。世界のイメージが、青、黄色、苦さ、甘さ、――美しさ、喜び、悲しみ――を含まないなら、合意によって個性が切り離されているなら、どのように、人間の心に現れる最も高尚な考えを含むことができよう？

世界は大きく、偉大で、美しい。そこで起きた出来事に関する私の科学的知識は、何億もの年月を含む。しかし、別の見方では、それは表面上、私に与えられた貧弱な70～90年に含まれているのだ。つまり、計り知れない時間、いや、私が測り評価することを学んだ有限の何百万、何十億もの年月の中のちっぽけな点に、だ。私はどこからきて、どこへ行くのだろう？　これは、我々皆に共通する、大きな、理解しがたい問題だ。科学には答えがない。しかし、科学は、無難な、論争の余地のない知識でもって我々が解明できる最高のレベルなのだ。

だが、人間のようなものの命は、せいぜい50万年くらいしか継続していない。我々の知る全てのところによると、この特別な地球でさえも、まだ数百万年も継続すると予測できるかもしれない。これらのことから、今のこの時代に我々が考えることは、無駄に考えられてはいないだろうと感じる。

# マックス・ボルン
# Max Born

（1882～1970　ドイツ／イギリス　理論物理学者　ノーベル物理学賞受賞）


1882年12月、ドイツ帝国（現ポーランド領）ブレスラウで生まれた。父は胎生学の大学教授だった。ブレスラウの学校に通った後、大学へ進み、物理学、化学、動物学、哲学、論理学、数学を受講した。ドイツのゲッティンゲンへ渡り、1907年に博士号を取得。このときカラテオドリやクーラント、ヒルベルト、ミンコフスキー、シュヴァルツシルト、フォークトと研究・活動を共にした。

1913年にヘドウィグ・エーデンバーグと結婚すると、1914年にベルリン大学の教授となり、1919年にフランクフルト大学のマックス・フォン・ラウエと教授職を交換する。1921年、デバイの後任としてゲッティンゲンの物理学研究所の所長を務める。助手にはパウリやハイゼンベルク、ヨルダンがおり、研究所は量子理論の最先端を行っていた。1933年、ヒトラーが政権に就くと、教授職を剥脱され、ケンブリッジ大への移籍の招きに応じてイギリスに渡り、1939年イギリスに帰化。

1936年、エディンバラ大学自然哲学テイト教授職に任命され、そこでリサーチスクールを設立し、王立協会の会員に選出された。1953年に引退し、ドイツのバート・ピルモントへ帰り、科学者の社会的責任というテーマに関する活動を積極的に行なうようになった。1954年、量子理論の研究によりノーベル物理学賞を受賞した。

生涯を通して熱烈で優れた音楽家でもあった。1970年にゲッティンゲンにて妻と息子一人、娘二人を遺して死去した。

# マックス・ボルン　Max Born

（1882 ~ 1970　ドイツ／イギリス　理論物理学者　ノーベル物理学賞受賞）

## （1）著書『私の世代における物理学』（1956年）より

…だが、アインシュタインの生き生きとした言葉を使って、一言言いたいと思う。もし神が世界を完璧なメカニズムに創ったなら、神は少なくとも我々の不完全な知性に大きく譲歩したので、我々は、その小さな一部を推測するのに、無数の微分方程式を解く必要はなく、かなりの成功率でサイコロを振ることができるのだ。このことは、他の多くの同期の者たちと共に、私がアインシュタイン自身から学んだことだ。量子統計学の導入があっても、状況はほとんど変わっていないと思う。我々人間は、いまだちっぽけな予測のためにサイコロを振っているのだ。神の行為は、古典ブラウン運動においても、放射能や量子放射においても、あるいは生命全体においても、不可解なのだ。

## 結論

我々は、物事の深くまで行く旅の終わりに来た。確固たる地盤を探し求めてきたが、何も見つからなかった。深く行けば行くほど、宇宙は静止することなく、よりぼんやりと、ぼやけてくるのだ。自分の作った機械に大きな誇りを持っていたアルキメデスは叫んだ。「立つ場所を与えよ。さすれば、我は世界を動かす！」宇宙に固定した場所はないのだ。すべては、激しいダンスの中で飛び回り振動している。だが、その理由だけでなくとも、アルキメデスの言葉は尊大だ。世界を動かすことは、その法則に反することだ。だが、法則は完全で不変なのだ。研究したいという科学者の衝動は、信心深い人の信仰や芸術家のひらめきのように、宇宙の渦の中で固定された何か、不動の何かを求める人間の切望を表している。その何かとは、神、美、真実である。

真実が、科学者が目指しているものなのだ。宇宙で、停止しているもの、永続するものは何も見つけられない。全てのことが理解できるわけではなく、予測可能なわけでもない。だが、人間の知性は、少なくとも創造の一部を把握し理解することは出来る。一連の現象の中に、不変の法則の柱が立っているのだ。

### （2）著書『原因と偶然の自然哲学』（1948年）より

私が「形而上学的な」という表現を使うことに対して反対があった。なぜなら、この言葉は哲学の推論的体系と関連するからだ。明確な目的があり、その目的に到達したと偽るこの種の形而上学は、私は好きではないということは言う必要もないだろう。我々は、素敵で楽しいが、目的からは遠い、終わることのない道を進んでいるのだと確信している。形而上学の体系化とは、形式化と石化を意味する。だが、無意味だと言って吐き捨てることのできない、また、認識論のように別の名前で呼ぶことができない、形而上学的問題はあるのだ。なぜなら、私が幾度となく言ってきたように、そのような問題は、実際に「物理学を超えて」いて、信念に基づく行為を必要とするからだ。我々はこの事実は素直に認めなくてはならない。異議を唱える信者は二種類いる。信じ難いことを信じる人と、「信仰」は捨て去り「科学的方法」に置き換えなければならないと信じる人だ。この左右の極端な立場の間に、合理的なものを信じ、健全な信仰を論じる余地は十分にある。信仰、想像、直観は、他の人間の活動と同様、科学の進化においても決定的な要因なのだ。

## ヴェルナー・カール・ハイゼンベルク
## Werner Karl Heisenberg

（1901～1976　ドイツ　理論物理学者　ノーベル物理学賞受賞）


量子力学の研究により1932年、ノーベル物理学賞を受賞した。しかし彼について人々の記憶に最も強く残るのは、原子構成粒子の動作は可能性に基づいて予測することしかできないという概念、つまり不確実（または不確定）性原理を提唱したことだろう。これに従えばアイザック・ニュートンの運動法則は単一の原子構成粒子の動作を正確に予測するのに用いることはできない。

1901年12月5日、ヴュルツブルクに生まれる。ミュンヘン大学で理論物理学を学び、1927年に博士号を取得した。ボーアと共に物理学における測定の概念である相補性の原理を提唱した。この相補性については、アルベルト・アインシュタインをはじめ、多くの物理学者が否定している。

1927年から1941年まではライプツィヒ大学で理論物理学教授を務めた。第二次世界大戦中はオットー・ハーンと共にベルリンのカイザー・ヴィルヘルム物理学協会で原子炉の開発に携わった。ひそかにナチス政権に敵対心を持っており、ドイツを実用的な核兵器の開発から遠ざけるよう立ち回った。戦後は、マックス・プランク物理学研究所の所長を務めた。1976年2月1日、ミュンヘンにて死去。

# ヴェルナー・カール・ハイゼンベルク
# Werner Karl Heisenberg

（1901 ~ 1976　ドイツ　理論物理学者　ノーベル物理学賞受賞）

## （１）著書『物理学とそれ以上：出逢いと対話』（１９７１年）

（友人たちとの会話）

宗教、科学、芸術の言葉をそのように厳しく区別するなら、「そこには生きた神がいる」とか「そこには不死の魂がある」などの議論の余地がない真実の言葉に、どのような意味を付すのか？

このようなタイプの言葉の中で、「そこにある」とはどういう意味だ？　ディラックが言うように、科学はこのような系統的論述（formulations）を嫌う。次の例えで、この問題の認識論の側面を説明する。

皆知っているが、数学者は、iと呼ばれる-1の平方根という架空の単位を使う。iは自然数の中にはないことを我々は知っている。にも拘らず、解析関数理論のような、重要な数学の部門はこの架空単位に、つまり$\sqrt{-1}$が存在するということに基づいている。「そこに$\sqrt{-1}$がある」という言葉は、「$\sqrt{-1}$の概念によって最も簡単に表される重要な数学的関係がそこにある」と言っているのに他ならないと思わないか？

しかし、これらの関係性は、その言葉がなくても存在するのだ。だからこのタイプの数学は、科学と技術分野でさえも、非常に役に立つのだ。

例えば、関数論の中で決定的なのは、連続型変数の対の振る舞いを支配する重要な数学の法則の存在だ。これらの関係は、$\sqrt{-1}$という抽象的な概念を持ってくることで、より理解しやすくなる。その概念が我々の理解にとっては基本的に必要なく、自然数の中に対応する数がなくともだ。同じような抽象的概念は、現代の数学で同様に非常に重要な役割を果たしている無限についてだ。無限の概念も、相互に関連があるものはなく、さらには大きな問題がある。

要するに、数学は、もっと広い領域について理路整然とした理解を得るのに役立つ、高等なレベルの抽象を取り入れるのだ。最初の質問に戻ると、宗教的な「そこにある」ということを、もっと高等なレベルの抽象にたどり着くための別の違った試みとして見ることは正しいのだろうか？　我々が全員に共通する（universal 宇宙の）繋がりを理解することを促す試みとして？　結局、繋がりそれ自体は、我々がどんな宗教的な形に当てはめようとしようとも、十分に存在しているのだ。

（「問題の認識論の側面に関しては、君の比較は合格だろう」とボーアは答えた。「だが他の点では、非常に不適切だ…」）

君は個人の自由選択について繰り返し述べている。そして、原子物理学者が、実験をこんな風に、あんな風に手配できるという自由と比べている。古典物理学者は、そんな自由はなかった。それは、現代の物理学の特徴は、意思の自由の問題について、より直接的な影響があるという意味なのか？　君も知っているように、原子の過程は完全には確定できないという事実は、自由意志と神の介入を支持する議論としてよく使われるのだ。

（友人ヴォルフガング・パウリとの会話）

（…ヴォルフガングは、突然私に聞いてきた。「人格神を信じるか？　もちろん、この質問に明確な意味づけをするのは難しいことは知っているが、君は一般的な意味で察することができるだろう」）

君の質問を言い換えてもいいか？　…次のような質問がいい。君は、あるいは他の誰かは、存在が疑いようのないと思われる物事や出来事の中心にある秩序に、他人の魂に至りつくのと同じくらい直接的に至りつくことができるか？

私は、誤解がないように「魂」という言葉をかなり意図的に使っている。もし君がこのように聞くのなら、私は、はい、と答える。そして、私の体験はあまり関係ないので、パスカルが上着に縫い付けた有名な文章を思い出させるだろう。それは、「炎」という見出しで、次の言葉で始まる。「アブラハム、イサク、ヤコブの神―哲学者や賢者の神ではない」取り急ぎ言っておくと、この言葉通りでは、私には当てはまらない。

（言い換えれば、君は他人の魂に気づくのと同じ激しさで、中心の秩序に気づくことができると思っているのか？）

恐らく。

（なぜ「魂」という言葉を使って、単に他人と言わなかったのだ？）

「魂」という言葉は中心の秩序、存在の内なる核に言及しているからこそだ。内なる核の外側に現れるものは、非常に多様で、我々の理解を超えるかもしれない。

（君のことを理解できているかわからない。結局、我々は自らの体験の重要性を誇張してはならない。）

もちろんだ。しかし、科学も個人的体験、あるいは他人の体験に基づいていると確実に報告されている。

（恐らく、私は質問を別の言い方で聞くべきだった。だが、もとの問題に戻ろう、実証主義の哲学だ。今まで話してきたテーマの議論を妨げるので、君は気が向かないだろう。だが、それは、実証主義が価値の世界から非常に切り離されていることを意味するのか？　原理の道徳規範を含むことができないと？）

最初はそのように見えるかもしれないが、歴史的に考えると、恐らくその逆だっただろう。結局、現代の実証主義は、実用主義から発展したもので、後者は、一夜にして世界を変えることは出来なくても、腕組をして座らず、自分の行動に責任を持て、できるときはいつでも手を貸せ、と教えてきた。

この点で、実用主義は多くの古い宗教よりも優れているという印象を与える。なぜなら古い教義は、本当は自分の行動で多くのことを改善できるのに、簡単に人を受け身の諦めに導き、不可避のものに屈するように促すからだ。実際の世界では、走る前に歩くことを学ぶのはとても良い原則で、科学界でも、広い現実を見失いさえしなければ、よい原則だ。ニュートンの物理学も、結局、自然の細部と全体的な見方を注意深く研究したことから成り立っている。不幸にも、現代の実証主義は、間違って広い現実に目をつむっており、意図的に暗闇の中に置いておこうとする。大げさかもしれないが、よく言っても、実証主義は、人にこのテーマについて考えるようには促さない。

（君の批判には文句はないが、私の質問に答えていない。実用主義と実証主義の混合が道徳的信条を含んでいたら、ところで含んでいるということについて君はまったく正しく、アメリカとイギリスではそのようになっているが、そうならば、どのようなコンパスで道を設定するのだ？　君は、最終分析で、我々のコンパスは、我々と中心の秩序との関係に違いないと言うが、実用主義の中で、どこにこのような関係を見つけることができるのか？）

実用主義は、究極的に、その道徳規範の基礎をカルビン主義、つまりキリスト教に置いていると言うマックス・ウェーバーに、私は同意する。西洋人に何が善で何が悪か、何が努力する価値があって何が拒否されるべきかを聞くと、幾度となく、その答えはキリスト教の道徳基準を反映している。その人が長い間キリスト教のイメージや寓話に触れていなくても、だ。

もしこの特別なコンパスを導いてきた磁力（中心の秩序以外に何がその源となり得たというのか？）が消されてしまったら、強制収容所や原爆よりもはるかに酷い何かが、人類に起こるかもしれない。だが、我々はこのような暗い穴を見ることを目指したのではない。中心の領域が我々の道を再度、もしかすると思いもよらぬ形で、照らすことを望もう。

しかし、科学に関する限り、実用主義者と実証主義者が極めて注意深く詳細を見て意味を明らかにするよう要求したことを、ニールスが支持したことはまったく正しい。我々は、実証主義にそのタブーについてのみ反対することができる。なぜなら、広い繋がりを話さなくなったり考えなくなったりしたら、我々はコンパスをなくし、道を失う危険があるからだ。

# ポール・ディラック
# Paul Adrien Maurice Dirac

（1902～1984　イギリス　理論物理学者　ノーベル物理学賞受賞）


20世紀における最も抜きんでた理論物理学者の一人。量子力学の研究や回転電子の理論、反物質の存在を予測していたことで知られている。

イギリスのブリストルで1902年8月8日に生まれた。数学の能力は早くから発揮され、スイス生まれで教師であった父もその才能を伸ばすよう励ました。ブリストル大学では電気工学を学んだ。学位取得後はケンブリッジ大学に入学した。1926年、まだ大学院生だったとき、原子よりも小さい素粒子に影響を与えている運動の法則についての量子力学の一形態を考案した。ディラックの理論的研究は、このような一つの素粒子、つまり量子がその軸を中心に回転しているに違いないということについて、他の科学者と同意に至るきっかけとなった。また、負のエネルギー状態が存在するはずであるという結論も導き出した。この考えは、1932年、陽電子または反電子が発見されたことで裏付けられた。1933年、ノーベル物理学賞を受賞した。

ケンブリッジ大学で博士号を取得してから同大学で教鞭を執り、1932年に数学教授となった。1969年まで同職を務めた後、アメリカへ渡った。1971年、フロリダ州タラハシーのフロリダ州立大学で物理学教授に就任した。1984年、10月20日、タラハシーにて死去。

# ポール・ディラック Paul Adrien Maurice Dirac

（1902 ~ 1984　イギリス　理論物理学者　ノーベル物理学賞受賞）

## （1）ヘルゲ・クラーク『ディラック：科学的な伝記』より

（1971年、リンダウ会議で、ディラックは物理学の根本的な問題の一つとして、「神は存在するのか？」という問題を議論することにした。…ディラックは、単なる「推測や感情の表現」である信仰や哲学的な信条からではなく、物理学者からの視点でこの問題を考えたかったのだ。）

生命が誕生するのは極めて難しかったかもしれない。非常に難しかったので、全ての惑星の中で、たった一回しか起こらなかったのかもしれない。…単なる推測として、適切な物理的状況が揃ったときに生命が始まるチャンスは$10^{-100}$だとしよう。この数を提案する論理的な理由はないが、一つの可能性として考えてほしい。この状況では、…生命が始まらなかったのは、ほぼ確実だ。そして、この状況以下では、生命が誕生するのには神の存在があったことを推測する必要があると思う。ゆえに、私は、神の存在と物理法則の間に関係性を打ち立てたい。

もし、物理法則が、生命が誕生するのに極めて小さなチャンスしか与えないもので、生命がまったくの偶然に誕生したのだと仮定することが合理的でないのなら、神がいるはずだ。そしてこの神は、恐らく、後に生じる量子飛躍に影響を与えただろう。一方で、もし生命が非常に簡単に誕生することができ、神の影響を何も必要としないなら、私は、神はいないと言うだろう。

## (2)科学雑誌「サイエンティフィック・アメリカン」(1963年5月)に掲載されたポール・ディラックに関する記事

…理論的な方法で進められる、もう一つの方向性がある。基本的な物理法則が、偉大な美しさと力を持つ数学理論によって説明されるのは、自然の基本的特徴の一つのようである。これを理解するには、高い基準の数学が必要だ。

なぜ自然はこのような道に沿って構築されているのだろう、とあなたは不思議に思うかもしれない。我々の現在の知識では、自然がそのように構築されていることを示しているようだ、と答えるしかない。我々は、ただそれを受け入れるしかないのだ。神は非常に高いレベルの数学者で、宇宙を構築するのに非常に高等な数学を使ったのだ、とも言えるかもしれない。我々が行なう数学への微かな試みは、宇宙を少し理解することを可能とする。そして、我々がより高度な数学を発達させれば、宇宙をよりよく理解することを望めるのである。

# ガリレオ・ガリレイ
# Galileo Galilei

(1564～1642　イタリア　物理学者　天文学者)

区分は、哲学というより物理学や天文学の歴史に属するが、彼の熟達した科学の哲学や方法論は、とりわけ「天文対話」(1632年)と「新科学対話」(1638年)を題材に議論されるようになってきた。ガリレオは伝統的権威や哲学的考察とは対照的に、観察に基づいた科学が、紛れもなく現実世界の知識の真の源であると考えた。また、かなり遅れた中世の思想の独善的確信とは逆に、自然について自分たちが知っていることに関して謙虚になる姿勢を支持した。しかし科学の中では、数学、先験的論法、純粋な観察、モデル構築の相対的な役割はそれほど明確ではなかったため、ガリレオは、アリストテレスの自然主義、およびプラトン的理性主義の一例とみなされてきた。彼を哲学の分野で特に有名にしている原理には、第一性質と第二性質の区別や、運動の相対性がある。近代科学に結びつけられた世界の観念は、しばしばガリレオの世界観と呼ばれる。

# ガリレオ・ガリレイ　Galileo Galilei

（1564 ~ 1642　イタリア　物理学者　天文学者）

## （1）ベネデット・カステリへの手紙（1613年12月21日）

最高に高貴なる御夫人の最初の点についてですが、聖書は決して偽りや間違いであることはなく、そこに告げ知らされていることは絶対的に犯しがたく真実であるということを、御婦人が言われ、あなたもそれに譲歩し同意したことは、非常に良識的だと思います。しかし、一つ加えるならば、聖書は間違うことはなくても、それを釈義したり解説したりする者は、時には様々な間違いをすることがあります。言葉の文字通りの意味に限定したいということもその一つですが、これは特に重大でよく起こる間違いです。

なぜなら、様々な矛盾だけでなく、重大な異説や冒涜が生まれ、足、手、目、そして、怒り、後悔、憎しみや、過去のことを簡単に忘れ未来のことに無知であるという肉体的で人間的な感情を神に帰する必要が出てくるからです。ゆえに、聖書の中には、言葉の文字通りの意味で解釈すると真実とは異なるように見えるが、一般人の無能さに適応するためにこのように表現されている見解が多く見つかるのです。同じく、一般大衆から区別されるに値する少数の人にとっても、賢い解釈者が本当の意味を書き出し、なぜそのような言葉を使って表現されたかの理由を示す必要があるのです。…

## （2）トスカーナ大公妃クリスティーナ・ディ・ロレーナ夫人への手紙（1615年）

最も高貴である母なる大公妃殿下

数年前、殿下がよくご存じのとおり、私は、この時代の前には発見されなかった多くのことを天の中に発見致しました。これらの発見が目新しいこと、そして、学問的な哲学者たちが一般的に持っている物理学の概念に反していることから生じた結果として、多くの教授たちから私に対する敵意が湧き上がっています。あたかも、私が自然界を混乱させ、科学を転覆させるために、自分の手でこれらのものを空に置いたかのように。

彼らは、すでに知られた真実を広げることは、美学の探求、確立、発展を促進させるもので、減少、破壊させるものではないということを忘れているようです。

もし、彼らが自分たちで探そうと努力したならば、自分たちの感覚が証明していたでしょうが、彼らは真実ではなく自分たちの考えの方が好きなので、新しいことは否定し反証を挙げます。この目的のため、彼らは様々な非難を強く投げかけ、無益な議論で満たされた書物を数多く出版し、自分たちが適切に理解できておらず、その目的には不適切な聖書から文章をあちらこちらに引用するという深刻な間違いを犯しています。

彼らは、恐らく、聖アウグスティヌスの非常に有益な教義に注意を払っていれば、このような間違いには陥らなかったでしょう。それはつまり、理性のみによって、不明瞭で理解が難しい物事について有益な発言をすることに関してです。

聖アウグスティヌスは、天体についてある物理的な結論を、次のように書いています。「厳粛な敬虔さに節度を保つことを常に意識して、我々は疑わしい点を軽率に信じるべきではない。後に、本当は、神聖な旧約あるいは新約聖書と、いかようにも反しないとわかるかもしれない物事に対して、間違って偏見を抱かないように」

さて、時の流れと共に、私が以前説明した真実が、皆に明かされました。そして、事実の真実性と共に、その発見を冷静に断じて真実であると認めない人と、自らの信じられない思いを無鉄砲な感情と結びつける人の大きな違いがわかりました。

天文科学と物理科学の基礎がしっかりとしている人たちは、私の最初のメッセージを聞くや否や納得しました。他の人たちは、そのメッセージが新しく予想外なものだったので、また、自分たちの目でまだ見る機会がなかったので、否定したり疑ったりしました。彼らも、徐々に納得していきました。

しかし、一部の人は、自分たちのもとからの間違いに固執し、問題の事柄ではなく、その発見者に対して敵意を持ち続けるという、理解できない風変わりな趣味を持っています。もはや否定できなくなり、今は頑固な沈黙を守っていますが、他の者たちをなだめ静めたことにより益々憤慨し、他の気まぐれを思いつき、私を傷つける新しい方法を模索しています。

私は、以前に私と対立した人たち同様、彼らにも気を留めるべきではありません。最後にはどうなるかがわかるので、いつも笑ってしまいます。でも、彼らの新たな中傷と迫害の中で、彼らは私よりも教養があると証明しようとすることを止めず（異論は申し立てませんが）、私にとって死よりも嫌悪すべき罪の非難を私に投げかけていると感じるならば、そうもいきません。

…私は物理的な問題の議論をするときは、聖書の文章から始めるのではなく、感覚の体験と必要な証明から始めるべきだと思います。なぜなら聖書も自然現象も神聖な「言葉」から発生しているからです。

前者は精霊の指示として、後者は神の命令を順守する執行人として。すべての人が理解できるためには、聖書は、言葉のありのままの意味に関して、絶対真実から異なるように見える多くのことを語る必要があります。

しかしその一方で、自然は移動可能で不変です。自然は決して課された法則を破ることはなく、その難解な道理と動作の方法が人間に理解できるかどうかなど少しも気にしない。この理由から、感覚体験が我々の目の前に見せる物理的なもの、あるいは必要な実験が証明する物理的なものは、言葉の裏に違う意味を持つかもしれない聖書の文章の証言に対して、何ら疑問を投げかけられるべきではありません（まして非難されるべきではありません）。

なぜなら聖書は、すべての物理的影響を支配するものほど厳密に、すべての表現に鎖で繋がれているわけではなく、また、神は聖書の神聖な文章よりも劣って自然の働きの中に現れるわけではないからです。恐らく、これがテルトゥリアヌスが次の言葉で意味したことでしょう。

「神は最初に自然を通して知られ、そして再度、より具体的に、原理によって知られる。神の創られた自然によって、そして神の表された言葉の中の原理によって」

# アイザック・ニュートン
# Sir Isaac Newton

（1642～1727　イングランド　数学者　物理学者）

史上最も有名な科学者の一人。今日では運動の法則や万有引力の法則、微積分の発明で最もよく知られる。力の国際単位であるニュートン（N）は彼の名に由来している。1661年から1668年までイングランドのケンブリッジ大学で学び、1668年に同大学の数学教授に任命された。ケンブリッジ大には約30年勤め、その後、ロンドンで官職に就いた。ケンブリッジ大での期間は彼の科学研究にとって最も有意義で実りあるものだった。ニュートンの法則で知られる運動の法則や万有引力の法則につながる研究に加え、光学、化学、数学、その他の分野でも研究を行なった。ニュートンの最も偉大な功績の一つとして一般的に認められていることは、科学原理を普遍的事象に当てはめて証明したことだ。これは、宇宙を運営する基本法則を明らかにすることによって科学の手法が宇宙の理解を可能とするという期待に特徴付けられる理性の時代の先駆けとなった。

# アイザック・ニュートン　Sir Isaac Newton

（1642 ~ 1727　イングランド　数学者　物理学者）

## （1）著書『ニュートンのプリンキピア：自然哲学の数学的諸原理』（1686年）より

神は永遠で無限、全能で博識だ。つまり、神の存在は永遠で、無限で、全てのものを支配し、為された、あるいは為されうるすべてのことを知っている。神は永遠や無限といったものではなく、永遠で無限という状態である。

神は時間や空間といったものではなく、持続し存在するものだ。神は永遠に持続し、どこにでも存在する。そして常にどこにでも存在することによって、神は時間と空間を作り上げているのだ。空間のすべての粒子は常にあり、分割できない時間のすべての瞬間はどこにでもあるので、確実に、全ての創造者である主は、いつであろうと、いないとか、どこにもいない、とかいうことはあり得ない。知覚できるすべての魂は、異なるときに、感覚と動きの異なる器官で存在しても、結局は分けることのできない同じ人間なのだ。時間には継続する部分があり、空間には共存する部分があるが、一人の人間、あるいはその思考原理には、そのどちらもなく、それらは神の思考にはほとんどないのだ。すべての人間は、知覚することができる限り、その全ての感覚器官において、生涯一人の同じ人間なのだ。

…異なる時代や場所に適応する自然のすべての多様さは、ほかならぬ必然的な存在の考えと意志によって生じることができたのだ。しかし、寓話の中では、神は、見て、話し、笑い、愛し、憎み、欲し、与え、受け取り、喜び、怒り、戦い、構成し、働き、作り上げる、とされている。なぜなら、我々の神の観念は、完全な類似ではないものの、人類のあり方に幾分似ているところからきているからだ。それゆえ、神の話は物事の現れに関することが多いが、神に関することの多くが、確かに自然哲学に属するのだ。

この最高に美しい、太陽、惑星、彗星のシステムは、賢明で力強い存在の助けと支配によってのみ進展することができる。そして、恒星が他の類似したシステムの中心にあるならば、同じ賢明な助けにより作られたものは、すべてこの存在の支配の影響下にあるに違いない。

特に、恒星の光は太陽の光と同じ性質で、光はどのシステムからも他のすべてのシステムへと入っていくからだ。そして、恒星のシステムが重力によってお互いの上に落ちてこないように、この存在はこれらのシステムの間に巨大な距離を置いたのだ。

この存在は、世界の霊魂としてではなく、すべての主として、すべてのものを支配する。その支配力のために、主は、主なる神 、あるいは宇宙の支配者と呼ばれている。なぜなら神とは相対的な言葉で、しもべと関連性があるからだ。…神という言葉は通常、主を意味するが、すべての主が神というわけではない。

神を構成するのは超自然的な存在の支配力だ。真の、究極の、あるいは想像上の支配力が、真の、究極の、あるいは想像上の神を創るのだ。そして、この真の支配力から、真の神とは生きた、知的で、力のある存在だということになるのだ。そして、神の他の完全性を見ると、神は究極、あるいは最も完全なのだ。…

## (2) ディヴィッド・ブリュースター『サー・アイザック・ニュートンの生涯、著作集と発見』に収録された言葉

敬虔とは正反対のものは、無神論を専門とすることと、偶像崇拝を実行することだ。無神論は人類にとって非常に愚かで憎むべきものなので、決して多くの教授を生み出してこなかった。

すべての鳥獣と人間が(腸以外は)左右均等な形をしていること、顔の両側に一つづつ目を持ち、頭の両側に一つづつ耳を持つこと、二つの穴の開いた鼻が一つあり、二つの前脚か、肩に二つの羽か二つの腕があり、腰の両側に二つの脚があり、それ以上ないことは、単なる偶然だろうか? このような外見の統一性は、創造者の助けと考案以外に、どこから生じるというのだ!

すべての生き物の目が、底まで透明で、体の中で唯一透明で、外側に固い透明な表皮、透明な体液の真ん中に水晶体、水晶体の前に瞳孔があり、まったく正確に形作られ、見えるように調節されていて、どんな芸術家も修復することができないというのは、どういうことだ? まったくの偶然で、そこに光があり、それがどのように屈折するかがわかり、すべての生き物の目を、最高に興味深い方法でそれに対応させることなどあるだろうか? このような考えは、常に人類が持っていたもので、またこれからも持つであろうもので、全てのものを創り、全てをその力の下に置き、それゆえ恐れられるべき存在があるということを信じさせるのだ。

# マイケル・ファラデー
# Michael Faraday

（1791 ～ 1867　イギリス　化学者　物理学者）

19 世紀は電力と磁力への理解が急激に進んだが、この進歩はマイケル・ファラデーによるところが大変大きい。その貧しい生い立ちからして、彼が偉大な科学者になったのは思いもよらないことだった。1791 年、イギリス人の鍛冶屋の息子として生まれた。正規の学校教育をほとんど受けなかった。14 才の時、製本工に弟子入りし、この頃から科学に興味を持つようになった。1812 年、有名な化学者ハンフリー・デービーの連続講義に参加した。その年の後半にデービーへその講義の覚書を送り、彼の助手になってよいか尋ねた。あるとき欠員が出て、デービーは彼を採用した。実に才能ある実験者で、電気エネルギーの力学的エネルギーへの変換 (1821 年 )、塩素の液化 (1823 年 )、ベンゼンの単離 (1825 年 ) といった一連の優れた研究実績を積み始めた。
おそらく最も重要な発見である電磁誘導を発見したのは 1831 年、針金コイルの内側で磁石を動かして、磁気から電力を生み出しているときだった。電場と磁場の概念も考え出した。ジェームズ・クラーク・マクスウェルがファラデーの着想を数学的形式にはめ込むと（ファラデーは数学をほとんど知らない）、それが物理学の基礎となった。電力を、科学的好奇心から実際的な技術に変えるのを助けたのはファラデーの研究だった。また、陽極、陰極、イオン、電極といった新語を造る助けとなり、言語も変えた。現在、彼の名前に由来して、静電容量の単位であるファラッドと、電荷の容量を測るのに使われていた単位、ファラデーの二つの言葉があるのは当然と言ってよいだろう。

# マイケル・ファラデー　Michael Faraday

（1791 ~ 1867　イギリス　化学者　物理学者）

## (1) ピーター・デイ『哲学者の木：マイケル・ファラデーが語る自身の人生と仕事』に収録された手紙

（ジュネーブ大学物理学教授で、30年間文通していた旧友のオーガスト・デ・ラ・リブ宛ての手紙に、ファラデーの信仰が非常に強く表われていた。人生終盤に人生が癒やされることを望むという内容だ。）

あなたに最後にいつ手紙を書いたか覚えていません。近年は、メモを取っているのですが、メモするのを忘れたようです。

あなたに科学について話すことが私の動機でしたが、以前は非常に強かったその動機も、今は欠けています。けれども、あなたの最後の手紙を読んで、私たち二人にとって科学よりも強いことを望む、「もう一つの動機」を思い出しました。

それは、私たちの前にある未来の生です。生命の力と形がなくなるとき、私に明るい希望があるということを非常に有難く思います。これは死に対する考えを、恐怖ではなく、心地よいものにしてくれます。

このような安心はそれだけで神の贈り物であり、神がそれを下さるのだから、なぜ恐れる必要があるでしょう？神の、愛する息子への言葉では表せない贈り物が、ゆるぎない希望の根拠であり、（私とあなたのように）人生も終わりに差し掛かっている者にとっては、そこに休息があるのです。

しかし、なぜ私が年齢であなたと一緒になる必要があるのかわかりません。あなたの年齢は忘れましたが、次の安息日（22日）に、私が70歳になるのは知っているし、感じてもいます。この手紙を書きながら、自分がそんなに年だとは感じません。快活な精神、気楽さ、健康がまだ私に残されています。もし私の記憶が衰弱すれば、困難も喜びも忘れ、結局最後は、幸せで満足なのです。

## (2) ベンス・ジョーンズ『ファラデーの生涯と手紙』に収録された手紙や書きもの

重力によって近づく物質、重力で互いに引き寄せられながら力で分離されている物質は、自ら、あるいは周りの物質やらせんの中に、軸となる動線の周りに逆の電流を示す可能性がある。だが、もし互いへ、あるいは互いから動いていない場合は、影響がない。

…これらすべてが夢だ。それでも、幾つか実験して調べてみる。自然の法則に適っていれば、真実として素晴らしすぎるものなど何もない。そして、これらのようなものには、実験が一貫して最高のテストとなるのだ。

（1858年）

このような結果から、科学が人間に提供する教育がどのようなものかがわかる。何も無視してはいけない、「小さな」始まりを軽視してはいけない。それらは、必然的に「すべての大きなもの」に先んじているのだ。水泡は雲を作る。水泡は空気のように軽く微小だが、滴を作り、滴が夕立となり、雨は川や激流を作り、これらは国土の形を変えることができる。そして海をしっかりと満たし利用できるように維持している。

科学は常に「小さなもの」と「大きなもの」の比較を教え、差異がほぼ無限に近づいていくと、大きなものが小さなものを含むように、小さなものが原理上大きなものを含む。だから心が包括的になるのだ。

科学は原理を慎重に推測すること、原理をしっかりとらえておくこと、判断を一時停止すること、「法則」を発見し従うこと、そして、最小について我々が知っていることを、大胆に、最大のものに当てはめることを教えてくれる。

科学はまず、講義や本から、既に人々に知られていることを学び、そして科学の持つ知識と方法から、自分たちと他人のために学ぶことを教える。だから過去の人間から得たものを、未来の人間に有意義なものにして渡すのだ。ベーコンは、科学の研究者は、ただ集めるだけの蟻や、自分の腸から糸を吐く蜘蛛のようではなく、集めることも作り出すこともする蜂のようであるべきだと言う。

これは全て、物理科学の教育に当てはまる。

電気は、素晴らしい、美しいとよく言われる。だが、自然の他の力と同様に、素晴らしく美しいだけだ。電気や他の力の美しさは、その力が神秘的で、予想外で、気づかないうちに、あらゆる感覚に次々に触れるということではなく、それが「法則」のもとにあり、今は教えられた知性でほとんどコントロールできるということだ。

人間の心は、その下ではなく上にあり、科学の精神教育が実用面で非常に優れた尊厳を与えられるのは、この見方による。なぜなら、法則を通して、心が自然の力を生かせるようにすることで、それは神の贈り物を人間に伝えるからだ。

## ロバート・アンドリューズ・ミリカン
## Robert Andrews Millikan

（1868～1953　アメリカ　物理学者　ノーベル物理学賞受賞）


原子物理学の研究で最も有名である。イリノイ州モリソン郡で生まれ、コロンビア大学、ベルリン大学、ゲッティンゲン大学で学ぶ。1896年、シカゴ大学の教員となり、1910年、同大学の物理学教授となる。

1909年、一つの電子によって運ばれる電荷を決定するための一連の実験を開始した。電場内の帯電した水滴の進路を測定することから始めた。結果は、液滴の電荷が電気素量の倍数であることを示唆したが、実験は説得力のあるほど正確ではなかった。

1910年に、蒸発が早すぎる傾向がある水を油に置き換えた有名な油滴実験で、より正確な結果を得た。1916年に彼は同様のスキルで、1905年にアインシュタインが導入した光電効果を説明するための方程式の実験的検証を行なった。また、同様の研究でプランク定数の正確な値を取得した。

1921年にシカゴ大を辞め、カリフォルニア工科大学ノーマン・ブリッジ物理学研究所所長に就任する。1923年には、有名な"油滴実験"によってノーベル物理学賞を受賞した。これは、電子の電荷を測定し、電荷はその電荷の整数倍としてのみ存在することを論証したものである。その他の貢献には宇宙線（彼が命名した）やX線についての重要な研究や、プランク定数の実験的測定がある。専門的な研究論文や、科学と宗教の関係についての書籍数冊を執筆した。

# ロバート・アンドリューズ・ミリカン
# Robert Andrews Millikan

（1868～1953　アメリカ　物理学者　ノーベル物理学賞受賞）

## (1) デイブ・アームストロング「科学とキリスト教：近しいパートナーか天敵か」に掲載された言葉

（自身の自叙伝〔21章「人類の進歩の二つの究極的な要素」〕の中で、ロバート・ミリカンはこう記している）

人類の幸福と進歩は基本的に二つの重要な要素にかかっている。どちらの柱が崩れても構造全体が崩壊することになる。その二つの柱とは、人類全体に、(1)宗教の精神と、(2)科学（または知識）の精神、を育み普及させることだ。

（「科学者の神」というインタビュー記事〔『Collier's』1925年10月24日付〕の中で、ミリカンはこう述べている）

私がはっきりと言うことができるのは、すなわち、宗教の否定には科学的根拠がないということだ。また、私の判断では、科学と宗教の間に対立の言い訳などない。なぜなら、これらの分野は全く異なるからだ。科学についてほとんど知らない人々と、宗教についてほとんど知らない人々がまさに反目しあい、傍観者は科学と宗教は対立するのだと想像するのだが、実は対立はこの二つの異なる無知な人種の間にしか存在しないのだ…

偉大な科学者の多くは実際、深い宗教的な信念と生き方を持っていた。サー・アイザック・ニュートン、マイケル・ファラデー、ジェームズ・クラーク・マクスウェル、ルイ・パスツール。これらの人物は皆、信心深かっただけでなく、それぞれの宗派の敬虔なメンバーでもあった。なぜなら、世界で最も重要なことは、道徳的、精神的価値に対する信があること、存在することに重要性や意味があると信じること、我々がどこかに向かっていると信じることだからだ！　彼らがこの信念に欠けていたならば、とてもここまで偉大にはならなかっただろう。

# ウィリアム・ヘンリー・ブラッグ
# William Henry Bragg

（1862～1942　イギリス　物理学者　ノーベル物理学賞受賞）


マン島のキング・ウィリアムズ大学とケンブリッジのトリニティ・カレッジで学び、1884年に卒業した。最初の職務は、1885年から1909年までオーストラリアのアデレード大学で得た。1909年にはイギリスに戻り、同年から1915年までリーズ大学で、1915年から1923年まではユニヴァーシティ・カレッジ・ロンドンで物理学教授を務めた。1923年から1942年まではロンドンの王立研究所所長を務めた。

息子ローレンスと共同で行なった結晶構造におけるX線回折の研究で最もよく知られている。結晶におけるX線回折を発見したのはフォン・ラウエだが、固体物理学と分析化学における重要な実用的手段であるブラッグの結晶分光計に基づいてX線結晶学の領域を発展させたのは、ブラッグ親子だった。

1915年のノーベル物理学賞はX線による結晶構造解析への貢献により、ウィリアム・ヘンリー・ブラッグと彼の息子であるウィリアム・ローレンス・ブラッグに授与された。

# ウィリアム・ヘンリー・ブラッグ William Henry Bragg

（1862 ～ 1942　イギリス　物理学者　ノーベル物理学賞受賞）

**（1）デヴィッド・C・リンドバーグ／ロナルド・L．ナンバーズ（編）「神と自然：キリスト教と科学の出逢いに関する歴史的論文」に掲載された言葉**

〈ブラッグは亡くなる前年、「科学と信仰」について講義を行ない、再度、科学的・宗教的知識の実験に基づく基本について強調した。〉

科学は、試行錯誤して成功と失敗から学び、段階的に前進する経験的なものです。これは宗教、とりわけキリスト教も同じことではないでしょうか。キリスト教を伝道してきた人々は当初から、それは経験によって証明されると書き主張してきました。ある人が道義や勇気、忍耐、正義、慈悲や慈善に惹きつけられるなら、彼にキリストの道を歩ませ、それが、彼が行くことのできる場所へ導くものだと彼自身に気づかせてやりなさい。科学の発見が彼を邪魔することはないし、それが正しい道だという直接的な証拠を与えることもない。

科学は間接的には最も重要なものです。なぜなら、隣人を助けようとする人はその方法を知らなければならず、近頃の科学はそれに必要な知識の大部分を構成しているからです。

# アレクシス・カレル
# Alexis Carrel

（1873～1944　フランス　外科医　ノーベル生理学・医学賞受賞）


1873年6月28日、フランス・リヨンに生まれた。

1900年にリヨン大学で医学の学位を取得した。1902年、血管の端と端を接合（縫合）する技術の研究を始めた。シカゴ大学(1904)と、後にニューヨークのロックフェラー医学研究所(1906)で研究を続けた。その技術は、組織の損傷や感染を最小限にし、血液凝固のリスクを下げたもので、血管手術の大きな進歩であり、臓器の交換と移植の道を開いた。この功績により、1912年のノーベル生理学・医学賞を受賞した。

第一次世界大戦中、フランス軍で働いた。化学者ヘンリー・デーキンと共にカレル-デーキン法という、深い傷への消毒法を考案した。戦後、ロックフェラー研究所に戻ると、細胞組織と臓器を体外で生きたまま保存する方法についての研究を進めた。何年間もニワトリの胚の心臓の細胞を人工の栄養溶液で培養し、飛行士チャールズ・リンドバーグと共同で、心臓や腎臓などの大きな臓器を通して生理液を送り込むことができる、いわゆる人工心臓を考案した。

著書「Man, the Unknown（邦題：人間 この未知なるもの）」(1935)の中で、社会を組織し改善するにあたり科学が果たし得る役割について、かなり権威主義的な政策に沿った見解を発表し議論を呼んだ。第二次世界大戦中、ヴィシー政府のもと、パリでカレル人間問題研究財団を設立・指揮した。パリの解放の後、対独協力の嫌疑を受けたが、1944年11月5日、裁判が始まる前にパリにて死去した。

# アレクシス・カレル　Alexis Carrel

（1873～1944　フランス　外科医　ノーベル生理学・医学賞受賞）

## （1）著書『人間 この未知なるもの』（1935年、1939年）より

…神の探求は、実に個人的な取り組みだ。意識の通常の活動を利用して、人間は物質世界に内在し、同時に超越している目に見えない現実に到達しようとする。ゆえに、人間は挑戦し得る最も大胆な冒険に自らを投げ入れる。英雄、または奇人、と見られるかもしれない。だが、神秘体験が、本当か嘘か、自己暗示か、幻覚か、あるいはこの世界の次元を超え、高次元の現実と結びつく魂の旅なのか、誰も聞くべきではない。そのような体験の運行可能な概念を持っていることに満足すべきだ。神秘主義は素晴らしく寛大だ。それは人間の最高の願望をかなえてくれる。内なる強さ、魂の光、神の愛、言葉では言い尽くせない平和。宗教的直観は、美的インスピレーションと同じくらい本物だ。超人的な美を熟考することで、神秘主義者と詩人は究極の真実に至るかもしれない。

パブロフの言葉では、条件付けとは、関連する反射神経の確立に他ならない。アニマルトレーナーが長い間使ってきた方法を、科学的で現代的な形式で繰り返すものだ。これらの反射神経を構築するとき、不快なことと、対象が欲することの間に関係性が作られる。ベルの音、銃の発射音やむち打ちの音でさえも、犬にとっては好物の

食べ物と同等になる。似たような現象が人間にも起こる。知らない国への探検の最中には、食べ物や睡眠がなくても苦しまない。物理的な痛みと困難は、大切な企ての成功を伴うなら、容易に我慢できる。死でさえも、何らかの偉大な冒険、犠牲の美しさ、神に傾倒する魂の輝きと関係するならば、微笑むことができるかもしれない。

### （2）著書『人生についての考察』（1952年）より

哲学者も神学者も自分たち特有の教義で、その教義が何であろうとも、人間を構築しようとすべきではない。なぜなら、人間の視野は常に狭すぎるからだ。自然とは神の御業なので、自分が自然を修正できると思うのはまったく高慢だ。人間は遺伝による潜在能力が許すものになるべきなのだ。人間はその体と魂を解読することを謙虚に試みる傾向を身につけなければならない。生き物というのは無限に変形するものなので、若者を、ほぼ正確に我々の望む形に作る力がある。良い技術で、我々は人間を望むように構築できるのだが、我々のこの理論の産物は実行可能ではない。我々のように、この人間は、遅かれ早かれ、愚行、堕落、混乱に飲み込まれるだろう。自然を自由に操るには、自然に従わなければならない。我々の個人的、社会的、民族的な生活の中での成功の代償は、不変の自然へ謙虚に服従することだ。

猿のように、人間は飽くことのない好奇心が特徴だ。だから絶え間なく解明できない問題を解こうとしているのだ。人生の目的は人生そのものだと知ること、自然の法則に従って身体的、精神的な活動を調和して発展させることで運命を十分に遂行していることを知ることは、人間にとって十分ではないのだ。人生の意味とは何かを問うことも要求するのだ。なぜ我々はここにいるのか？　どこから来るのか？　我々は何だ？　宇宙の中で知性の立場は何だ？　なぜこのように沢山の苦しみ、不安、困難があるのか？　死の意味は何だ？　我々がそのうち無に戻るなら、善と真実の理想に沿って体と魂を作る意味は何だ？　熱意、信仰、勇気は、単なる自然の戯れではないのか？　我々はどこに行くのだ？　死の後、魂は体のように分解するのか？　魂が生き残ることを信じるのは馬鹿げているのか？

今日、いつの時代もどこの国にもいるように、単に生活することは十分ではないと思う男女がいるのだ。彼らにとって、命はすべてのものの中で一番大切なものではないようだ。彼らは美、自制、愛を切に望み、神に到達することを欲する。

このような人々の問いに対して、哲学は無気力な答え以上のものを与えたことがない。ソクラテスもプラトンも生命の神秘に直面する人類の苦悩をなだめることには成功しなかった。

宗教だけが人間の問題に完全なる解決を示す。何よりも、キリスト教は、人間の魂の要求に対して明確な答えを出してきた。何世紀にも亘り、人間が常に運命について感じてきた、止むことのない好奇心を落ち着かせてきた。宗教的インスピレーション、神託と信仰が我々の先祖に確実性と平和をもたらしたのだ。

しかし、理性は直観に対して永遠の戦いを強めた。啓蒙時代の哲学者たち、特にボルテールや百科事典編集者たちの攻撃で、宗教は形勢が不利になった。科学は信仰とは違う確実性の形を人間にもたらした。簡潔で的確な数式で表現されるシンプルで、明確で、簡単に実証できる真実だ。一方で宗教は、中世の考えと言葉を使い続けていた。今日、少なくともヨーロッパとアメリカの四分の三の住民は、我々の性質と運命に関する心を乱すような問題の解決を、もはやキリスト教には求めていない。

ここで、我々は科学からの助けを望むことは出来ない。科学は、生きて、繁殖して、精神を発展させるようにとの自然からの命令を我々に伝えることに甘んじている。科学は、命の終わりを示すが、その意味については沈黙のままだ。考える人類が、その起源と終わりの謎に直面する時に答えを切望する質問に答えるには、科学は若すぎる。科学はまだ魂の性質を知らない。

人間は、何歳であっても、理性よりも感情にはるかに強く動かされる。人生の難しい法則が、無目的な力の表現としてよりも、神の御意志として現れた方が、はるかに快く従うのだ。人間は法則よりも人に従いやすい。アリストテレスの無感情な神には興味を持たないが、自分たちに個人的に関与している神は愛す傾向にある。もしこの神が、たった二千年前に、人間の体で地球に現れることを拒絶しなかった神ならば、これは特に当てはまる。それゆえ、一般的な宗教の教えと、特にキリスト教の神秘の教えは、非常に大きな教育的価値がある。

もちろん、子供に神学や義務について語るのは時間の無駄だ。しかし、カントのアドバイスの通り、神を、彼らのことを見守る目に見えない父であり、祈りを捧げる対象として、幼いころから説明する必要がある。神に敬意を払う本当の方法は、その御意志を全うすることだ。そして、神の御意志とは、疑いなく、子供が、大人のように、道理にかなって行動することだ。

美的感覚は信心深さにとても近い。美には大きな教育的な力がある。それが犠牲、勇気、神聖の形を取るとき、人を圧倒的な極みへと惹きつける。人生に意味、高潔さ、喜びを与えるのは、この美だ。どんなに粗末で苦しい存在でも、美と愛の理念に光を当てられると輝くのだ、ということをすべての子供に示さなければならない。

# グリエルモ・マルコーニ
# Guglielmo Marconi

（1874～1937　イタリア　発明家　ノーベル物理学賞受賞）

1874年、4月25日イタリア・ボローニャで生まれた。
1894年に電波の実験を始め、1896年イングランドに行き、無線電信の開発に成功した。彼の短波無線通信の発明は、現代の無線放送のほぼすべての基礎となっている。彼が改良したアンテナは電波シグナルの伝達範囲を大きく拡げた。1899年には、イギリス海峡をまたいだ通信を実現した。1900年には、アメリカン・マルコーニ社を設立。1901年には、大西洋を横断する信号を初めて送信した。数々の特許を取得しており、おそらくそのうち最も有名なNo. 7777は、いくつかの局に設置して支障なく異なる波長を作動させるための装置の特許だが、これはのちに無効とされた。1909年のノーベル物理学賞をK・フェルディナント・ブラウン(1850-1918)と共同受賞した。侯爵に叙せられ、元老院議員に指名された(1929年)。また、イタリア王立アカデミー会長に選出された(1930年)。1937年7月20日、ローマで死去。

# グリエルモ・マルコーニ　Guglielmo Marconi

（1874 ～ 1937　イタリア　発明家　ノーベル物理学賞受賞）

**（1）マルコーニの妻の著書『我が最愛のマルコーニ』より。マルコーニが1931年バチカン市国ラジオ局を開局した時のスピーチに触れている。**

（私の夫はローマ教皇聖下にラジオ局を見せて回りました。教皇聖下は装置に非常に興味を示されました。そして二人はマイクの前で立ち止まりました。グリエルモは教皇と教会に引き渡すことができる自分の仕事の成果に、非常に満足していました。彼の言葉は以下です。）

マイクロ波を常設の設備で使用することを実演するのは、世界で今日が初めてです。私は、このことについて、そしてここで数々の実験をする許可をくださった聖下に深い感謝の意を表したいと思います。

私のイタリア人としての喜びと、科学者としての光栄は、この重要な科学的発見の最初の活用が、偉大な教皇聖下の御意思により、そしてここに御臨席され、行なわれているということだけではなく、我々の国とすべての人類にとって喜びの記念日に、イタリアの空と大地を通して行なわれたという思いで飾られています。そして、それには国と国との間のコミュニケーションを容易にすることと、世界のすべての人々に真のキリスト教の平和をもたらすことに貢献するという目的があります。

私が成し遂げたこの仕事で、私の心は、イタリア人として、そして科学者として、誇りと未来への希望で満たされています。この研究結果が世界平和をもたらす手助けをすることを祈ります。

（少し間をおいて、彼は感情をこめて続けた。）

あと数秒でローマ教皇ピウス11世聖下がバチカン市国ラジオ局を開局されることを発表することは、私にとって偉大な栄誉であります。電波が、空間を通って、ローマ教皇聖下の平和と神への祈りの御言葉を世界中に届けます。約20世紀もの間、ローマ教皇の教えは世界中で伝えられてきましたが、ローマ教皇の生の御声が地球の全域で同時に聞かれるのは初めてのことです。自然の多くの神秘的な力を人類が使うことを許された神の助けにより、世界の敬虔な教徒たちに、ローマ教皇聖下の御声を聞く安らぎを与える器機を用意することが出来ました。教皇聖下が私に委ねてくださった仕事を、今、教皇聖下にお返し致します。この成果は、今日、教皇聖下の御前で聖別されます。全世界に教皇聖下の高貴な御言葉をお聞かせいただけますように。（そして、私の夫は黙った。）

（1897年12月24日、マルコーニは、父親に次のように書いた。）

ここ二週間、ワイト島の港と船の間の沖での実験で忙しくしています。結果は極めて良く、いや、予想以上と言えるかもしれません。嵐や霧の中でも約28キロの距離で、メッセージを送信することができたのです。天候の悪い時期に蒸気船に二週間ほども乗っていましたが、神のおかげで、すべてがうまくいきました。

## (2) 二人の神父が書いた書籍『レディオ・リプライズ3巻』(1942年)

(第一章:神)

:(マルコーニは最近次のように言った。)

科学と信仰が共存できないと思うのは間違いです。今日、無神論がはびこっています。何の目的や理想や信仰も持たずに、ただあてどもなくさまよっている人々が実に多くいます。我々が従わなければならない神への信仰のみが、我々に、生命の偉大な神秘に直面する勇気と力を与えることができるのです。

:(マルコーニは非常に賢い人で、実験科学における天才で、今日我々が享受している無線伝送の発展に大きな貢献をした人だということを、あなたは認めるでしょう。にもかかわらず彼は祈りについて次のように言うのです。)

もし人が祈りを信じなくなったら、それは大きな悲劇だと思います。祈りの助けがなければ、私は恐らく今まで成功してきたことも失敗していたでしょう。私が成し遂げたものを得ることを私に許可して下さる際に、神は、神の神聖なる力を明かすために、私を単に神の御意志の道具とされたのです。

## アーサー・ホリー・コンプトン
## Arthur Holly Compton

（1892～1962　アメリカ　物理学者　ノーベル物理学賞受賞）

X線の研究により1922年にいわゆるコンプトン効果を発見した。ノーベル賞受賞者である。コンプトン効果とは高エネルギーの電磁波が電子に衝突し散乱したときに波長が変化する現象のことだ。コンプトン効果の発見は、電磁波が波と粒子両方の性質を持っているという量子論の中心原理を立証した。
オハイオ州ウースターで生まれ、ウースター大学とプリンストン大学で学んだ。1923年にはシカゴ大学で物理学教授に就任した。シカゴ大学では、初めての持続可能な核分裂連鎖反応の実験を行なった研究所を指揮した。また、原子爆弾の開発にも関わった。1945年から1953年はワシントン大学総長を務めている。1954年以降は同大学の自然哲学教授として在籍した。彼はコンプトン効果の発見や、宇宙線とその反射・偏光の研究、X線のスペクトルの研究によって1927年、イギリスの物理学者チャールズ・ウィルソンとノーベル物理学賞を共同受賞した。

# アーサー・ホリー・コンプトン

# Arthur Holly Compton

（1892〜1962　アメリカ　物理学者　ノーベル物理学賞受賞）

## （1）デイヴ・アームストロング『科学とキリスト教：近しいパートナーか天敵か』（2012年）に収録されたインタビュー記事

（『シカゴデイリーニュース』のマガジン・セクション〔1936年4月12日〕で、聖書の最初の一節について見解を述べる中で、アーサー・コンプトンは自身の宗教観を語った。）

私自身にとっての信仰は、最高の知性（supreme intelligence＝神）が宇宙を存在させ、人間を創造したという認識から始まっていまる。計画のあるところには知性があるということに論争の余地はないのだから、このような信仰を持つことは私にとって難しいことではない。

秩序正しく広がる宇宙は、これまでに発せられた最も威厳のある言葉が真実であることを証明している。「初めに、神は…」（創世記1章1節）

もし宗教が科学にとって好ましいものになり得るとすれば、知的存在（Intelligence）が実在し働いているという仮説を審査することが重要だ。知的な神の証拠についての議論は哲学そのものと同じくらい古い。神による設計の原理についての議論は、陳腐ではあるが、適切に否定されたということは一度もない。それどころか我々がこの世界について知れば知るほど、これが偶然の結果生まれてきた作用である可能性はほとんどなくなってきている。そのため今日の科学者で無神論の立場をとろうとする者はほとんどいないのだ。

# イジドール・イザーク・ラービ
# Isidor Isaac Rabi

（1898～1988　アメリカ　物理学者　ノーベル物理学賞受賞）


オーストリア・ハンガリー帝国（現在ポーランド）生まれのアメリカの物理学者。1944年に、原子スペクトルを観察する原子および分子線磁気共鳴法の発明でノーベル物理学賞を受賞した。

ラービの両親は1899年に米国ニューヨーク市に居を定めた。1919年にコーネル大学で化学の学士号を取得した後、物理学に切り替え、1927年にコロンビア大学で博士号を取得した。ヨーロッパで大学院生として研究をした後、1929年にコロンビア大学の学部に加わり、1937年に物理学教授に就任した。1940年から約5年間、マサチューセッツ工科大学の科学者グループのリーダーを務め、レーダーの開発に貢献した。1946年からアメリカ原子力委員会の一般諮問委員会の一員であり、1952年から1956年まで委員長を務めた。また、スイスのジュネーブにある高エネルギー物理学のための欧州原子核研究機構の構想を考案した。ニューヨーク州のブルックヘブン国立研究所の創設者の一人でもある。また、コロンビア大学に、ノーベル賞受賞物理学者を輩出する世界で最も優れた物理学部の一つを設立した。

彼の最も重要な科学的研究は、原子、原子核、および分子の磁気特性を測定する方法の開発（1930年代）であった。この方法は、原子核内の陽子のスピンを測定することに基づいたもので、この現象は核磁気モーメントとして知られる。彼の磁気共鳴法を適用することで、原子核のいくつかの機械的および磁気的特性、ならびに形状を推定することができる。この方法で得られた正確な測定により、後の原子時計、メーザー、レーザーなどへの利用や、診断医学で使用される核磁気共鳴画像法が可能となった。

# イジドール・イザーク・ラービ　Isidor Isaac Rabi

（1898～1988　アメリカ　物理学者　ノーベル物理学賞受賞）

## （1）ジョン・S・リグデンによるラービの伝記『ラービ、科学者であり市井の人』（1987年）より

子供のころ、私は神、世界の創造者、に非常に感銘を受けたので、それがずっと私の中に残っていた。…物理学を見つけたとき、それはより高等な真実だと気づいたのだ。

日常の会話の中にも神は出てきた。段落ごとにというよりは、文章ごとに…。神という考えにはある親密さがあった。心地よい感覚が。神はある意味、私の身内であった。アブラハムがしたように、神を相手にすることができたのだ。

物理学を見つけたとき、私はそれが宗教を超えるものだと気づいた。より高等な真実であったのだ。それは、私を畏敬の念で満たし、原初の動機の感覚に触れさせた。物理学は、私をより神に近づけたのだった。その感覚は、私が科学に従事している間中続いた。

教え子が科学プロジェクトを持って私のところにやってくると、私はいつも一つだけ質問した。「そのプロジェクトは、あなたを神に近づけるものか？」と。教え子たちはいつも私が何を意味しているか理解した。

私は固体物理学をやりに来たのではない。私は、その先にある物事の根本的な性質に興味があったのだ。もち

ろん、固体に大きな発展が生まれようことには、その時は気づかなかったが、いずれにせよ固体物理学が私を神に近づけたとは思わない。最後には、私は自分に言った。「私は理論は得意ではない。私は本腰を入れて取り掛かるような、非常に面白いアイディアを持っていない。ならば、分子線に戻ろう」と。

…私は正統派ユダヤ教徒であり、神は御一方しかおられない。世界はその神の創造物であり、意味と一貫性があるはずである。物理学を選んだ時、私はユダヤ教を実践するのを止めたが、ユダヤ教の基本的な考え方と感覚は、私の中に残った。ずっと奥の方で、私は正統派ユダヤ教徒なのだ。

最初に物理学を選ぶことは、ある興味の方向性を必要とする。私の場合、それは私の生い立ちに関係しており、その発端は宗教的だ。現世的な宗教ではなく、物事を見るときに人を奮い立たせる宗教である。物理学を選ぶということは、ある意味、些細なことは選ばないということだ。神の全体構想は、真の優秀性、真のドラマである。良い物理学を行なっている時、人は英雄と格闘している。それを成し遂げるのに、一つの人生しかないのだから、無駄にはしたくない。

正統派ユダヤ教の幾つかのしきたりより他に、私を深く感動させるものは世界にない。人々は、イスラエルや、ブルックリンのウィリアムズバーグ、あるいは正統派ユダヤ教徒の行くところへ行く。…そして彼らは前後に揺れて祈るのだ。その行為に愕然とする人もいるが、私にとっては素晴らしいことだ。彼らは私の家族である。私も彼らと共に前後に揺れることに、何の問題もない。私がそれに否定的な感情を持たないのは、私が、これらのことに反対せず超えることを固く信じている科学者だからなのだ。私はこれと同質でそれに疑問はないが、その中に入ってはおらず、入ることもできない。私はそれを愛し尊敬しているが、科学者として、私はもっと普遍的なレベルにいるのだ。…そして、これが神を思い出させるのである。

## ジョン・カリュ―・エックルス
## Sir John Carew Eccles

(1903～1997　オーストラリア　神経生理学者　ノーベル生理学・医学賞受賞)


オーストラリアのメルボルンに生まれ、現地の大学とオックスフォード大学で学んだ。オックスフォード大では、1927年から1937年までチャールズ・シェリントンと共に筋反射とシナプス(神経の接合部)を介した神経系の変化に関する研究に取り組んだ。その後、1937年から1943年まではオーストラリアの病理学研究所に勤めた。1944年から1951年までニュージーランドのオタゴ大学で生理学教授として過ごした後、オーストラリアに戻り、キャンベラのオーストラリア国立大学で1951年から1966年まで生理学教授として勤めた。次にアメリカへ渡り、初めにシカゴ大学で活動した後、最終的に1968年から退職する1975年までバッファローのニューヨーク州立大学に勤めた。

キャンベラでは、アラン・ホジキンとアンドリュー・ハクスリーの発見に続き、シナプスで起こる化学変化についての研究を行なった。後の1963年、彼らと共にノーベル生理学・医学賞を受賞している。異なる神経細胞の励起は、シナプスにソディウムやカリウムイオンの流れを促進させ、電荷の両極的な入れ替わりをもたらす物質(おそらくアセチルコリン)を放出させることを論証した。神経インパルスが神経細胞に繋がっている、あるいは存在している方法の研究。「Reflex Activity of the Spinal Cord(直訳:脊髄の反射活動)(1932)」「The Physiology of Nerve Cells(直訳:神経細胞の生理学)(1967)」の著者である。

退職後、何冊もの心身問題に関する著書を執筆し始める。有名なところではカール・ポパーとの共著「The Self and the Brain (1977)(邦題:自我と脳)」や「The Human Mystery (1979)(邦題:脳と宇宙への冒険:人間の神秘)」、「The Creation on the Self (1989)(邦題:脳の進化)」がある。

# ジョン・カリュー・エックルス

# Sir John Carew Eccles

（1903 ～ 1997　オーストラリア　神経生理学者　ノーベル生理学・医学賞受賞）

**（1）「現代生物学と神の信仰への転換」（ロイ・アブラハム・バーギーズ編『知識人たちによる神についての発言　非宗教的社会にあるキリスト教徒の学生のためのハンドブック』に収録されたインタビュー）**

（科学と宗教は対立すると思いますか？　あなたは有神論の現実の見方を受け入れますか？）

科学と宗教は非常に似ています。両方とも人間の心の、想像力に富んだ創造的な側面です。対立するように見えるのは、無知の結果です。我々は神の御業によって存在しているのです。その神のお導きは、我々の一生のテーマなのです。死ぬとき、脳は停止しますが、神のお導きと愛は継続します。我々一人一人は二つとない、意識ある存在で、神の創造物です。これは宗教的な見方であり、全ての証拠と一致する、唯一の見方なのです。

**（2）「神聖なる設計：起源に関するいくつかの質問」（ヘンリー・マージナウ／ロイ・A・ヴァーギース編『宇宙、生命、神智学：科学者たちは科学、神、そして宇宙の起源、生命、そして人間について熟考する』に収録のインタビュー）**

（5．有神論の主な根拠は人間原理だと思いますか？）

それは重要な見識だと思います。私は、単に我々の存在に基いた有神論の信念を持つことは可能だと思います。デカルトのように、我々が持つ唯一の確実性は、我々が自己意識のある唯一の生き物として存在するということです。それぞれが唯一であり、同じものはいないのです。

これは進化プロセスの外側にあるものだと思います。進化プロセスは、私の体や脳を生じさせますが、二元論的に言って、それは作用の一つの側面でしかありません。もう一方の側面は、私がこの世で脳を持った時に、脳と関連する私の意識の存在そのものです。脳と体は進化プロセスの中にありますが、このようには十分に説明されていません。しかし、意識の自我はダーウィンの進化プロセスには全く出てきません。私は、それは神の創造だと思います。

（6．意識ある自我の存在が、神聖な創造者の存在の決定的な証拠となると思いますか？）

はい、そう思います。私の本の中でも数回言ってきました。これは愛ある創造です。単に魂を次から次へと投げ入れる創造者として考えてはいけません。これは、我々にすべての素晴らしい贈り物を下さる愛ある創造者なのです。

（7．ビッグ・バン説の中で有神論者に特別な関連性があると思いますか？）

ある意味、そうだと思いますが、全てを為すのは超越的な神です。しかし、人間の状態に関わることについては、超越的な神もそこにいるのですが、非常に重要なのは内在する神です。我々は、いつも、それらは同じ存在の二つの側面であると考える必要があります。

（8．脳だけがあるのであって、霊的な魂はないという唯物主義者に、二元論者はどのようにうまく答えられるでしょうか？）

唯物論者がそのように言っているときは、それらの発言は、単に脳が神経システムの中でたくさんの複雑なインパルスと、言葉を作る音を創り出しているのだ、と言っているのです。これは全く物質的な創造です。あなたは、まず思考したのですか？　あなたの思考はあなたの言っていることと何か関係がありますか？と唯物論者に聞くと、いいえ、私の言っていることは、単に脳が行なうことで、私はただそれを聞いているのです、と答えます。言い換えると、私が自分で言っていることを聞くまで、私が何を考えているかわからない、と言っているのです！　もし、脳が言語表現の全てを作り、自分は脳が作ったものを言葉で受け身的に受け取るだけだと思っているなら、私はその人と議論しません。

私はロボットと議論はしないのです。私は、考え、判断し、創造し、理論を理解し、議論で負けることのできる、意識的で重要な能力を持つ人々としか議論しません。これらは、意識のある人間の性質だと思います。そうすれば会話をすることができ、その会話は有意義なものになります。しかし、ロボットとは有意義な会話はできません。

## ネヴィル・フランシス・モット
## Sir Nevill Francis Mott

（1905～1996　イギリス　物理学者　ノーベル物理学賞受賞）

イギリスのリーズに生まれ、ケンブリッジ大学に入学、1927 年に学士号を、1930 年に修士号を取得した。博士課程には進まなかったが、1930 年から 1933 年まではケンブリッジのゴンヴィル・アンド・キーズ・カレッジの専任講師と特別研究員を務めた。その後、ブリストル大学へ移り理論物理学の教授職に就いた。1948 年にはブリストル大の物理学研究所所長となったが、後に実験物理学のキャベンディッシュ研究所（物理学科）筆頭教授としてケンブリッジ大へ戻り、1954 年から、退職の 1971 年まで勤めた。
1930 年代初期の研究テーマは原子の衝突と分散についての量子理論である。ハリー・マッセイと共に、古典となった教本の 1 作目「原子衝突の理論」を著した (1934 年 )。その他の影響力のある原本には H. ジョーンズとの共著「金属物性論」(1936 年 )、R･W･ガーニーとの共著「イオン結晶中の電子過程」(1940 年 ) がある。これらはいずれも、進行中の研究にとって重要な節目となった。写真処理に関係する、欠陥と界面現象の研究（潜像の形成について解明した）や、結晶の転位、欠陥、強度について重要な研究を行なった。
1950 年代までには不規則物質や液体金属、半導体中の不純物帯、ガラス状半導体といったテーマにまで着目していた。彼の固体モデルはますます複雑になっていき、その中にはモット転移と呼ばれる金属・絶縁体転移における電子的過程についての分析などがある。
1977 年、「電磁系と無秩序系の電子構造の基礎的･理論的研究」の功績により、フィリップ･アンダーソンとジョン・ヴァン・ヴレックと共にノーベル物理学賞を受賞した。1962 年、ナイト爵に叙せられた。1986 年、自叙伝「A life in Science( 邦題：科学に生きる )」が出版された。

# ネヴィル・フランシス・モット

## Sir Nevill Francis Mott

（1905 ~ 1996　イギリス　物理学者　ノーベル物理学賞受賞）

### （1）学生の頃、母親へ書いた手紙（恐らく1927年~1928年）『科学における人生』（1986）より

百万ものニシンの卵から一匹のニシンが育つように、一つか二つの惑星に生命が誕生するように星々が創られたとします。人間を創りたい創造者は、創世記に書いてあるような方法ではなく、一つの住処から人間が進化するのにちょうど十分な物質を創りました。そして、その住処が創られたとき、人間が似たような方法で創られたのです。いずれにせよ、ほとんどのものが無駄に見えるような方法で。もし、人間が宇宙の中心だと考えるなら、天文学は、単にスケールが壮大だというだけで人を感動させるのではありません。10万光年離れたところにある4千万度の熱さなどという信じられないほど壮大な恒星も、人々にとっては、『デイリー・メール』紙のネット販売が141万176部という事実より、尊敬に値しないものに違いないでしょう。

もちろん、人間は、これらすべてのものと比べると、ちっぽけな生意気なチリだと言えるでしょう。でも、自然の無節制ともいえるほどの広大さを示すとき以外に、大きさなど関係あるでしょうか。

量子論は、最終的には宇宙にある電子の数を予測できるだろうと思います。

物質はあるけれども生命がなく、人間はいるけれども神はいないのと同じように、人間が物質に向かうように、神も人間に向かうと私は思いたい。神は、人間のインスピレーションから生まれた何かもっと複雑なもの―。

しかし、別の神がいるはずです。建築家の神が（そしてこの神には、時間の感覚がないと思われる）。

## （2）カール・ポッパー著『科学的発見の理論の追記』への書評（1983年）より

…このようなことに関して、ポッパーは彼の本でほとんど書いていないが、脚注に書いている。「神がすべてを御存知なら、未来は知られており、つまりそれは、前もって決められており、神御自身によっても変えられないのだ。神の御力の称賛を教えることが悪くないのかという道徳的問題のような、神の全能の教義にまつわる倫理的な難しさについて、ここでは語らない。」

私はポッパーに同感で、全能性を崇拝しない。神は善の原理で、我々は出来るだけ神を求めるべきだ。しかし、神が宇宙の創造者とどのように関係があるのか、私にはわからない。恐らく、物理の法則は、その法則以外の形になり得ないようになっているのだろう。そして、神は、星を通してでなく、人を通して、自らを明かされる。我々西洋人は、最高の啓示はイエスから、そして、イエスの信奉者が記録したものからくることを受け入れている。

## （3）グレートセントメアリー教会での講演（ケンブリッジ、1957年）より

宗教の考えは、実験や合意を広げることを通して進歩はしないと言う必要はない。また、そうでないことを人は望むだろう。個人的な考えだが、宗教の領域は、信念の証となる行為がなければ、本質的な不確実さから、合意のない領域、知的な魅力はあるが確実性はない問題のわずかな部分だけを引き付ける。ここで意味することは、それは最も基本的な問題ということだ。つまり神の存在、神の性質、神と人間の関係である。

この本質的な不確実さにおいて、宗教は科学と異なる。科学はある種の確実性が得られる限られた領域を扱う。20世紀の賢い人は、人間の活動と大志に関するこの両方の分野を渡り歩けるように、自分の知性を訓練する。人は両方を渡り歩けなければならないと思うが、それらが同じ活動の一部であると言えるのか、あるいは両方を理解できる生命の見解を見つけるのは簡単だと言えるのか、私は疑問に思う。両方が交わる点はほとんどなく、どちらかがどちらかに貢献したという重要な事実も特にないように思える。これは、もしかすると論議を呼ぶ意見かもしれない。

…神への信仰から語ることにしよう。歴史や文学の証拠、様々な場面での我々自身の感覚によって、我々はこれが人間にとって有意義な概念であると信じている。それについて考え、読み、聞き、神の観念が我々の心の中に育っていく。それは科学的な言葉で表現できず、また人によって異なり、表現するのは難しい。科学者は、それを説明するのに特に不向きだと思う。なぜなら、科学者はこのようなものを説明するのに言葉を使うことに慣

れていないからだ。実際、科学者は、神のことを熟考したいと思うとき、科学のツールや分析的な思考方法は後ろに置き去らなければならない。しかし、多くの科学者が示したように、それは知的な嘘がなくてもできるものなのだ。

しかし私は、科学者は、同じ考えを持った人々と一緒に、キリスト教の教会の壁の中で、神を考え、崇拝したいのだと思う。ここでは、教会の儀式の中で、神の存在や、イエス・キリストの命の中における神の性質に関する表現を超えた発言が沢山でてくる。使徒信経を述べるとき、彼は追加でいくつかの言葉に同意するように言われる。彼はその通りにして、自分の知的誠実さを守ることは出来るのだろうか？

人は、神聖なお方の誕生や死に際して奇跡が起こったという信仰を、厳密に科学的な理由から反対することは出来ないと、私は即座に言うだろう。奇跡は、キリスト教徒の信仰からすると他には存在しない出来事で、科学は繰り返される出来事を扱うので、奇跡については何も適切なことを言えないのだ。私がこれらの奇跡を受け入れるのが非常に嫌なのは、科学的理由と言うよりは美学的理由からだ。その奇跡は不必要だろうとの思いからだ。偉大なお方の命は、どんな場合でも奇跡なのだから、全ての存在の「根拠」が、語られているような奇跡でそれを示すことは想像できない。

それでもやはり、私は、歴史的な教義と私が参加した教会の礼拝の形式が、大きく変わってしまうことは望まない。なぜそうなのかを語って、この講義を終わりたい。名のわからない生徒が、「信仰とは、自分が真実ではないとわかっていることを信じることだ」と言った。科学者が礼拝に参加する時に使える方法を一つ言おう。

「自分が真実でないとわかっていることを愛すること」

# エルンスト・ボリス・チェーン
# Sir Ernst Boris Chain

(1906～1979　ドイツ／イギリス　生化学者　ノーベル生理学・医学賞)


1906年6月19日ドイツ・ベルリンに生まれた。病理学者ハワード・ウォルター・フローリー（後のフローリー男爵）と共にペニシリンを分離・抽出し、初めて抗生物質の臨床試験を行なった。ペニシリンの先駆的な研究によって、フローリー、サー・アレクサンダー・フレミングと共に1945年のノーベル生理学・医学賞を共同受賞した。

ベルリンのフリードリヒ・ヴィルヘルム大学の化学科と生理学科を卒業し、その後、ベルリンのシャリテ病院の病理学研究所で研究に携わった(1930-33年)。アドルフ・ヒトラーの反ユダヤ主義政策のためにやむなくドイツから逃亡し、まずケンブリッジ大学へ移り、サー・フレデリック・G・ホプキンズのもとで研究を行なった。その後(1935年)、オックスフォード大学でフローリーとペニシリンの研究をすることになる。

1948年から1961年までローマの上級保健研究所の国際化学微生物学研究所の所長を務めた。その後、インペリアル・カレッジ・ロンドンの教員となり、生化学教授(1961-73年)、名誉教授兼上級研究員(1973-76年)、評議員(1978-79年)を務めた。1969年にナイト爵に叙せられた。抗生物質学の研究に加え、蛇毒や拡散因子（組織内において流体の分散を促進する酵素)、インスリンの研究にも取り組んだ。

1954年、イスラエルのワイツマン研究所の理事会の理事となり、後に幹部会議のメンバーとなった。子供たちにユダヤ教を信仰させ、高等教育を受けさせた。1979年8月12日、移住先のアイルランド・マララニーにて死去。

# エルンスト・ボリス・チェーン　Sir Ernst Boris Chain

（1906 ~ 1979　ドイツ／イギリス　生化学者　ノーベル生理学・医学賞）

## （1）ロンドン大学での講義「現代西洋社会における社会的責任と科学者」（1970年2月）より抜粋

私自身の行動に関して言えば、私は旧約聖書に書かれているユダヤ教の法則、道徳規範と教えを導きにしている。これは、もちろん、キリスト教の基盤でもある。私は、何年にも亘って、科学知識だけに基づいて、絶対的で一般的に通用する道徳的な行動基準を作るのは不可能だと確信している。我々の生命の基本的な問題に関する知識は非常に断片的で限られており、これからも常にそうであるという理由からだ。…科学理論というのは、いかなる分野でも、一時的なもので、基盤から揺るぎやすく、現在のシステムに当てはまらないたった一つの新しい事実の発見によってひっくり返されることもある、ということを我々は皆知っている。この理由から、私は、科学知識のみに基づいて絶対的な道義的行為規範と倫理的価値を作りだせるとは思わない。なぜなら、それは、常に断片的でもろい根拠の上にあり、新しい証拠が出てきたら修正されなければならない誤った結論へと簡単に導いてしまうからだ。

もちろん、生命体は、生き延びるのに適していなかったら生き延びないと言うのは、自明の理に過ぎず、科学理論ではない。

…適者生存と発展は完全に偶然の変異の結果である、あるいは、生き残るのにより適した生命体を作るために、自然が変異を通して試行錯誤で実験を行なう、と19世紀末の実証主義者とその支持者は仮定したが、これは、証拠に基づいていない、事実と矛盾する仮説のように思える。

…この仮定は意図的に目的論の目的の原則を無視する。その原則は、生物学者がどこを見ていようとも、その生物学者の顔をじっと見つめているのだ。一つの有機体の中の異なる器官の研究、あるいは一つの細胞の中での細胞より小さい様々な部分の関係性の研究、あるいは異なる種の関係性や相互作用の研究などだ。

…これらの古典進化論は、非常に複雑で込み入った事実の集まりを粗雑に簡素化しすぎるが、これらが、非常に多くの科学者たちにより、このように長い間、異議のつぶやきもなく、無批判に、そして容易に受け入れられてきたことに、私はあきれる。

ダーウィンの進化論に基づく動物行動学の研究、特に霊長類の研究から導き出された人間の行動に関する推測と結論は、非常に注意して控えめに扱わなければならない。

…人間を裸のサルと説明する仕事についている人にとっては愉快で、目の肥えていない人々は、サルと人間の行動の比較について読むのを面白がるかもしれないが、このアプローチは（新しくもオリジナルでもないのだが）、我々を遠くまで導かない。

…サルと人間に何らかの類似点があることに気づくのに、動物学者や解剖学者や生理学者である必要はないが、我々は類似点よりも違いの方にずっと興味があるのだ。結局のところ、サルは人間と違い、偉大な預言者も、哲学者も、数学者も、作家も、詩人も、作曲家も、画家も、科学者も生んでいない。サルは、人の精神的創作に明らかに現れ、人と動物を区別する、神の活気による刺激を受けないのだ。

# チャールズ・タウンズ
# Charles Hard Townes

（1915～2015　アメリカ　物理学者　ノーベル物理学賞を受賞）

メーザーとレーザーの発明により、1964年のノーベル物理学賞を（ソビエトの物理学者アレクサンドル・M・プロホロフとニコライ・G・バソフと）共同受賞した。
ファーマン大学（文学士、理学士号、1935年）、デューク大学（修士号、1937年）、カリフォルニア工科大学（博士号、1939年）で学んだ。1939年、ベル電話研究所の技術スタッフとなり、1948年まで務めた。同年からはコロンビア大学で教員となる。3年後にはアンモニア分子を使ってマイクロ波放射を増幅することを考案する。タウンズと2人の学生は1953年12月に初めてその装置を完成させ、"microwave amplification by stimulated emission of radiation"の頭文字をとってメーザーと名付けた。1958年、A・L・ショーローと共に、光を使って同様の装置、すなわちレーザーをつくることが出来ることを示した。1959年から1961年、ワシントンD.C.の防衛分析研究所の副所長と研究責任者を務めた。その後、ケンブリッジのマサチューセッツ工科大学の物理学長および教授に就任した。1967年、カリフォルニア大学バークレー校の教授となり、電波・赤外線天文学のプログラムを始め、星間物質中の複雑な分子（アンモニアと水）の発見へとつながった。1986年には名誉教授となった。

# チャールズ・タウンズ　Charles Hard Townes

（1915 ~ 2015　アメリカ　物理学者　ノーベル物理学賞を受賞）

## （1）「科学と宗教の合致」Think 誌（1966年3―4月号、32巻、No．2）

…私にとって、科学と宗教は両方とも普遍的で、基本的にとても似ている。私の意見をもっと明白にするならば、もっと極端な見方を述べたいと思う。それは、両者の違いはおおむね表面的で、それぞれの本当の性質を見るならば、両者はほぼ区別できないということだ。恐らく、科学の方が、その目をくらませる表面的な成功のせいで、本当の性質がより明らかではないだろう。

…現代の量子力学を含む最も洗練された科学理論が、いまだ完璧でないことを我々は知っている。それらの理論は、特定の分野では驚くほど正しいので、我々はそれらを使う。しかし、時に、それらは我々が理解できない矛盾へと導いたり、何か重大な考えが欠落していると認めるべきことに気づかせる。我々は、ただ、パラドックスを認め、受け入れ、将来により完璧な理解で、それらが解明することを望む。実際、これらのパラドックスを明白に認め、研究することで、我々は、自分たちの思考の限界をよく理解し、修正できるのだろう。

この科学的理解の現実の状況が分かったうえで、科学と宗教の類似点と正体について見てみよう。

科学の目的は、宇宙の秩序を発見し、それを通して我々が周りで感じるものや、人間をも理解することだ。この秩序を、最も簡単で最も包括的な言葉で表わすならば、科学原理、あるいは法則と呼ぶ。宗教の目的は、宇宙の目的と意味、そして我々がどのように宇宙に収まっているのかを理解する（そして受け入れる）ことだと思う。ほとんどの宗教が、意味の統一的で包括的な起源について考え、この究極の目的ある力を、我々は神と呼ぶ。

宇宙の「秩序」を理解するのと、宇宙の「目的」を理解することは同じではないが、そう異なるものでもない。Physicsは、日本語ではbutsuri（物理）といい、訳すと、単に「物事の理由」という意味であるのは興味深い。だから、我々は容易に、必然的に、宇宙の性質と目的を結びつけるのだ。

…宗教の中での信仰の本質的な役割はよく知られているので、物事を証明するのではなく、信仰に任せるというのは、科学とは違う宗教の性質だと言える。我々は科学における信仰の基本的な必要性と性質を一般的にあまり認めないのだが、しかし、信仰は科学にとっても必要不可欠なのだ。

信仰は、科学者が物事を始めるのにさえ必要だ。そして、深い信仰が、難しい課題をやりこなすのに必要なのだ。なぜか？　なぜなら、宇宙には秩序があり、人間の知性、実際は彼自身の知性、がこの秩序を理解できる十分な可能性があるということに、自信を持たなければならないからだ。この自信がなければ、もしかして無秩序、あるいは不可解な世界を理解しようとする強烈な努力を為すことが無意味になってしまう。

このような世界は、我々を、気まぐれな力が宇宙を操っていると思っていた、迷信を信じていた日々に逆戻りさせるかもしれない。事実、人が理解できる秩序ある宇宙へのこの信仰が、迷信の時代から科学の時代へと変化させ、科学の発展を可能にしたものなのだ。

科学における信仰の必要性はコンスタンティンの信仰の記述を思い出させる。「知るために、信じるのだ」しかし、このような信仰は、今は科学者の中に深く根付いているので、我々の多くは、それがあることを考えるために立ち止まったりしない。

アインシュタインは、秩序に対する信仰の顕著な例だ。彼の多くの貢献が、特に魅力的な秩序への直観的な信仰心からきている。彼の有名な言葉の一つがプリンストンのファインホールにドイツ語で刻まれている。「神はとらえにくいが、悪意はない」つまり、神の創った世界は非常に複雑で、我々が理解するのには難しいかもしれないが、無作為で不合理ではない、という意味だ。

アインシュタインは、重力場と電磁場の統一を見つけるために人生の後半を費やした。多くの物理学者が、彼は間違った道を歩んでいたと思っており、彼が何か実質的な進歩を遂げたのか誰もわからない。しかし、彼は統一と秩序の偉大なビジョンを信じ、それに向かって、30年以上も集中してそれを追求したのだ。アインシュタインは、ヨブと口をそろえて言えるような根気強い信念を持っていたに違いない。「神はわたしを殺されるかもしれないが、わたしは神を信じよう」

より小さなプロジェクトに携わるアインシュタイン以下の科学者にも、物事が意味をなさず、研究対象に秩序と理解をもたらすのが絶望的に見えることがよくある。しかし、科学者は、そこに見つけるべき秩序があり、自分か自分の同僚がいつか見つけるだろうという信念を持っているのだ。

科学と宗教の違いで、もう一つの共通点は、発見の仕方だ。宗教の発見は、よく偉大な啓示によってやってくる。科学知識は、一般的な考えでは、論理的推論、あるいは法則という一般化を引き出すために確立された方法で分析されるデータの蓄積によって引き出される。

しかし、このような科学の発見の説明はまがいものだ。多くの重要な科学の発見は、非常に異なる方法で、啓示に非常に似た形でやってくる。啓示という言葉は、宗教分野に属するものだと思っているので、科学の発見には普通は使われない。科学界では、直観、偶然の発見、あるいは、「彼は素晴らしいアイディアがあった」と言うのだ。

どのように偉大な科学のアイディアがやって来るかを比較すると、宗教的啓示を非神秘的な観点から見たものに非常に似ている。イスラエルの子供たちをどのように救おうかと長い間悩み考えていた砂漠のモーセは、燃え尽きない芝を見て突然啓示を受けた。新約聖書の啓示も考えてみよう。また、ゴータマ・ブッダは何年も、何が善なのか理解しようと旅をし、ある日静かに菩提樹の下に座っていると偉大なアイディアが啓示されたのだ。

同じく科学者も時に難しい問題に対して一生懸命追求し、感情的で知的な献身を果たした後、突然答えを見る。このようなアイディアは、データと向き合っている時ではなく、オフの瞬間によくやってくるのだ。

印象的でよく知られた例は、ケクレがベンゼン環を発見した時だ。炉端で物思いにふけっていると、複数の蛇がしっぽを口に入れているビジョンが浮かび、そのアイディアに至ったのだ。重要で非常に新しい科学の見識を創り出す人間のプロセスを説明することは、まだできない。しかし、偉大な科学的発見、本当の飛躍は、いわゆる「科学の方法」からはやって来ず、むしろケクレがなしたようにやって来るのだ。あれほど生き生きとしたイメージではないかもしれないが、本当と思える啓示によって。

…最後に、もし科学と宗教がこのように広範に似ていて、恣意的にそれぞれの領域に制限されていないならば、いつかは、明らかに一つにまとまるだろう。私は、この合流は必然的だと思う。なぜなら、両者とも宇宙を理解しようとする人間の努力を意味しており、究極的には同じ事柄を扱っているに違いないからだ。我々が、それぞれの領域をさらに理解すれば、両者は共に発展するはずだ。恐らく、この合流が起こるころには、科学で、前世紀に起こったような、著しい革命の数々が起こっており、今日の科学者が容易に理解できない性質のものに取り組んでいるだろう。我々の宗教の理解も、進化して変化しているかもしれない。しかし、合流は起こらねばならず、それを通して、両者に新しい力が出てくるだろう。

その間、仮の理解と、不確かなことと変化に直面する中で、我々は毎日をどのように誇りをもって生き、決断力をもって行動できるだろう？ たとえその言葉が百人の異なる人々にとって百の異なることを意味するかもしれないとしても、人が特定の言い回しや象徴に閉じ込められた最終的で究極の真実を持っていると主張するのは、しばしばこの問題であると私は思う。我々が原則としてただ仮のものだとわかっているアイディアに対して、いかに自分たちの人生を捧げられるかが、知性と感情の真の試練だ。

ガリレオは、太陽系に関するコペルニクスの説を支持した。教会の反対のせいで大きな犠牲を払って。今日、ガリレオが支持した論点、つまり太陽が地球を回るのではなく地球が太陽を回るという考えが正しいというのは、ほとんど論ずる必要もない。一般相対性理論によれば、二つの説明は、最初の方が単純かもしれないが、同じだ。しかし、我々は、ガリレオが自分が正しいと思ったことを決意し、それをずばり言った先駆的な勇気と決心に敬意を払う。これは、彼の誠実さにとって、そして当時の科学と宗教の発展にとって重要であり、そこから今日、彼が直面した問題に対してより良い理解が生まれているのだ。

宗教の権威は、今日よりもガリレオ時代のイタリアでの方がより決定的で、科学も未熟で単純だった。我々は、今日の自分たちはより洗練され、科学も宗教ももっと複雑だと思っているので、我々の立場は以前より明確でない可能性がある。

しかし、我々が、真実は存在するという（科学か宗教の）いずれかの推測を受け入れるなら、我々一人一人が、ガリレオがなしたようなこと、あるいは、そのずっと前のゴータマがなしたようなことに取り組むべきなのだ。自分たちのために、そして人類のために、我々は最高の知恵と生まれ持った才能、歴史の証拠と昔からの知恵、友人、聖人、英雄たちの経験と啓示を使わなければならない。できるだけ真実と意味に近づくために。さらに、進んで自分たちの出した結論に沿って生き、行動しなければならない。

**（2）「科学と宗教の論理と不確定要素。科学と人間の未来。ローマ教皇庁科学アカデミー」『Scripta Varia』誌99、バチカン市国、2001**

…我々の自由意志というものを、どのようにすれば今日の科学と一致させて理解できるだろう？　我々の経験する自由意志は思い込みである可能性がある。もしかすると、それは実際は存在しないかもしれない。もしかすると、それは、進化の過程で大きな生き残りの価値があると証明された単なる思い込みとして説明できるかもしれない。宗教も、自由意志と同様に、我々の進化に都合のいい、人間社会の生き残る可能性を増やす思い込みとして説明できるかもしれない。だから、自分たちで自由な選択をしている、あるいは、神の意思に応えていると思っているとき、我々は自分たちを偽っているだけかもしれない。

不確実なことがあるにもかかわらず、他の多くの人々同様、私は自由意志があるという基本的な感覚がある。それは存在し、私には自由意志があり、それに従って行動していると感じる。あたりを見渡して、物事について判断している。私は決定する。行動する。また、宇宙に神が存在し私の人生の中にも在ると感じており、この存在と両立する自由の感覚から行動しようとする。我々の自由意志の感覚は説明されるべきで、あるいは、言い逃れをするよりは恐らく受け入れられるべきだろう。
我々の神の感覚にも同じことが当てはまると思う。科学と宗教の理解を追求するにつれ、このような事柄への考えはどのように発展するのだろう?

…生命に必要なものが得られるようになると、宗教が重要視する生命の起源、価値、意味の問題は、科学が重要視する宇宙の構造の問題よりももっと緊急で重要になってくる。これが、なぜ人間社会が、科学の考えよりも宗教の考えをずっと早くから発展させ体系化させてきたかの理由かもしれない。しかし、ここ数世紀で、科学は宗教とは対照的に、大きな発展を遂げ、そのせいで科学の方法と正当性が重要視されるようになった。しかし、科学と宗教のいずれに対する理解も、人間の論理的思考、証拠、信仰次第である。そして、両者とも深く不確かなことがあるのだ。

人間として、我々は人生に立ち向かう。決断することは避けられず、我々は、不完全な理解でも、自分たちの位置、行動、方向を選ばなければならない。それぞれが、それぞれのやり方で決める。しかし、我々は皆、自分たちの経験、親が言ったこと、人々や社会の見解、人類の歴史の理解、そこにある証拠、かき集められるだけの論理と知識に基づいて決める。人生に対する推測と決断は避けられないが、同時に、啓示を聞き、現実の新しい理解を求めて、変化を受け入れなければならない。
相対性理論と量子力学は科学に革命をもたらした。我々は、科学と宗教の両方に於いて、我々の考えに革命を起こす準備をするべきだ。しかし、同時に、我々は、自分たちの過去の論理的思考と信念は、完全に妥当ではなかったとしても、重要だと思ってよい。

# クリスチャン・アンフィンセン
# Christian Boehmer Anfinsen

（1916～1995　アメリカ　生化学者　ノーベル化学賞受賞）

タンパク質の構造特性とその生物学的機能の関係性、特にリボヌクレアーゼ酵素の研究で1972年のノーベル化学賞を受賞した。ノルウェーの技師の息子として1916年5月26日、ペンシルベニア州西部の町モネッセンで生まれた。フィラデルフィア州近くのスワースモア大学に入学し、1937年には文学士号を取得した。その後、ペンシルベニア大学で大学院研修を始め、1939年に有機化学の理学修士号を取得した。ロックフェラー・パブリック・サービス・アワードを受賞し、翌年コペンハーゲンのカールスバーグ研究所の客員調査員として過ごし、K.U. リンダストレーム・ラングの研究室で研究を行なった。このような環境の中、プロテイン分子の科学の多くの側面に触れ、このときの関心が翌年の研究の中心的テーマとなった。続いてハーバード大学医学大学院へ進み、1943年に生物化学の博士号を取得した。ハーバード大に残り、生化学の講師(1943-1945年)、生化学助教(1945-1947年)、そして生化学准教授(1948-1950年)を務めた。1947-1948年の一年間はアメリカがん協会の上級研究員としてスウェーデンのノーベル医学研究所で、フラビンタンパク質の研究で知られるヒューゴ・テオレルと共に研究を行なった。

# クリスチャン・アンフィンセン
# Christian Boehmer Anfinsen

（1916～1995　アメリカ　生化学者　ノーベル化学賞受賞）

**（1）ヘンリー・マージノからアンフィンセンへ選集出版にあたってのアンケート依頼の手紙を受けての返信（1988年6月28日付、米メリーランド州）**

（1．宗教と科学の関係はどのようであるべきと思いますか？）

宗教、あるいは世界の諸宗教と言うべきものは、存在、行動、道徳に関する懸念について、いかに不可思議であろうとも、何らかの答えを見つけたいという人間の欲求の自然な結果です。科学はまったく別もので、世界と宇宙がどのように構築されているのかという人間の永遠の好奇心と、物理的に作用する法則を取り扱うものです。

（2．あなたは宇宙の起源に関してどのようにお考えですか？科学的なレベルと、必要であれば形而上学的なレベルで）

ペンジアス―ウィルソンの実験と、ビッグ・バンに関する他の研究から出た結論を信ぜざるを得ません。我々は存在する（と思う）ので、そこには始まりがあるはずで、科学的にこれは約２００億年前に起こったようです。ビッグ・バンの瞬間には、物理法則の集合が組み込まれており、必然的に今我々が見ている宇宙に至ったのです。

（３．生命の起源に関してどのようにお考えですか？科学的なレベルと、必要であれば形而上学的なレベルで）

生命の起源は、宇宙の進化が物理的に口を開いた必然的な結果だったと思います。物質、熱、水、その他の何かが集まって生物を作った時がありました。生物、つまり繁殖し、ダーウィン説の言う変異と淘汰に影響されたものです。

（４．人類の起源に関してどのようにお考えですか？）

他のすべての生物同様、人類も、一般的に受け入れられている変異と淘汰のプロセスによって、下等な形態から進化したのだと思います。実にバチカンでさえも、人が下等な形態の生命から進化してきたことについて満足しているようです。

（５．科学と科学者は、どのように起源の問題、特に宇宙と生命の起源の問題に取り組むべきですか？）

科学と科学者は、今のように、よりたくさんの古細菌、バクテリアなどの原始生物や、おそらく最初の生殖形態に似ている他の形態の生命体を研究して、起源の問題に取り組むべきです。

（６．ダーウィン、アインシュタイン、プランクを含む多くの著名な科学者たちが、神の概念について非常に真剣に考えてきました。神の概念と、神の存在についてあなたはどのようにお考えですか？）

私は、大バカ者だけが無神論者になれると思っています。まず最初に宇宙全体を始めた、無限の洞察力と知識を持つ不可解な力が存在することを我々は認めるべきです。このようなプロセスは過去に何度も起こっているかもしれず、いや起こっているはずで、将来にも再度起こる可能性が非常に高いのです。私の大好きなアインシュタインの引用を同封します。私の考えと完全に合致しています。

アンフィンセンからマージノへの返信（1989年3月28日、米メリーランド州）

（私は、「まず最初に宇宙全体を始めた無限の洞察力と知識を持つ不可解な力が存在することを、我々は認めるべきだ」というあなたの言葉に特に感銘を受けました。もしお時間があれば、選集のために、このテーマについてもう少し説明して頂けますか？）

3月13日の手紙と、私の小さな貢献についての親切な言葉を有難うございます。神の性質と神の存在に関する私の最終意見に、あまり追加することはありません。私は、このテーマは、まったく知的に語れるものではないと感じています。明らかに、「我々」の存在を説明するには、全能で全知のものが存在するに違いありません。さらに、我々が無限性の概念を捨てない限り、創造と永遠の再創造が、我々の住む宇宙の様式に違いないのです。

本当に何が起こっているのかは誰も理解できないだろうことは明らかで、我々ができることは、リラックスしてそれを楽しむことのようです。

# デレック・バートン
# Sir Derek Harold Richard Barton

（1918～1998　イギリス　化学者　ノーベル化学賞受賞）


1918年9月8日イギリスのグレーブゼンドで生まれた。

インペリアル・カレッジ・ロンドンで学び、1942年に博士号を取得した。いくつかの工業的研究をした後、一年間ハーバード大で外部講師を務め、その後、ロンドンのバークベック・カレッジで有機化学の準教授（1950年）、教授（1953年）に任命された。1955年にはグラスゴー大学へ同じ教授職として移籍したが、1957年にはインペリアル・カレッジへ戻り、1978年まで化学教授を務めた。同年にはフランス・ジフシュルイヴェットの天然物化学研究所の所長に就任した。1986年、テキサスA&M大学で特別名誉教授(Distinguished Professor)となった。

1950年に配座解析についての基礎論文を発表し、その中で、官能基の空間配置が異性体における反応速度に影響するということを提言した。オッド・ハッセルの先行研究に続き、有機の六員環、とくに　シクロヘキサンの'椅子'型配座について考察し、その際立った安定性を明らかにした。これは水素原子が炭素環と同じ平面上に位置するエカトリアル配置と、垂直方向に位置するアキシアル配置の区別に関するものだった。ステロイドとテルペンの安定性と反応性についてさらなる研究を行ない、これらの考えを裏付けた。

この研究により、1969年のノーベル化学賞をハッセルと共に受賞した。

後のバートンのオキシラジカルの研究とその反応の性質についての予測は、アルドステロンというホルモンを合成する簡単な方法の開発に役立った。

# デレック・バートン

## Sir Derek Harold Richard Barton

（1918～1998　イギリス　化学者　ノーベル化学賞受賞）

**（1）「究極の真実は神」（Henry・Margenau と Varghese 編集『宇宙、生物、神：科学者たちが科学、神、宇宙、生命、人類の起源について語る』１９９２年、パート２の３章）に掲載のインタビュー**

（1．宗教と科学の関係はどのようであるべきと思いますか？）

神は真実です。科学と宗教の間に不和合性はありません。両者とも同じ真実を求めているのです。科学は神が存在することを示しています。我々の宇宙は、無限に大きく、無限に小さい。過去と未来においても無限です。我々には、決して無限を理解することはできません。それは、究極的真理、つまり神だからです。

科学者は多くの実験と観察を繰り返し、真実を打ち立てます。宗教は、実験をしたいとはほとんど思わず、受け入れる真実とは、神の人間の事柄への神聖な介入です。しかし、真実について書かれているものは、人間によって書かれているのであって、そこには人間の弱さという障害があるのです。科学の観察と実験は非常に素晴らしく、それが打ち立てる真実は、疑いなく神の別の現われであると受け入れられます。神は、人に真実を確立することを許すことで、御自身を示されるのです。

（6．ダーウィン、アインシュタイン、プランクを含む多くの著名な科学者たちが、神の概念について非常に真剣に考えてきました。神の概念と、神の存在についてあなたはどのようにお考えですか？）

既に述べたように、神は真実です。しかし、神は本当に人間と関係があるのでしょうか？　もちろん、私は、神が一つの宗教、あるいは一つの教派だけを、人類を代表して話す権限を与えられたグループとして受け入れているとは思えません。私は、神は皆を受け入れるのだと思います。神を信じないふりをしている者でさえも。

道徳と宗教は互いに影響し合い、そこから非常に有益な人間の言動が生じます。しかし、人は道徳的で、同時に無神論者にもなれるのです。共産主義がこれを教えますが、真の共産主義者は、自分たちを非常に道徳的だと思っています。ですから、宗教とは、結局は、個人と神との関係なのです。

人は神に語りかけられるでしょうか？　正しくない者を犠牲にして、個人の幸福を願う神への祈りは、もちろん歓迎されるものではありません。真実を発見させてほしいという神への祈りは受け入れられるかもしれません。我々が自分たちの環境についてどれだけ理解を深めることができたかは、目を見張るものがあります。神は、人間に、論理的思考で解釈できる観察と、実験をすることを許しているのです。そこから生じる理論は、さらなる実験によって永続的に検証されています。

謙虚な化学者として、私はアインシュタインが為したように世界を変えたと偽ることはできません。しかし、他人からは隠されているように見える真実を想像できたことが頻繁にありました。私は、ささやかな規模の、神より選ばれた道具だったのでしょうか？　もちろん私にはわかりません。また、私は死後の世界がわかりません。人類はいつも、別の形の人生、魂が歓迎される場所があると信じることを望んできました。この希望の予知はありますが、それは確実に我々が自らの弱さの中で想像したり理解できたりする形ではないでしょう。

# ジョセフ・エドワード・マレー
# Joseph Edward Murray

（1919～2012　アメリカ　外科医　ノーベル生理学・医学賞を受賞）

マサチューセッツ州ミルフォードに生まれた。ホーリー・クロス・カレッジとハーバード大学で学んだ後、形成外科を専門として医学の道を歩み始める。ボストンのピーター・ベント・ブリガム病院に勤め、形成外科長となった (1964-86)。ボストンの小児病院医療センターでも同様の役職を務めた (1972-85)。また 1970 ～ 1986 年まで、ハーバード大学医学大学院で外科教授も務めた。腎移植の先駆者である。1954 年 12 月、ドナーの腎臓を患者の骨盤に移植し、それを尿管を経由して膀胱にとりつけるという手術を初めて行なった。より以前の試みでは、移植した臓器を体腔の外の鼠径部や脇の下にとりつけていた。手術の患者、リチャード・ヘリックは一卵性双生児の兄弟ロナルドから腎臓の提供を受けた。一卵性の兄弟の臓器を使ったことで、移植される側の免疫系がその臓器に拒絶反応を起こすという、移植手術の大きな障害は乗り越えられた。事実上同じ組織型の臓器の提供を受けたことで、この患者は 8 年間生存した。臓器提供をするドナーが遠縁であるほど、受ける側の経過は芳しくなかった。手術に先立って、受ける側の免疫応答を速やかに抑えることで移植臓器が生存するよう改善に努めた。免疫系の細胞を殺し、移植された臓器の " 異物 " 組織を拒絶してしまう患者の自己防衛機構の力を減らす薬剤、アザチオプリンの試験を実施した。アザチオプリンは、イギリス人研究者、ロイ・カルネが開発したもので、ボストンでは共同研究も行なった。この薬品は、その効果と、マレーが当初考えていた X 線を大量投与して患者の免疫系を抑制するという方法よりもはるかに害が少ないということが証明された。（現在はアザチオプリンに代わり、同じくカルネが開発したシクロスポリンが使われている）移植手術の基礎技術の開発への取り組みにより、1990 年に E・ドナル・トーマスと共にノーベル生理学・医学賞を受賞した。

# ジョセフ・エドワード・マレー
## Joseph Edward Murray

（1919～2012　アメリカ　外科医　ノーベル生理学・医学賞を受賞）

### （1）『ナショナル・カトリック・レジスター』紙のインタビュー（1996年12月）

…教会は科学に敵意を持っているのでしょうか？　カトリック教徒であり科学者として育った私は、そのようには思いません。一つの真実は啓示された真実で、もう一つの真実は科学的真実です。もし創造が素晴らしいと思うなら、科学を勉強することに害はありません。創造、つまりそれがどのように出現したかを学べば学ぶほど、神の栄光を増大させるのです。個人的には、まったく対立など見たことがありません。

…大事なことは、我々は物事についてほとんど知らないということに気づくことだと思います。どのように花が開き、どのように蝶が移動するのか。科学と宗教の対立のどちら側にも全ての答えを知っていると思っている人々がいますが、その傲慢さは避けなければなりません。我々は、自分の知性を謙虚に使う努力をすべきなのです。

…臓器提供に関する道徳的な危険性は、我々が1950年代前半に始めたときからありました。当時、ノーベル賞受賞者の一人が、臓器移植は、悪質な人間の臓器市場を引き起こすかもしれないと書きましたが、その通りになりました。特に外国から入ってくる臓器です。

…臓器の売買は本質的に悪です。だが、私は、宗教も法律も臓器密売を止められないと主張してきました。医療従事者だけが、特に移植する臓器の出どころを注意深くモニタリングすることによって、長期的にそれを防ぐ立場にあるのです。

…脳作用における死の医学上の定義に関する1960年代の議論の例を見て下さい。カトリック教会、キリスト教会全国協議会、ラビなどから意見を得ました。我々医学界の者が明白に考えているようにしたかったのです。

…多くの道徳的問題がありますが、イエズス会で受けた教育が役に立ちました。私の良心において、私の宗教的養育と科学が対立したことは一度もありません。

…多くの科学者が傲慢だということに疑いはありません。しかし、時には、神学者も黙るべきです。司教は、科学的な事項に関して最終的な表明を出すのが早すぎることがあります。…複数の教会指導者たちが人工授精をひどく非難して、我々科学者があたかも神の真似事をしているかのように言うのには、少し失望しています。そんなことはしていません。我々は、ただ神が我々に与えた道具で問題に取り組んでいるだけです。

…科学も宗教も同じ出どころ、つまり真実の唯一の源、創造者から生じているのです。

# アーサー・L・ショーロー
# Arthur L. Schawlow

（1921 ～ 1999　アメリカ　物理学者　ノーベル物理学賞受賞）

レーザーの開発とレーザー分光学への取り組みにより 1981 年、ノーベル物理学賞をニコラス・ブルームバーゲンと共同受賞した。1921 年 5 月 5 日、ニューヨーク州マウントバーノンで生まれた。彼は一家でカナダのトロントに引っ越し、トロント大学で物理学を学んだ。1941 年に学部課程を修了すると大学院で研究を始めるが、第二次世界大戦によって中断する。数年の間、リサーチ・エンタープライズ社でレーダー装置の製作を行なった。1949 年にはトロント大学で物理学の博士号を取得し、コロンビア大学で特別研究員としてチャールズ・ハード・タウンズと共に研究を始めた。
1951 年から 1961 年、物理学者としてベル電話研究所に勤め、超伝導や核四重極共鳴についての研究を行なった。1953 年にはタウンズと共に初の実用的なメーザーの開発に取り組んだ。レーザーの考案も彼らによるものとされている。1958年、ベル研究所の顧問だったタウンズと共に、論文 Infrared and Optical Masers をフィジカル・レビュー誌に発表した。これは新しい科学分野および数十億・数百億ドル規模の産業の始まりとなった。
1961 年にスタンフォード大学物理学部の教授となり 1966 年から 1970 年までは学部長を務め、退職の 1991 年までスタンフォード大に在籍した。1999 年 4 月 28 日死去。

# アーサー・L・ショーロー　Arthur L. Schawlow

（1921～1999　アメリカ　物理学者　ノーベル物理学賞受賞）

**（1）「人は、ただどのようにしてだけでなく、なぜかと問わなければならない」（ヘンリー・マージナウ／ロイ・A・ヴァーギース編『宇宙、生命、神智学：科学者たちは科学、神、そして宇宙の起源、生命、そして人間について熟考する』1992年、パート1、21章）に掲載のインタビュー**

（1．宗教と科学の関係はどうあるべきだと思いますか？）

科学は宗教を証明することも反証することもできません。宗教は信仰の上に基づいています。生命と宇宙の驚異に直面する時、人は、どのようにして、だけではなく、なぜ、と聞かなければならない。可能性のある唯一の答えは宗教的です。私にとって、それはキリスト教のプロテスタントを意味します。私は子供の時に導かれ、生涯を通してキリスト教徒であり続けてきました。

しかし、宗教は、科学を行なうのに重要な背景です。詩篇の19節の言葉を借りるなら、「天は神の栄光を物語り、大空は御手の業を示す」（日本聖書協会『聖書新共同訳』詩編19編2節）。ゆえに、科学研究は、神の創造の不思議をさらに解明する敬虔な行為なのです。

（2．宇宙の起源について、あなたはどのようにお考えですか？　科学的レベルにおいて、そして、必要であれば、形而上学的なレベルにおいて）

現在の天体物理学の研究は、究極的な宇宙の起源は知られていないだけでなく知ることができないのかもしれないことを示しているようです。つまり、現在、非常に強い証拠があるビッグ・バンを前提とするとビッグ・バンの前にあったものを見つける方法はないのです。宇宙の起源の科学的理解を可能な限り追求するのは確かに正しいことですが、最終回答があり、さらなる驚きはもうない、と思うことは恐らく間違っているでしょう。宗教的な観点からすると、我々は神がそれを為されたと推測し、どのように為されたかを見つけることを望むのです。

（3．生命の起源について、あなたはどのようにお考えですか？　科学的レベルにおいて、そして、必要であれば、形而上学的なレベルにおいて）

生命の起源も、科学的追求には適したテーマです。もしも、我々が最終的に、物理法則にのっとって、それをいくつかの化学的段階にわけることができたとしても、それらの強力な法則がそのような巨大な可能性を持っていることは驚くべきことです。

（4．人類の起源について、あなたはどのようにお考えですか？）

この質問に対する私の答えは、前の質問と同じです。私の生物学の知識はあまり深くないのですが、進化は起こり、いまだ起こり続けているということを示す極めて良い証拠があるようです。この分野の科学者たちは、そのプロセスについてできる限りのことを見つけ出すべきです。しかし、どのようなことが見つかろうとも、それは神が人間を創られる方法として理解され得るのです。

（5．科学と科学者は、起源の問題、特に宇宙と生命の起源の問題について、どのように取り組むべきでしょうか？）

起源の問題は、科学者の能力と関心で行けるところまで精力的に追及すべきです。しかし、決して最終的な答えに行き着くことはなく、深い問題は結局は宗教に頼るしかないでしょう。

（6．ダーウィン、アインシュタイン、プランクを含む著名な科学者たちが神の概念について非常に真剣に考えてきました。神の概念と、神の存在について、あなたはどのようにお考えですか？）

これまで述べたように、私は、宇宙でも、私の人生の中でも、神を必要とします。現代科学のいくつかの概念は、神について考えるのに有益な隠喩を示します。例えば、科学者の中には、神を、個人的な関心事とは離れた、ある種の従うべき原則として考えている人がいます。けれども、彼らは、多くの個人に同時に注意を払う共同使用のコンピューターや電話交換網を自由に使うことができます。

相補性の考えも役に立ちます。異なる宗教の人々が、非常に異なる神の見方をするのは驚くことではありません。多様なバックグランドや知識を持っているのだから。科学では、物事を、別の物事の観点からしか表現したり説明することができないことを我々は知っています。また、異なる状況下で異なる側面を見せるので、完全には説明できないものがあることも知っています。ゆえに、哲学者と農夫が、異なる神の観念をもっているのも驚くことではありません。我々には、聖書、特に新約聖書があるので幸運です。それは、理解しがたいことも書いてありますが、一般的にわかりやすい人間の言葉で神について多くを語っています。

## （２）『光学とレーザー分光学』１９９８年より。Suzanne B. Riess によるインタビュー

信仰と疑念

リース：（『Cosmos, Bios. Theos』を手に取って）なぜ人は科学者に答えを求めたがるのでしょうか？　何だかんだ言っても結局、美術史家たちには答えを求めません。

ショーロー：『Cosmos, Bios. Theos』の本を編集したのは物理学者なので科学者に聞こうと思ったのでしょう。

リース：それだけではないとお思いでしょう？

ショーロー：そうですね。宇宙に直面して、知られていなかったことについて何かを学ぶ。そしてもちろん、科学が宗教と対立するという長い歴史があります。でも私は対立すべきだと思いません。しかし一方で、宗教は頻繁に我々が理解しないことを説明しようとし、そのあとで科学がやってきてそれらを説明する。すると彼らは、「あらまあ、神は宇宙のあの部分からも取り除かれた」と思うのです。

何世紀も前、全ては魔法で、我々は何についてもほとんど理解していませんでした。しかし、科学のおかげで、多くのことを直接的に理解できます。それでも、沢山のことが理解できないので、宗教が入ってくる余地は非常に多くあると思います。確実に道徳の手引きです。少し前に言ったように、世界はとても素晴らしいので、単なる偶然でできたとは思えないのです。

リース：「世界はとても素晴らしい」と言うとき、何を心に描いているのですか？

ショーロー：木々や花々などの美しさなどと、人が存在し、彫刻、絵画、音楽などで素晴らしい芸術的な創造

物を作り上げてきたことです。もちろん、人々は、もし神が存在するなら、なぜこんなに恐ろしいことが起こるのか?と聞きます。確かに、世界には多くの悪がありますが、同時に多くの善もあります。普通、ほとんどの家庭で、親は子供に愛情を与えます。それは素晴らしいことです。

**リース**：あの世についてどう思いますか?

**ショーロー**：わかりません。チャーリーに話した通り、この世界で、天という場所を見られません。我々は徹底的に探したので、もしあるならば、我々が想像するようなものとはかなり違うはずです。単に雲の上に隠されているのではないことは確かです。一方で、もし一人の人間が、小さすぎて顕微鏡なしでは見られないDNAに記号化されていると思うなら、もしかすると、人間の本質（essence 霊的実体）は、どうにかして、異なる種類の宇宙に伝達されているのでしょう。

ある意味で、魂は人間の作動システムのようなものだと思う。現代の隠喩で言えば、ハードウェアというよりはソフトウェア。もちろん、この隠喩もそのうち時代遅れになるでしょう。しかし、宗教の懐疑派はいたと思います。彼らは、「人が死ぬときの体重を量って、魂が抜けだしているか見てみよう」と言いました。これが道理にかなっているとは思いません。

しかし不幸にも、年をとればとるほど、あの世があるのか、あるいはそれがこの世での人生のようなものなのか、確信することは難しくなるのです。恐らく、もっと教会に行けば、より確かに思うのかもしれません。私の娘の一人が熱心な原理主義者になり、私にもなるように勧めてきますが、私にはその要素はないと思います。

**リース**：なぜ年をとると変わるのでしょうか?　私は、その反対だと思いますが。

**ショーロー**：近くなるのです。私の母もそうでした。彼女は年を取るにつれ、信仰を失っていきました。なぜかわかりません。私はただ素直に知らないと言っているのであり、誰も知り得ないのだと思います。もう一方で、復活の話が全くの嘘でないならば、それはちゃんと証言されているように見えますが、そこには我々の知識を超える何かがあるのです。

いま述べた私の娘は、救済はイエスの犠牲によりもたらされると思っていますが、私には理解できません。これは興味深い聖書にある犠牲の概念で、まったく現代の概念ではありません。なぜよい結果を得るために何かを犠牲にしないといけないのか、わかりません。その一方で、イエスが死に、復活する必要があるのなら、それは本からは学べない何かを確かに示しています。最終的には、私もその概念を受け入れることができるかもしれません。

私は聖書検索プログラムというソフトウェアを手に入れましたが、「信仰」という言葉を調べると、旧約聖書にはほとんどないのです！

私は聖書学者ではありませんが、教会の礼拝には沢山参加しています。私が旧約聖書を理解する限りでは、ユダヤ人の中には、他にも神はいたが、自分たちの神は一番だと思っていた人もいたと思います。他の神がいなかったと信じていたとは思いません。わかりませんが、少なくとも、そのように読めると思います。でも、おかしなことがあるのです。もちろん、聖書は、何が良くて何が悪いかを示す、人間の行動の素晴らしい指針です。非常に多くのことが書かれているのです。

数週間前の礼拝で、牧師がアブラハムとイサクのことを話していました。彼が息子を犠牲にする心構えができていた、と。あれは奇妙な話です。最後に、神は、「いま、私はお前を信頼できる」とか何か言ったと思います。

**リース**：それは、信仰についてだと思います。

**ショーロー**：そうでしょう。私は学んだばかりなので、立派な宗教教育をすることはできません。でも、私は、科学を行なうときに一つの原則を持っています。すべてを信じて始めることです。なぜなら、そうしないで、全ての新しいことに疑いを持ち、何も信じず、チャンスを逃す人たちを見てきたからです。その反対に、人は何でも質問できるのです。すべてを質問するのは狂気じみていますが、何かは質問できます。だから、私も、宗教に対してそのような態度をとる傾向があると思います。よくわかりませんが。

**リース**：何を質問するのかは、どのようにわかるのですか？　科学の質問ですが。

**ショーロー**：部分的には直観で、部分的には辻褄の合わないことを見た時です。もし物事が組み合わないなら、何が欠落しているのか見ようとします。

**ショーロー**：宗教についてもう一つ言わせてください。非常に異なったカルトや宗教の教派がありますが、理にかなわないとは思いません。なぜなら、もし神が我々が思うほどに素晴らしいのならば、神は非常に複雑で、異なる人々は神を異なるように見てしまうからです。盲目の男とゾウの話のように。でも、農夫と哲学者が、同じ神のイメージを持つことは期待できません。神は、その全てのイメージをカバーできるほど偉大なのだと思います。科学作家でさえも、自分たちの神のイメージがあります。

**リース**：たとえ科学作家たちが神がいないことを証明しようとしても、その行為自体が、彼らが神に関心があるということですね。

**ショーロー**：存在を証明できないのと同じように、彼らはそれを証明できないでしょう。我々は、不確実なこと生きることを学び、一番妥当だと思うことに賭けるのです。結局私はそうなっています。もしかして私は間違っているかもしれない。聖書は、確かに信仰の薄い人たちについて文句を言っていますね。

## ウォルター・コーン
## Walter Kohn

（1923～2016　オーストリア　理論物理学者　ノーベル化学賞受賞）


1923年、オーストリアの中流階級のユダヤ人の両親のもとに生まれた。彼の父は小さな会社を経営していた。母は高水準の教育を受けており、幅広い言語に精通していた。ウィーンのアカデミック・ギムナジウムに入学すると、数学や科学よりもラテン語に興味を持った。しかし1938年、ヒトラーがオーストリアを併合すると、彼の父の事業は差し押さえられ、彼自身も学校から除名されてしまう。ユダヤ人学校へ移ると、そこで出会った物理と数学の教師に刺激を受ける。その後、オーストリアから出国できなかった両親と離れ、イギリスに移住する。卒業後、トロント大学へ進む。彼の両親と先の数学と物理の教師は、ホロコーストにより亡くなった。

トロント大学では数学と物理を学んだ。化学分野では軍需に関わる労働が行なわれていたため、人種的な理由から化学を専攻することはできなかった。このときの同期生の中には、後にレーザーの開発でノーベル賞を共同受賞したアーサー・ショーローがいた。

博士号取得のためにハーバード大学へ進むと、次にピッツバーグのカーネギーメロン大学へ移り、固体物理学を教えた。1953年からコーンは、当時傑出した固体研究施設だったベル研究所で夏期の務め口を得、トランジスタを発明したショックレーと共に働いた。

1960年にはカリフォルニアへ移住し、そこで構築した密度汎関数理論によりノーベル賞を受賞した。

# ウォルター・コーン　Walter Kohn

（1923～2016　オーストリア　理論物理学者　ノーベル化学賞受賞）

## （1）サンタバーバラ・インディペンデント紙のインタビュー（2001年7月26日）

私はユダヤ人で、ユダヤ教に対して強い帰属意識があります。

私は二つの意味で宗教的だと言えます。一つは、宗教、特にユダヤ教は、私の人生を非常に豊かなものにし、私が自分の子供たちへと伝えることで彼らの人生も豊かになったこと。

二つ目は、私は全くの科学者なので、科学者の視点から宗教を考えてきたということです。そうすると、宗教を教派的ではなく、もっと、自然神教的に見ることになります。アインシュタインは世界について熟考するとき、どんな人間の力よりもずっと偉大な、根本的な力を感じるということを書いていましたが、それは私の思考に影響を与えました。私もまったく同じように感じます。そこには、畏敬の念、尊敬の念、偉大な謎の感覚があるのです。

## （2）研究者ティホミル・ディミドロフへの手紙（２００２年5月23日）

（科学と宗教の関係はどのようなものであるべきだと思いますか？）

互いに尊重し合うこと。科学と宗教は、互いに補完し合う、人間の経験の重要な部分です。

（神の存在についてどう思いますか？）

人間の体験の根本的な部分には、科学が本来何も口出しできないところがあります。私は、これを、神と呼ぶ存在と結び付けて考えています。

# フリーマン・ジョン・ダイソン
# Freeman John Dyson

(1923～2020　イギリス　理論物理学者　数学者　マックス・プランクメダル受賞)


1923年12月15日、イギリス・バークシャー生まれ。イギリス - アメリカの理論物理学者。王立音楽大学学長のサー・ジョージ・ダイソンの息子で、ケンブリッジ大学で学んだ。第二次世界大戦中は爆撃司令本部で働いた。1947年にはコーネル大学の職員となり、1953年にはプリンストン高等研究所に入所した。

多くの研究テーマに取り組んだが、量子電磁力学への貢献で最も有名である。具体的には、量子理論を、素粒子と電磁放射線の間の相互作用に応用したのだ。この理論は、1946年、ウィリス・ラムにより水素原子の最低エネルギー水準の間にわずかな相違が観察されたという実験結果によって確かめられた。1946～48年の期間には、ジュリアン・シュウィンガー、朝永振一郎、リチャード・ファインマンが、量子電磁力学を別々に考案した。この3つの手法が矛盾しないことを説明し、すべてを一つの総論としてまとめた。

後に、核実験禁止条約への取り組みや、宇宙旅行や「銀河系の緑化」といったテーマへの本格的な考察によってより広く知られるようになった。

# フリーマン・ジョン・ダイソン Freeman John Dyson

（1923～2020　イギリス　理論物理学者　数学者　マックス・プランクメダル受賞）

## （1）宗教分野のノーベル賞とも呼ばれるテンプルトン賞を受賞した時のスピーチ（2000年5月16日）

…私は、三位一体の教義や福音書の歴史的事実について特に気にしない多くのキリスト教徒の一人であることに満足しています。科学者と信仰ある者として、私は不確実なものと生きることに慣れています。科学は、未解決の謎に満ちているので心躍らせ、また宗教も同じ理由で心躍らせるものです。最大の未解決の謎は、我々が意識ある存在として、広大な宇宙の小さな隅っこに存在している謎です。なぜ我々はここにいるのか？　宇宙には目的があるのか？　我々の善悪の知識はどこからくるのか？　これらの謎と、その他１００もの似たような謎は、科学の理解できる範囲を超えています。それらは、境界線の反対側、宗教の領域にあるのです。

私の個人的な神学理論は、１９８５年にスコットランドのアバディーンで行なったギフォードの講義で述べました。『Infinite In All Directions』という題で出版されています。ここでは、私の考えの簡単なまとめを述べます。宇宙は、心（mind　マインド、精神、知性、意識、心理）の作用の証拠を三つのレベルで示します。

第一のレベルは、我々が実験室で原子の研究をするときに見るような、基本的な物理的プロセスです。第二のレベルは、我々自身の意識の、直接的な人間の経験です。第三のレベルは宇宙全体です。

実験室の原子は、不活性の物質というよりは活発な作用因子のように振る舞い、奇妙なものです。それらは、量子力学の法則に従って、選択できる可能性の中から予測不可能な選択をします。心は、選択する能力に現れているように、全ての原子にある程度内在するものです。宇宙全体も、宇宙を心の成長に適したものにする自然の法則があり、奇妙なものです。私は、心と神を明確に区別しません。神とは、心が人間の理解のスケールを超えたときになるものです。神は、世界の霊魂、あるいは世界の霊魂が集まったものかもしれません。だから、私は、原子と人間と神は、レベルは違いますが種類は同じ心を持っているかもしれないと考えています。我々は、ある意味、原子の予測不可能さと神の予測不可能さの中間に位置します。原子は、我々の精神的な装置の小さな部分で、我々は、神の精神的な装置の小さな一部です。我々の心は、原子と神から、同じようにエネルギーをもらっているかもしれません。宇宙での我々の立場に関するこの見方は真実ではないかもしれませんが、現代物理学の実験で明らかにされた原子の活発な性質とは両立します。この私の神学理論が科学的証拠によって支持されているとか、証明されているとは言いません。ただ、これは、科学的証拠と一致していると言っているのです。

私は、神の心を読み取る何かしらの能力が自分にあると言っているのではありません。ただ、一つ確信があります。空の星や星雲の栄光や、我々を取り囲む生物界にある森や花々の栄光を見るとき、神が多様性を愛するのは明らかだということです。恐らく、宇宙は最大多様性の原則によって構成されているのでしょう。最大多様性の原則は、自然の法則と、時間が始まった最初の状態は、宇宙をできるだけ興味深くするものだ、と告げています。

その結果、生命は誕生可能ですが、そう容易なものでもありません。最大多様性は、時には最大ストレスへと導きます。最後には、我々は助かりますが、辛うじて、です。これが、科学異端者の信仰の告白です。今はもう、異端者は火あぶりの刑にされないという事実は、宗教の進歩の証拠として挙げられるかもしれません。

さて、あと5分で、あなた方が家に持って帰るメッセージを伝えようと思います。それはシンプルです。「神は、世界の模様に対して我々独自の想像を夢見ることを禁じている」。これは、約400年前、近代科学の始祖の一人であるフランシス・ベーコンが言った言葉です。ベーコンは、恐らくウィリアム・シェイクスピアを除いて、当時一番頭の良かった人物です。ベーコンは、科学に何ができるか、何ができないか、はっきりとわかっていました。彼は、当時の哲学者や神学者に言っていました。プラトンやアリストテレスの理論ではなく、自然の真相の中に神を見出せ、と。私は現代の科学者と神学者に言います。ビッグ・バンやヒトゲノムに関する我々の最新の知識が、宇宙の神秘や生命の神秘を解明したなどと思うな、と。ベーコンは言います。「自然は、感覚や理解力より何倍も繊細だ」。過去400年間で、科学はベーコンの夢の多くを実現させてきましたが、自然の完全な繊細さをとらえるにはほど遠いのです。科学の終わりを語るのは、宗教の終わりを語るくらい馬鹿げています。科学と宗教は、まだ始まりに近く、終わりなど見えません。科学と宗教は、この先千年の間に発展・変化し、恐らく古い謎のいくつかを解明し、我々がまだ勘づいてもいない新しい謎を発見しているでしょう。予測した科学革命へのプログラムを描いたのち、ベーコンは記述を祈りで終えます。「この心が我々の中に不動のものとしてあり、我々の手、他の者の手に、神が同じ精神を与え、人類に新しいご慈悲を与えてくださいますよう、慎ましくお祈り致します」と。これは、21世紀を始めるにあたり、我々皆に適した祈りです。

科学と宗教は、外の広い宇宙を理解しようとして、そして、なぜ我々がここにいるのか理解しようとして、人々が覗く二つの窓です。二つの窓は、違う光景を見せますが、同じ宇宙を見ているのです。どちらも一方に偏り、どちらも完璧ではありません。どちらも真の世界の本質的な特質を忘れていますが、どちらも尊敬に値します。

# アントニー・ヒューイッシュ
# Antony (Tony) Hewish

（1924～　イギリス　電波天文学者　ノーベル物理学賞受賞）

1924年5月11日コンウォール州・フォイに生まれた。ケンブリッジのキングスカレッジに入学し、1948年に学士号、1952人に博士号を取得した。ケンブリッジ大で物理学を教え、1969年には准教授に、1971には電波物理学の教授に就任した。1989年には名誉教授となっている。1974年にはノーベル物理学賞をマーティン・ライルと共同受賞した。特に､クエーサーの変光現象（星の瞬きに対応する電波の変動）に興味を持ち､それを使って惑星間空間の太陽風や塵の調査を行なった。1967年にはシンチレーションのさらなる研究のために、独特の設計の電波望遠鏡を製作した。
教え子のジョスリン・ベル・バーネルと共に、銀河系の小さな星から極めて規則正しいパルス状信号が発せられているのを発見した。パルサーの発見である。より詳細な調査の結果を1968年2月に発表した。そのときまでには新たに3つのパルサーが確認されていた。パルサーは高速で回転する中性子星（星としての晩年を迎え、核エネルギーを著しく使い果たしている星）であるというトーマス・ゴールドなどによる提案が、以来認められている。

# アントニー・ヒューイッシュ　Antony (Tony) Hewish

（1924～　イギリス　電波天文学者　ノーベル物理学賞受賞）

**（1）ポーキングホーン著『真実の問い：神、科学、信仰についての問いに対する51の答え』の序文に寄稿（2009年）**

今時の我々の文化は、神聖なものに対して余地を与えない。宗教は古臭くて意味がなく、科学の時代にはふさわしくない、また信仰は迷信に基づくナンセンスで、幼稚園でサヨナラするべきものだと広く考えられている。一方で、ジョン・ポーキングホーンは、科学と宗教は対立するものではなく、この二つは実は補完的で、両方とも宇宙での我々の居場所を最も深く理解するのに不可欠であると言う。

私も、他の多くの科学者同様、この見解に共感する。そして、恐らく純粋科学の中で最も物質主義的な物理学は、本当は、我々が宗教的神秘を受け入れないよりは、むしろ受け入れる方向へ我々の思考を仕向けるものだと信じている。もし理性的な常識が、科学の真実への下手なガイドとなるなら、宗教へはどれほど悪いガイドになるだろう？　例えば、最も単一な物質である水素原子は、それを取り囲む仮想粒子の雲による影響も含めなければ、正確に説明することができない。完全な空間というものはない。量子論は、完璧な真空間でさえも、瞬間的に存在したり消えたりするのが速すぎてどんな機器も測定することができない多くの粒子で満たされていると推測している。しかし、その粒子の存在が、直接観察で確認された計算できる方法で、陽子の周りを回る電子の動きを修正するのだ。仮想粒子が幽霊のように存在することは、理性的な常識を否定し、物理学に馴染みのない者にとっては直観的に理解できるものではない。

神を信じる宗教的信仰、二千年ほど前に神が人間になったというキリスト教の信仰は、常識的な考えの人には奇妙に聞こえるだろう。しかし、最も基本的な物質がこのように動くならば、我々の存在の最も深い側面は、我々の常識的な直観を超えるということを受け入れる覚悟がなければならない。

## （2）イラン人ジャーナリストによるインタビュー（Countercurrents.org、2012年10月17日）

（他のノーベル賞受賞科学者とは違い、あなたは『Questions of Truth』の序文で書いているように、「我々の存在の最も深い側面は、我々の常識的な直観を超える」と考えています。科学と宗教の関係性について、もう少しお話し頂けますか。なぜ多くの科学者が霊的な世界はないと思い、宇宙の裏に知的な創造者などいないと言うのでしょうか？）

私はキリスト教（英国教会）の家庭に育ち、礼拝堂で毎日少なくとも一回の礼拝をする全寮制の学校へ通っていました。物理学者で宗教的な教義や過激思想を許容する人はいませんが、私は、キリスト教は、科学の領域では答えられない生命や目的についての深い質問に答えていることに気づきました。私にとって、無神論者が言うように、科学の領域を超えたところには知る価値のあるものは何もないというのはナンセンスです。宗教は、現在の実利主義的な消費者社会では時代遅れですが、私は、ノーベル賞受賞者が特に無神論者だとも思いません。

正確な統計はありませんが、また、無神論者はもっとうるさいですが、私は、現存するノーベル物理学賞受賞者の中で、少なくとも6人のキリスト教徒を知っています。宗教的と言うことは、神秘を受け入れることですが、物理学も同じです。私が実験室で電子に対して何かを為すと、宇宙の端の他の電子が瞬時に反応する量子もつれのようなことは、理解できるものではありません。

（あなたは宇宙と天体をラジオ周波数で研究し、我々の住む世界を明確に理解していると思います。我々の世界で、一番驚くべき特徴は何ですか？　地球とこの世の世界で、あなたを一番驚かせたことは何ですか？）

あなたは、思い込みがたくさんあります。私がそのような知識を持っていたらよかったのですが。私にとって、一番驚くべき事実は、私たちが存在するということだと思います！　星と星雲の進化についての知識が進むにつれ、住むのに適した惑星が存在するためには、様々な条件のバランスが信じられないほど緻密に取れていることが必要だということが明らかになりました。「微調整」因子です。

例えば、私たちを作っている原子は、星の中の核融合によってできる炭素のような化学元素が必要です。私たちは、それが星が凝縮する前には存在せず、炭素をばらまくには星の爆発（超新星）が必要だということを知っています。だから、私たちは、第二世代の星の星屑からできており、システムを正しい時間の尺度で動かすためには、宇宙の拡大する速度に対して重力の力の釣り合いをとる必要があります。他にもたくさんの要因が絡んでおり、この微調整は驚くほど正確でないといけません。無神論者が考えるように、これは単なる偶然なのか、あるいは、何らかの超知性が関わっているのか？　私たちが単なる偶然だとは、私には思えません。

# アブドゥッサラーム
# Abdus Salam

（1926 ～ 1996　パキスタン　物理学者）


パキスタン人の原子物理学者。1979 年、スティーヴン・ワインバーグ、シェルドン・リー・グラショーと共にノーベル物理学賞を受賞した。弱い核力と電磁気力との統一について説明した電弱理論の考案が受賞理由となった。

ラホールのガヴァメント・カレッジ大学に入学し、1952 年にケンブリッジ大学で理論物理学の博士号を取得。1951 年～ 54 年には数学教授としてパキスタンに戻り、その後再びケンブリッジ大で数学講師として勤めた。1957 年、インペリアル・カレッジ・ロンドンの理論物理学教授となる。パキスタン人として初めて、またイスラム教徒としても初めてノーベル賞を受賞した科学者である。1964 年、第三世界諸国の科学者を支援するため、イタリア・トリエステの国際理論物理学センターの創設を援助し、生涯同センターの所長を務めた。

ノーベル賞を受賞した研究に関する実験を 1960 年代にインペリアル・カレッジ・ロンドンで行なった。彼の仮説に基づいた方程式は、電磁力と弱い核力の根本的な関係について実証したもので、弱い力が、まだ発見されていなかったウィークベクトルボソン、あるいは W ボソンと Z ボソンとして知られる粒子によって伝達されるに違いないと仮定した。ワインバーグとグラショーは異なる論理の筋道で同様の結果に到達した。W ボソンと Z ボソンの存在については最終的に 1983 年、欧州原子核共同研究機構（CERN）の研究者たちにより、粒子加速器を使って立証された。

# アブドゥッサラーム　Abdus Salam

（1926〜1996　パキスタン　物理学者）

## （1）「イスラムと科学：調和か対立か？」パリ、ユネスコハウスでのスピーチ（1984年4月27日）

最初に言わせて頂くと、私はイスラム教を信じ、実践する者です。私は神聖なコーランの精神的なメッセージを信じているので、イスラム教徒なのです。コーランは科学者の私に語りかけてきます。宇宙学、物理学、生物学、医学から例を取って、全ての人間の標識としての自然の法則について考えることを強調しているのです。コーランは次のように言います。

「彼らは、雲を見上げて、それがどのように創られたのか見ないのか。天を見て、それがどのように高く掲げられたのか、山を見て、それがどのように根を張っているのか、大地を見て、それがどのように広がっているのか見ないのか」

「本当に、天と地の創造と、夜と昼の交替の中には、思慮ある者への印がある。立ち、座り、あるいは横たわってアッラーを心に刻み、天と地の創造を考える者は言う。『主よ！あなたはいたずらにこれを御創りになったのではありません』」

コーランは、知恵と明察をもったアリームの優位性を強調し、尋ねます。どうして、これらの特質を持っていない者が、持っている者と同等になり得ようか?と。コーランの750の節は(全体のほぼ八分の一)は、自然を勉強し、考え、究極を求めるのに理性を最善に使い、知識を得て科学的な理解をすることをイスラム教徒の生活の一部にすることを、信者に強く勧めているのです。

無からの創造、人類の宇宙、余剰次元は、20世紀末期の物理学にとっては奇妙なテーマですが、それより以前、人々が形而上学的問題に夢中になっていたのと何ら変わりはありません。ですが、科学に関しては、思考体系の暫定的な性質があり、それぞれの段階で実験検証に固執し、自己矛盾のないことを推し進める考えがあることに気づかなければなりません。

不可知論者にとって、自己矛盾のないこと(それが良好ならば)は、神が無関係であることを暗示するかもしれません。それは、信者にとっては、神の設計の小さな一部を解き明かしたことにしかなりません。明らかにされた部分の、その深遠さは、設計そのものの美しさに対して信者の畏敬の念を増すだけです。

私は、新しい答えを言うことは出来ませんが、二つのことは言えます。第一に、私は、天地創造説の信条は侮辱的だと思います。自分たちのことには、自己矛盾のない様式を考え出すのに微細さを用いるのに、神に対して微細さを用いるのは、粘土を芸術的に練り上げ、人の形にしたときだけなのですから。物質の中に特定の性質と、基礎的な力の作用を支配する法則が作り出された後、我々が歩む物理学の道は、なぜ広い意味で天地創造説ではないのか、理解できません。

第二に、個人的なことですが、私の信仰は、物理学が沈黙していた事柄に関して、永遠のイスラムの精神的なメッセージによって予測されていました。それは、神聖なコーランの開端章直後の、最初の節によって意味付けされています。

「これは、疑いの余地のない啓典であり、目に見えぬものを信じる、主を畏れる者たちへの導きである」

目に見えぬもの。人間の知識が及ばないもの。不可知なもの。

…最後に、コーランから引用しましょう。私自身の科学の中で個人的に見つけた永遠の不思議について、私の知る何よりも、うまく言い表わしています。

仮に地上のすべての木がペンで、海が墨で、
さらに七つの海の補充があるとしても、
アッラーの御言葉は書き尽くすことは出来ない
アッラーは偉大で英明であられる

# アーノ・アラン・ペンジアス
# Arno Allan Penzias

（1933～　アメリカ　物理学者　ノーベル物理学賞受賞）


1978年のノーベル物理学賞を、宇宙全体のかすかな電磁放射を発見した功績で、ピョートル・カピッツァ(1894 － 1984)、ロバート・ウッドロウ・ウィルソン（1936 －）と共同受賞したドイツ系アメリカ人の天体物理学者。彼らの検出したこの放射は、宇宙進化のビッグバンモデルに強力な支持を与えた。

ペンジアスはドイツのミュンヘンに生まれた。ニューヨーク市立大学とコロンビア大学で教育を受け、1962年に同大学で博士号を取得した後、ニュージャージー州ホルムデルのベル研究所に加わった。ウィルソンと協力して、天の川銀河を取り巻くガスの輪からの電波放射の観察を始めた。予期せぬことに、二人は、約3Kの宇宙全体の残留熱エネルギーを示唆する均一なマイクロ波放射を検出した。そしてそれが、宇宙が創造された数十億年前のビッグバンから始まった宇宙マイクロ波背景放射の残りであるというのが、今日ほとんどの科学者の一致した考えである。

1976年から1979年まで、ベル電波研究所の所長を務めた。その後、1981年、ベル研究所の副所長に就任し、1998年に退任した。

# アーノ・アラン・ペンジアス Arno Allan Penzias

（1933～　アメリカ　物理学者　ノーベル物理学賞受賞）

**（1）「天地創造はいまのところ全てのデータによって裏付けられている」（ヘンリー・マージナウ／ロイ・A・ヴァーギース編『宇宙、生命、神智学：科学者たちは科学、神、そして宇宙の起源、生命、そして人間について熟考する』に掲載された言葉（1992年）**

天文学は、比類ない出来事、つまり何もないところから創られ、まさしく生命を維持するのに必要な条件を提供するように繊細に調和され、根本的な（「超自然的」とでもいうような）計画を持つ宇宙へと導く。それゆえ、現代科学の観測は、何世紀も前の直観と同じ結論へと導いているようだ。同時に、ほとんどの現代科学の直観は、過去の科学が説明した世界により納得がいくようだ。興味深くはないだろうか？

**（2）ジョシュア・O・ハーバーマン「私の信じる神：ユダヤ人が今も信じていること。ユダヤ人の第一線の哲学者、作家、ラビとの会話にみる現代ユダヤ人の精神性に関する調査」に掲載されたインタビュー（2011年）**

（あなたにとって神とは何ですか？　神は観念ですか、数式ですか？）

いいえ、決して数式だということはありません。

（「神」という言葉は、意味のある言葉だと思いますか？）

「神」という言葉はもちろん意味のある言葉だと思います。つまり、私は目的のある世界というものを信じたいのです。目的は、その目的に「所有者」がいることを暗示しており、私は、神が世界という目的の所有者だと思っています。

（そのような目的は、人間の知性で理解できるのでしょうか？）

天地創造を見れば、目的を察することができます。理解しづらい自然界は、偶然、つまり「熱力学第二法則」と呼ばれるものを中心に展開する確率の法則によって動かされています。例えば、沸騰しているスープ鍋のある箇所に、塩を一つまみ入れるなら、その塩は、そのうちスープ全体に分散します。言い換えると、塩は最も無秩序な状態に達するのです。自然は、偶然を通して、無秩序を求めます。

一方で、生命はどういうわけか、それに反する働きをします。物事をまとめ、秩序立てるのです。外で森を見て、突然、木が均等な間隔で列をなして植えられていたら、目的があると感じます。秩序は目的を暗示するのです。目的を一度見ると、もう一歩進み、その目的の原動力と所有者について何か言うことができます。もし沢山の果樹が植えられているならば、これらの果樹を植えた人はリンゴがほしかったのだろうと言えるでしょう。

つまり、世界の中の秩序を見れば、我々は目的を推察することができ、その目的から、これらすべての創造者、計画者を知り始めるのです。私はこのように神を見ています。私は神の手で創られたものを通して神を見、その創られたものは意図を暗示しています。その意図から、私は全能の神の印象を受けるのです。

# 吉川庄一
# Yoshikawa Shoichi

（1935～2010　日本　原子力工学者）

東京生まれ。核融合エネルギーの研究で国際的にその名を知られる。東京大学卒業後、1961 年にマサチューセッツ工科大学原子工学専門で博士号取得。その後、プリンストン大学プラズマ物理学研究所（PPPL）の核融合エネルギー研究に携わり、モデル C ステラレーター・プログラムのリーダーの一人となる。1968 年、スフェレーターと呼ばれる核融合プラズマを閉じ込める新しいタイプの磁気瓶を発明した。これは、予想によると、管理された状況下でプラズマ乱流を和らげるものだった。これが、1970 年の初の浮遊超電導体の多極実験、1973 年の拡大した浮遊多極（FM-1）へと導いていった。60 年代後半、アメリカで最初に、ロシアのトカマク核融合閉じ込めコンセプトの利点について理解した一人だった。
70 年代前半、帰国し東京大学教授となり、実験プログラムを指揮し、核融合プラズマ物理学を教えた。70 年代後半にはプリンストン大学へ戻り、天体物理学部で教え続け、OCLATOR ドーナツ型原子炉などの革新的な磁気閉じ込めコンセプトを推奨した。数理物理学、原子物理学、プラズマ物理学、核融合エネルギーなどに関する 7 冊の著書があり、他の専門書にも貢献した。米国物理学協会のフェローで、2000 年にプリンストン大学から引退した。

# 吉川庄一　Yoshikawa Shoichi

（1935 ~ 2010　日本　原子力工学者）

**（1）「量子力学の隠れた変数は神の力の下にある」（ヘンリー・マージナウ／ロイ・A・ヴァーギース編『宇宙、生命、神智学：科学者たちは科学、神、そして宇宙の起源、生命、そして人間について熟考する』）に掲載されたインタビュー**

（1．宗教と科学の関係はどうあるべきだと思いますか？）

個人的に、（一神教の）宗教は科学の上をいく、という古い考えに賛成です。しかし、日常の行動においては、私は、宗教と科学は人間に対して異なる影響の領域を持つという現代社会の一般基準に従います。

（2．宇宙の起源について、あなたはどのようにお考えですか？科学的レベルにおいて、そして、必要であれば、形而上学的なレベルにおいて）

宇宙の誕生に関する現在の理論（いわゆる「ビッグ・バン」理論）の基本事項に同意しています。観測証拠（宇宙の均一性、残存放射、重水素・水素の比率など）が圧倒的にこの見解を支持しています。もちろん、将来、現在の理論がいくらか修正されると思います。

宇宙の誕生についての旧約と新約聖書の内容には矛盾は見られません。

（3．生命の起源について、あなたはどのようにお考えですか？科学的レベルにおいて、そして、必要であれば、形而上学的なレベルにおいて）

私はダーウィン説を理解していますが、ダーウィン説は、外部状況が停滞しているときの進化のケースをいくつか説明しているのだと思います。例えば、隔離した湖の中の有機体の発展は、進化論のフレームワークの中で理解できます。しかし、すべての進化、あるいはもっと正確に言えば、すべての種類のＤＮＡ鎖と卵細胞の存在が、機械的なプロセスだけで説明できるということは、とても信じがたい。

（4．人類の起源について、あなたはどのようにお考えですか？）

とりわけ、人類の起源は完全には理解されないかもしれません。氷河期、太陽に対する月の見た目の大きさ、火山噴火、微生物（ウイルス、バクテリアなど）の存在のような、外見的には偶発的に発生する自然の事象は、人間の発達に影響してきました。それらは単なる偶然だったのでしょうか？　また、美の概念（音楽、詩、絵画など）も多くに共有されているようです。機械的な説明は進歩するでしょうが…。

（5．科学と科学者は、起源の問題、特に宇宙と生命の起源の問題について、どのように取り組むべきでしょうか？）

宇宙の起源は科学レベルで理解でき、宗教とは対立しません。生命の起源は進化論によって説明できるでしょう。しかし、新しい命が生まれるとき、新しい遺伝子の一式を選択することが、形而上の力により何らかの形で影響されるということも同じく可能です。

（6．ダーウィン、アインシュタイン、プランクを含む著名な科学者たちが神の概念について非常に真剣に考えてきました。神の概念と、神の存在について、あなたはどのようにお考えですか？）

私は、神が宇宙と生命を創造したと思います。人類は、宇宙の物理的法則を大きく破らない、あるいはまったく破らないプロセスで、神によって創造されたのです。（神の力による量子力学の隠された変数か？）

# ロバート・ボイル
# Sir Robert Boyle

（1627～1691　アイルランド　物理学者）

マンスターのリズモア城で生まれる。ウェストミンスターにある彼の墓石に刻まれているように、「化学の父でありコーク伯爵の同胞」である。イートン校で学び、家庭教師を伴ってヨーロッパを広く周遊した。ラテン語、フランス語、イタリア語、ヘブライ語、ギリシャ語を習得し、非常に信心深く、生涯未婚であった。
4つの元素の概念を覆した著書「Sceptical Chymist（懐疑的化学者）」（1661年）は、錬金術を新たな分野に変換させ（但し、金の変質については寛容な態度を貫いた）、実験技術を発達させた。初めて元素を、我々が今日認めているのと同じ表現で（すなわち、科学的分析ではそれ以上細かい物質に分割することの出来ない物質として）明確に定義した。また、すべての物質は原子、あるいは動いている原子の組み合わせから構成されていると説明した。広い領域に及ぶ研究には、空気力学や結晶学も含まれている。現在はボイルの法則として知られる法則についての「一定の温度の下での気体の体積は、圧力に反比例する」という言葉で最もよく知られている。神の存在を証明する一連の講義録も作った。王立協会の創設時の一員であり(1662年)、会長に選ばれたが(1680年)、宣誓の言葉を言うのを拒み、同職を辞退した。

# ロバート・ボイル　Sir Robert Boyle

（1627 ~ 1691　アイルランド　物理学者）

**（1）エドワード・B・デイヴィス／マイケル・ハンター編『ロバート・ボイル：世俗的な自然の概念に関する自由な調査』（1996年）に収録された書き物**

まず、人が世界で見る称賛に値するほとんどのものを、偉大な創造者にではなく、自分たちもよくわからない何らかの自然（性質）に帰することは、世界の創造者・支配者の光栄を損なうように見える。多くの人が、この自然は創造者の創り上げたもので、創造者よりも下であると言っている。

しかし、多くの人が聞かれると告白するのだが、高等な原因に目を向けることは決して、あるいはほとんどなく、物事を自然に帰する人は、その言葉がどんなものであろうと、神の作用についてはほとんど考えていないことに容易に気づくのだ。

しかし、奇妙なことが起こると、人はよく自然を持ち出してきて、そのようなものを引き起こすには自然が特別に介入したに違いないと思うのだが、それは神が物事を為す素晴らしさを少しも暗くしない。反対に、それは、最初から非常にうまく組み立ててあるので、神の特別な介入はほとんど、あるいはまったく必要としないことは、神の知恵をよく示している。

## （2）ウイリアム・R・ニューマン／ローレンス・M・プリンシペの科学史ノンフィクション『炎の錬金術：スターキー、ボイル、そしてヘルモントの化学の運命』（2002年）

神は、羊と子供たちに斑点と環紋をつけ世界へやってこさせることをかつてヤコブに教えたように、人間に化学の偉大な神秘を、大天使や夜間の訪問を通して明かす、などとは言わない。しかし、神の善意は（ほとんどの人間が気づいているよりもはるかに偉大に）、自然の研究における一部の人間の習熟を進展させてくださると納得している。純真で熱心な努力を失敗させる不幸な出来事から守り、またそれらの努力を秘密の所有者にとって大切で容認できるものとすることによって。……

## （3）ロバート・ボイル『自然の事物の最終的原因に関する論文』（1688年）に収録された言葉

全体として機能する動物の体だけでなく、種々の動物の、特に視覚など同じ機能を果たすと思われる夫々の部位にも見られる素晴らしく見事な多様さは、他の目的がある中で、少なくとも偉大な創造者の知恵の多様さを示すように設計されたように思われる。また、その偉大な創造者の技は、一種類の生き物や、同じ部位（目、耳、歯など）の同じ仕掛けに限られたものではなく、多くの驚くべき器官を同じように利用できることを賢い生き物たちに示すように設計されたのだ。それらの器官は恐らくすべてが同じように完璧でないにしても（もし同じように完璧ならば、動物ではなく人間を創らねばならないから）、すべてが興味深く優れ、異なる目的に適っている。

## （4）サム・ピーターズ『人生を変える智慧：格言から学ぶ3』（2014年）に収録された言葉

奔放な望遠鏡で、昔からある星や惑星、新しく発見された星や惑星を観察する時、また、最高の顕微鏡で、自然の興味深い細工品の限りない繊細さを見つける時、更に、解剖ナイフと化学の加熱炉の火で、自然に関する本を研究する時、私は賛美歌作者と共に大声で叫ぶのだ。「主よ、御業はいかにおびただしいことか！あなたはすべてを知恵によって成し遂げられた！」

## （5）『スタンフォード哲学辞典』収録の言葉

（オックスフォードに住む前、ボイルは1650年代に2回、アイルランドに長期訪問している。〔1652年6月から1年と、1653年10月から8カ月〕。そして、その「無教養な」国から、クロディウスに手紙を書いた。恐らく、1654年の春、2回目の訪問の終わりごろ。）

私は生物の解剖を行なっている。そこで、…血液の循環に納得した…、そして、特に魚の解剖において、自然の多様性と沢山の仕掛け、更に、魚を作られた創造者の威厳と知恵を見てきた。それは、私がかつて人生の中で読んだことのあるすべての本を合わせて得られる考え以上のものだ。

## ヘンリー・F・シェーファー３世
## Henry F. Schaefer III

（1944～　アメリカ　計算化学・理論化学者）

バークリー・ジョージア大学計算量子化学センター所長。ミシガン州、グランドラピッズ生まれ。マサチューセッツ工科大学で化学物理学の学士号、スタンフォード大学で化学物理学の博士号を取得。18 年間、バークリー・カリフォルニア大学で化学の教授として従事した。1987 年以降、ジョージア大学で化学の教授、そして計算量子化学センター所長を務めている。2004 年、バークリー・カリフォルニア大学の化学名誉教授となる。1500 以上の科学論文を発表し、その多くは『化学物理学ジャーナル』、『米国化学会ジャーナル』、『物理化学ジャーナル』に掲載されている。
受賞した主な賞に、米国化学会賞（純粋化学部門、1979 年）、米国化学会レオ・ヘンドリック・バエクランド賞（1983 年）、シュレーディンガー・メダル（1990 年）、英国王立化学協会 100 周年メダル（ロンドン、1992 年）、米国化学会賞（理論化学部門、2003 年）などがある。2004 年には、アメリカ芸術科学アカデミーのフェローに選出された。2013 年、米国化学者協会の化学先駆者賞受賞。1981 ～ 1997 年の期間で、世界で引用された化学者62万８千人のうち、上位６位の最も引用された化学者だった。研究は、最先端の計算ハードウェアと理論的方法を用いて、分子量子力学の重要な問題に取り組んでいるものである。

# ヘンリー・F・シェーファー3世

## Henry F. Schaefer III

（1944～　アメリカ　計算化学・理論化学者）

**（1）講義「スティーブン・ホーキング、ビッグ・バンと神」（日時不詳、恐らく2001年以前）より**

…物理科学者が完全な無神論者であることは、比較的まれだ。どうしてだろう？　人類の束縛、宇宙の見事な微調整を指摘する人もいる。例えば、プリンストン大学教授のフリーマン・ダイソンは「自然は、我々が期待したよりも優しい」と言った。ケンブリッジのホーキングの同僚の一人であるマーティン・リースも、同じことを言う。リースは最近次のように述べた。「我々の知るような生命の可能性は、少しの基本的で物理的な定数次第であり、いくつかの点で、その数値に著しく敏感だ。自然は驚くべき偶然を示す」。非凡な科学著述家のポール・デイヴィスは、「すべての裏には何かが起こっているという強力な証拠があると私は思う。…誰かが、宇宙を創るために自然の数値を微調整したかのようだ。…設計のしるしは圧倒的だ」と言う。

複数の科学者が、非常に多くの「偶然」と思われるものに驚きを表わす。だが、自然の法則に恣意性ではなく目的を見るとき、驚きは即座に消えるのだ。

強固な論理に反し、無神論者の中には、人類の束縛に関わりなく、宇宙と人間の命は偶然創られたと主張し続ける者がいる。彼らは主に「我々人間はここにいるのだから、単に還元主義的に起こったに違いない」という主張をしているようだ。この主張は、朝起きたら部屋にゾウがいたと言っている人の作り話のように聞こえる。この人は、ゾウが部屋にいる確率は完全に100％なのだから、まったく驚くことはないと結論付ける。明らかに、これは科学的というよりは哲学的な答えだ。

…このレクチャーでは、多くの人の意見を紹介してきたが、以下に私の意見を紹介する。

1　ビッグ・バンは、非常に力強いが慎重にコントロールされた物質、エネルギー、空間、時間の放出を表している。それは、これらの作用や相互作用を支配する、非常に慎重に微調整された物理的な制限と法則の厳格な領域の中で起こった。この爆発が示す力と配慮は、けた違いに人間の設計の可能性を超えている。

2　創造者は存在するに違いない。1992年4月のビッグ・バンのさざ波とそれに続く科学的発見は、明らかに、創世記の冒頭の節と一致する、無からの創造を示している。

3　創造者は素晴らしい力と知恵を持つに違いない。我々の宇宙にある物質と力の量は、まったく巨大だ。宇宙のどの箇所にも現われる、情報、あるいは複雑さ、（アラン・サンデージが言ったように）特に生物に現れる情報・複雑さは、我々の理解する能力を超える。そして、我々が目にするものは、神が空間と時間の4次元の中で示したものだけなのだ！

4　創造者は愛にあふれている。創造のすべてに見られるシンプルさ、バランス、秩序、優雅さ、美しさは、神が気まぐれなのではなく、愛にあふれていることをはっきり示している。さらに、多くの生き物に見られる、育てて守るという能力と欲求は、創造者が同じ性質を持つならば納得できる。神が、御自身で創造された生き物たちを大事に思うのは明らかだ。生き物に必要なものを提供しているのだから。

5　神は公正で、正義を要求する。内側への沈思と外側への研究で、人間には良心があることが確認された。良心は、善悪の現実と従順の必要性を反映している。

6　我々は、創造者の基準から、あきれるほど劣っている。我々は、行動、言葉、考えで神の道徳的法則の一部でも犯す時、神の御立腹を招く。誰が、1時間さえも、自分の考えと立居振舞を純粋に保つことができるだろう？私は出来ない。我々が、自分で設定した基準にも及ばないなら、神の完全な基準にはどれほど及ばないのだろう？長年、私は、自分と他の罪人たちを比べることで、神から「合格点」を得ようとした。

7　創造者は愛にあふれ、賢く、力があるので、我々を救う方法を創った。我々が、自分たちの失敗で心配するとき、我々の周りにある創造物を見れば、神の愛、知恵、力は、我々を絶望的な状態から救い出すのに十分だということを理解できる。

8　もし我々が、救世主イエス・キリストに完全に自分の命を預けるなら、我々は救われるだろう。ただ唯一の方法は、神の要求を満たすためのすべての不完全な努力を諦め、イエス・キリストただ一人を信じ、彼の選ばれた救済の方法、つまり彼の十字架での死を信じることだ。

## （2）講義「科学者と彼らの神」（日時不詳、恐らく2001年以前）

著名な科学者でキリスト教徒だった人は、現在も時代を遡っても、非常に多くいる。私の研究もそのカテゴリーに入れるくらい優れていると評価されることを願う。また、あなたたちに十分な証拠を示したので、もう二度と、科学者とキリスト教徒の両方であることは不可能だなどと思わないでほしい。

## （3）「進化論はよい理論か」ウェストミンスターホール研究者シリーズの招待論文（2002年9月）

一般的な進化論モデルについての私の懸念をさらに述べてもよいだろうか？ 私は、130～150億年前に神が宇宙を創ったという科学的根拠は妥当だと思う、ということをまず言っておこう。私の最初の懸念は、ユーリー・ミラーの実験の破たんで、生命の起源のもっともらしい科学的メカニズム、つまり、自己繁殖する生化学的なシステムの登場がないということだ。最もシンプルな生物の膨大な情報は、進化論者によって容易に説明されていない。第二に、化学種の事象のタイムフレームがおかしい。化石の記録の主な特徴は静止状態であり、つまり新しい種類が長い間現れていないということだ。新しい発展があれば、ゆっくりではなく、急速に起こる。三つ目の懸念は、満足できる大進化の変化のメカニズムが見られないということだ。ガラパゴスフィンチ種のくちばしが数インチ変化したことと、恐竜から鳥へ進化した（あるいはその逆）と言われていることが類似しているというのは、私には、不適当に思われる。

# ジョージ・フィッツジェラルド・スムート３世
# George Fitzgerald Smoot III

（1945～　アメリカ　天体物理学者　ノーベル物理学賞受賞）


アメリカ合衆国フロリダ州ユーコン生まれ。オハイオ州のアッパー・アーリントン・ハイ・スクールで学び、1966年にはマサチューセッツ工科大学（MIT）で数学と物理の理学士号を取得。さらに1970年には素粒子物理学の博士号を取得。その後、宇宙論の分野に転身し、ローレンス・バークレー国立研究所のルイス・ウォルター・アルヴァレズと共同で、上層大気中で反物質を検出する実験を行なった。宇宙マイクロ波背景放射（CMB）へ目を向けたスムートは、宇宙全体が回転しているという理論が誤りであることを証明し、CMBに影響を与えた。CMBのさらなる研究のため、NASAに、COBE衛星に差分マイクロ波ラジオメータ（DMR）の機器を搭載することを提案した。

COBEの研究の後は、成層圏バルーン、マクシマに関する別の実験に参加した。また、ダークエネルギーの性質を調べるための衛星SNAPの共同設計者でもある。1974年からローレンス・バークレー国立研究所の天体物理学者、1994年からはカリフォルニア大学バークレー校の物理学教授を務めている。2003年にはアインシュタインメダルを受賞。2006年には「宇宙マイクロ波背景放射の異方性の発見」の功績により、ジョン・マザーと共にノーベル物理学賞を受賞。

2006年のノーベル賞が、ある意味最も古いテーマの研究に与えられた。つまりそれは宇宙の幕開けを振り返り、銀河と星々の起源について何らかの理解を得るものだった。賞は、黒体形状の発見と、宇宙マイクロ波背景放射の異方性の発見により、カリフォルニア大学バークレー校のジョージ・スムートとNASAのジョン・マザーに授与された。彼らの研究は、1989年、NASAが打ち上げた人工衛星COBE（宇宙背景放射探査機）の測定に基づいて行なわれた。マザーは黒体形状の実験の第一責任者であり、スムートは気温変化（″異方性″）の測定の責任者だった。

# ジョージ・フィッツジェラルド・スムート3世
# George Fitzgerald Smoot III

（1945～　アメリカ　天体物理学者　ノーベル物理学賞受賞）

**（1）「神を見ている」『マクリーン』誌（1992年5月）掲載**

（先週、アメリカの科学者たちが、時間の始まりを印している可能性がある宇宙の放射パターンの発見を発表した。研究チームのリーダーである天体物理学者のジョージ・スムートは次のように言った。）

宗教心があるならば、まるで神を見ているようだ。その秩序もその対称性も非常に美しいので、その裏には設計図があるのではないかと思わせる。

（スムートの「神を見ているようだ」との発言は、科学と宗教の関係についての議論を再度巻き起こした。イギリス王室天文官のアーノルド・ウルフェンデールは次のように言った。）

これらの結果は、神がいるという考えを強固にし、神の目的が解明されつつあると言えるのではないかと私は思う。

## (2)「鍵を持つ男：宇宙の秘密に光を当てる」『マクリーン』誌のインタビュー(1992年5月)

(今回の発見がなぜ科学者でない人たちにとって重要なのか)

皆、自分たちがどこからきて、誰なのかを知りたいと思っている。どの文化にも、世界がどのように始まったのかの神話がある。現代では、我々は非常に技術的で、神話も科学的バージョンがある。そして、この科学的バージョンの神話が、今までのどの神話よりも、信じがたいほど素晴らしいものだということが分かった。

(ビッグ・バン説について)

28年前、ビッグ・バンの残存放射の発見で、この説は突然、宇宙の起源に関する科学的説明の最前線へと飛び込んできた。ビッグ・バン説は、宇宙は極めて熱く、極めて高密度の状態から始まったという。大きな謎だったのは、宇宙を観察してみると、これらすべて(星や星雲)が物質の集団としてあるのだが、その間に空間が複数あることだった。今までは、ビッグ・バンの残存放射を見てみると、ビッグ・バンから30万年後、つまり150億年前、宇宙が非常に新しかった時の状態がどのようなものであったかがわかり、それは均一だった。だからパラドックスがあったのだ。非常に滑らかな始まりがあり、非常に滑らかでない現在がある。どうやって宇宙はこの推移を遂げたのか?

(宇宙の起源の研究について)

我々は背景放射線を電波受信器で測定し、空のあらゆる場所からくる力の量を測定した。その放射線は、我々に向かって150億年も旅していたのだ。ビッグ・バンの後、物質の推移があったことはわかっている。ガスや液体ではなく、プラズマになり、突然霧のように不透明になるのだ。宇宙は、拡大するにつれ、朝霧の中にいるようになっていったのだ。そして冷えて、透明になった。光は、霧堤の端から150億年間、旅し続け、我々は150億年をふりかえって見ている。ほぼゼロの地点まで。このようにして、我々はその当時の状態を測定しているということがわかるのだ。

〔人工衛星が示したものについて〕

我々は、さざ波があるはずだと思っていた。そのさざ波を見つけるために、私は15年間研究し続けてきた。さざ波は物質の中で変化し、それらが物質をまとめ、冷やし、星や星雲を作り、根源的な物質が凝縮して惑星になる種となるのだ。我々は、さざ波をはるかに大きなレベルで見つけるだろうと思っていたので、一つ見つからないものがあったのだ。もし、さざ波が〔人工衛星のデータが示したように〕小さかったら、宇宙の中に目に見えない物質があるに違いなく、それはあなたや私を作っているような物質ではなく、光と接触しない物質なのだ。それは見ることができず、それを見る唯一の方法は、足跡を見ることだ。カーペットの上を透明人間が歩いたような。透明人間の足跡と、彼がどれくらい沈み込むかで、彼がどれくらい重いのかがわかる。それが、我々の見ているものだ。我々は、宇宙の目に見えない物質の足跡を見ているのだ。

〔何がさざ波を引き起こしたか〕

ビッグ・バンに続く急速な宇宙の拡大を生じさせた力だ。この力が小さなさざ波を生じさせた。なぜなら、何かをすごく速く為そうとすると、少し震えるから。神が設計者かもしれない。

（自分自身について）

ローレンス・バークリー研究所に入った時、6人のノーベル賞受賞者がいたが、そのうちの何人かは野心を持っていた。私は、同じような野心を持っていると感じたことはなかったが、あるのかもしれない。過去3カ月間私を駆り立てたものは、答えを知りたいということだった。私は宇宙の秘密を知っている。私は鍵を持っているのだ。

## （3）モンテ・デイヴィスによるインタビュー（1994年3月）

（宇宙背景放射探査機 COBE の発見を発表した時に神という言葉を使ったのは、なぜでしょうか？）

人々が理解する文化的な象徴なので、神を思い起こさせました。でも、それより深いものがあるのです。宇宙論を語る時、宗教と関連付けないわけにはいきません。すべての宗教、すべての文化に、必ず、「初めに」があります。何かから始めたか、始めなかったか、のどちらかでしょう？　私は宗教的な人々から手紙をもらいました。約半分が、「素晴らしい。あなたが成し遂げたことは見事だ」と言い、他の半分が「そんな実験はいりません。聖書を読んでもっと学ぶべきです。聖書に書いてあります」と言っていました。

でも、敵対する手紙はほとんどありませんでした。ほとんどの批判は、この問題を個人的に解決していないので脅迫的だと感じている科学者たちから来ました。科学の領域に入る時、多くの科学者が最初は宗教を拒絶したかもしれませんが、後になると、逆戻りすることはなく、その拒絶に慣れてしまうのです。

# ポール・デイヴィス
# Paul Davies

(1946～　イギリス　理論物理学者)

北ロンドンのウッドハウス・グラマー・スクールで学んだ。ユニヴァーシティー・カレッジ・ロンドンで物理を学び、1970 年に博士号を取得。2 年後にはケンブリッジ大学の理論天文学研究所の客員研究員として、1980 年までキングス・カレッジ・ロンドンで数学の講演を行なう。1980 年にはニューカッスル＝アポン＝タイン大学の理論物理学の教授に任命された。1990 年、オーストラリアへ移住し、アデレード大学の数理物理学の教授に就任。1993 年には、彼のために特別に自然哲学の教授職が新設された。4 年後、早期退職。現在はインペリアル・カレッジ・ロンドンの客員教授。宇宙論や、重力と量子場の理論、とくにブラックホールや宇宙の起源についての研究論文を 100 編以上発表。人気著書も数多く執筆。高度な科学的概念を平易な言葉で説明する能力は国際的にも高く評価されている。著書は 20 冊以上あり、「The Runway Universe」(1978 年),「Other Worlds」(1980 年),「God and the New Physics 」(1983 年),「Superforce」(1984 年),「The Cosmic Blueprint」(1987 年),「The Mind of God 」(1992 年) はニュー・サウス・ウェールズ・ユニヴァーシティ・プレスの Eureka Prize や、Templeton-CTNS Book Prize、を受賞し、億万長者になった。「The Last Three Minutes 」(1994 年) と「Are We Alone? 」および「About Time」(どちらも 1995 年)のうち、後者は Royal Society Science Book Prize の最終選考に残った。「The Fifth Miracle」は 1999 年に出版。SF 小説「Fireball」(1987 年) も執筆。専門家向けの雑誌だけでなく、英国とオーストラリアの新聞へも長く寄稿し、オーストラリア、ヨーロッパ、アメリカで定期的に講演を行なっている。世界中のラジオやテレビに月に何度も出演し、BBC の主要連続ドキュメンタリー「Radio 3」や ABC の 6 部完結の「The Big Questions」が有名。科学と芸術の親善促進に積極的。1991 年にはオーストラリアで科学の奨励に対し ABC Eureka Prize、1993 年には科学への顕著な貢献に対し Advance Australia Award、1995 年には Templeton Prize for Progress in Religion (知的功労に対する世界最高水準の賞) を受賞。

# ポール・デイヴィス　Paul Davies

（1946～　イギリス　理論物理学者）

## （1）著書『神と新しい物理学』（1984年）より

序章

…現代物理学の授業と講演をする中で、私は、基礎物理学が人間と宇宙での人間の立場についての新しい認識への道を示しているということに徐々に気づいていた。存在の難解な問題―宇宙はどのように始まって、どのように終わるのか？　物質とは何か？　命とは何か？　心とは何か？　―は新しくはない。新しいことは、我々は、やっと、今にもそれらに答えられるかもしれないということだ。この驚くべき展望は、最近の目を見張るような物理科学の発展による。つまり、新しい物理学だけでなく、関連する新しい宇宙学だ。

創造のすべてを統一した説明が、初めて我々の手の届くところにあるかもしれないのだ。どのように宇宙ができたのかという謎よりも根本的で手ごわい科学問題はない。これは、超自然的エネルギーなしに起こり得た事なのか？　量子物理学は、「タダでは何も得られない」という古い考えに、抜け道を与えているように見える。物理学者は、今、「自己創造する宇宙」というものを議論している。つまり、原子核内の粒子が時々、高エネルギー過程で何もないところから飛び出してくるように、自発的に爆発して存在へと至る宇宙だ。この理論の内容が正しいか間違っているかは、さほど重要ではない。重要なのは、今、創造すべてに関する科学的説明を考え出すことが可能だということだ。現代物理学は神を完全に廃してしまったのだろうか？……
この本の主なテーマは、私が存在の四大問題と呼ぶものだ。
なぜ自然の法則は、そのようになっているのか？
なぜ宇宙は、そのようなものでできているのか？
どうやって物質ができたのか？
どうやって宇宙はその構成に達したのか？

本の最後の方で、これらの問題に暫定的に答えている。物理学者である私の自然の理解に基づいた答えだ。答えは全く間違っているかもしれないが、私は、物理学は独自に答えを出すものだと信じている。奇抜に聞こえるかもしれないが、私が思うに、宗教よりも科学の方が、神へと至るより確実な道を提示している。それが正しかろうが正しくなかろうが、実際に科学が以前は宗教的な問題だったことと真剣に向き合うところまできた、という事実だけでも、新物理学の広範囲に及ぶ影響がわかる。…私がこの本を書いた理由は、世界には目で見えるもの以上の何かがあると確信しているからだ。

**（2）テンプルトン賞受賞の時のスピーチ「物理学と神の心」（1995年8月）**

…人は、物理的な世界は秩序があり理解できるということを当たり前だと思っています。自然の根本にある秩序、つまり物理の法則は、当たり前のこと、単なる事実として受け止められています。それがどこから来たのか、誰も聞きません。少なくとも礼儀正しい仲間の間では。しかし、最も無神論者の科学者であっても、宇宙は不条理ではないこと、少なくても部分的に我々が理解できる自然の法則のような決まり事として現われる物理的存在の合理的基盤があることを、信念として認めています。だから、科学は、科学者が本質的に神学的な世界観を持ったときにのみ、発展することができるのです。

…自然の法則の暗号のような性質を考えると、その神秘さはさらに増します。ニュートンがリンゴが落ちるのを見たとき、彼は落ちていくリンゴを見たのです。リンゴの動きを月の動きと関連付ける微分方程式を見たわけではありません。物理的現象の根底にある数学的法則は、直接的な観察では明らかになりません。難解な実験の手段や数学理論を用いて、苦労して引き出されなければならないのです。自然の法則は我々から隠されており、多くの努力を費やした後にのみ、明かされるのです。無神論支持の科学者であった故ハインツ・ペイゲルズは、自然の法則は宇宙の暗号のようなもので書かれており、科学者の仕事はその暗号を解読し、メッセージを明かすことだと言いました。そのメッセージは、自然のメッセージ、神のメッセージ、好きに呼べばよいのですが、我々のメッセージではありません。

驚くべきことは、人間は素晴らしい解読の才能を発達させたことです。これが科学の不思議と素晴らしさです。科学を使って自然を解読し、宇宙が従う秘密の法則を見つけることができるのです。

…もし存在に意味、あるいは目的があるのなら、私はあると信じていますが、物事の起源にこだわりすぎるのは間違いです。ビッグ・バンは時に「創造」と呼ばれますが、実際、自然は創造的でなくなったことは一度もありません。この継続する創造性は、新しさと複雑さや、物理的システムの構成の中に自発的に現われてくるもので、科学者が探そうと懸命になっている基本的な数学の法則によって可能にされ、あるいは導かれているのです。

…科学は自然の神秘性を解明してしまうので、多くの人が科学に反発しています。神秘的な方が好きなのです。その人々は、世界がどのように機能しているのか、その中の我々の立場は何なのかを、むしろ知らずに生きていたいのです。私にとって科学の美しさは、まさに神秘性を取り除くことにあります。なぜなら、それにより、物理的な宇宙がいかに本当に素晴らしいかが明らかになるからです。最先端分野で研究している科学者が、自然の法則のような秩序の優雅さ、巧妙さ、そして調和に畏敬の念を持たないのは不可能です。私は自分の興奮と畏敬の念を多くの人と共有したいという切実な思いに駆られ、科学を世に広める努力をしているのです。私は、人々によい知らせを伝えたいのです。私たちが科学に従事できること、自然の隠された法則を理解できることは、非常に重要な贈り物であると考えています。適切に行なわれる科学は、素晴らしく豊かな、人間味あふれる活動だ。科学と呼ばれるこの贈り物を正しく使うことが間違っているとは思いません。素晴らしいものなので、私たちは知るべきだと思います。

では、この話の中で、神はどこに出てくるのでしょうか？　宇宙を始めたビッグ・バンの中でも、生命と意識を創り出す物理的プロセスに気まぐれに干渉することにでもありません。自然界が自発的に自ら対処することができるという点だと思います。物質的力と競って原子をあちらこちらに動かす自然の中の単なる力、あるいは媒体としての神には感動できません。私にとって、自然の真の奇跡は、宇宙の巧妙でゆるぎない合法性の中に見つけられるものです。カオスから出現する複雑な秩序を可能にし、無生物から命を生じさせ、時に超自然の刺激なしに命から意識を生じさせる合法性、存在の偉大な質問を投げかけるだけでなく、科学と他の調査方法を使って答えを見つけ始めている生き物を創る合法性です。

…私にとって、物質的存在の作られた性質は、ただ「与えられたもの」として考えるには、素晴らしすぎます。それは、存在の根底の奥深くにある意味を力強く示しています。ある人はそれを目的と呼び、ある人は設計(design)と呼びます。これらの大それた言葉は、人間の部類から引き出されたものですが、宇宙が何であるかを不完全にしかとらえていません。しかし、それは何かであるのだ、ということを私は全く疑っていないのです。

この偉大な宇宙計画のどこに人間が適合するのでしょう？　…生命と意識の出現は、宇宙の法則に非常に基本的に書かれています。人類の実際の体の形と精神構造は、特に重要性もない偶然的な特徴を多く含んでいるのは事実です。もし宇宙創生が再実行されたとしたら、太陽系も地球もなく、人もいないでしょう。でも、どこかでいつか宇宙で生命と意識が出現することは、根底の自然の法則で保証されていると思います。生命と意識の起源は、介入主義の奇跡ではなく、途方もなくあり得ない偶然でもありません。それは、自然の法則の自然な完遂の一部で、我々のように意識があり知りたがる存在は、結局は物質的な存在の基盤から、精巧で適切な法則から生まれるのです。これが、私の著書『神の心』の中で書いた認識です。「我々は、まさに、ここにいる運命なのだ」。ここに言う「我々」とは、ホモサピエンスのことではなく、意識ある生物の意味です。だから、我々は宇宙の中心ではないけれど、人間の存在には、力強く幅広い意義があるのです。宇宙全体が何であろうと、科学の証拠は、我々が、限られてはいるが究極的には非常に深い形で、宇宙の目的の必要不可欠な部分である、ということを示しています。

これらのことを科学的にどのように証明できるでしょう? 科学の一番の課題は、意識の性質全般、特に人間の意識を理解することです。我々は、まだ、心と物質がどのように関連しているのか、最初にどのようなプロセスで物質から心が出現したのか全く見当がつかないでいます。これは、現在非常に注目を浴びている研究分野ですが、私も独自の研究を追求するつもりです。我々が、意識がどのように物理的な宇宙に適合するかを理解するとき、心は、宇宙の法則から出現するもので、原則として予想できるものだという私の主張は証明されるでしょう。

…我々が認める勇気があるなら、主流の科学は、物質世界についての知識に関して最も信頼できる道を示すと思います。科学者が絶対確実だと言っているのではなく、科学が後の宗教になるべきだと言っているのでもありません。でも、私は、もし宗教が真に発展するのなら科学文化を無視はできないし、恐れてもいけないと思っています。なぜなら、科学はただ、宇宙が驚くべきものであることを明かすのですから。

…今日発表した私の立場は、決定的に違うものです。宇宙を、気まぐれな神のおもちゃではなく、理路整然として、合理的で、優雅で、調和のとれた、深く目的ある意図の表現としてとらえているのです。

# ウィリアム・ダニエル・フィリップス
# William Daniel Phillips

(1948～　アメリカ　物理学者　ノーベル物理学賞受賞)

イタリア人の母を持つフィリップスは、ペンシルベニア州で生まれた。幼い頃から実験を好み、学校では成績優秀で、小学校ではいくつもの優秀な生徒向けの特別コースに参加していた。高校生の時にデラウェア大学での夏期コースへの参加が叶い、素粒子物理学の実験に取り組んだ。両親と同じ地元の大学を卒業すると、マサチューセッツ工科大学（MIT）の物理課程で素粒子を発見する装置の開発と実験を行なった。1976年に博士号を取得し、MITからは、奨学金が授与され、その後2年間、自身の研究を続けることができた。研究期間中、実験を共にした特別研究員の物理学者たちと強い絆を結んだ。後に彼はそのうちの2人とノーベル賞を共同受賞することになる。MITでの研究の後、米国立標準技術研究所（NIST）に就職し、素粒子に関する取り組みや発見を続けた。1997年、スティーブン・チューとクロード・コーエン＝タヌージと共に、レーザーを使って原子を捕らえ、極低温に冷却する方法の開発によりノーベル物理学賞を受賞した。

# ウィリアム・ダニエル・フィリップス William Daniel Phillips

（1948～　アメリカ　物理学者　ノーベル物理学賞受賞）

**（1）ティホミル・ディミトロフ「神を信じた50人のノーベル賞受賞者とその偉大な科学者たち」（サイエンティフィック・GODジャーナル　2010年4月　Vol.1　Issue3）に収録のインタビュー**

私は神を信じています。実際、私は地上の生物の中で振舞い、生物と交わる人格神を信じています。物理的な宇宙の秩序正しさや、生物の発展のために宇宙の状態が非常に素晴らしく微調整されていることを観察すると、知的な創造者がその原因であることがわかると思う。私は個人的な信仰から神を信じていますが、その信仰とは、私が科学について知っていることと一致しているのです。

（「科学と宗教の関係はどのようなものであると思いますか？」との質問への答え）

これは複雑な問題で、私よりも賢い他の人たちが本を書いています。大部分に於いて、科学と宗教は異なる方法を用いて（まったく異なる方法ではないが）、異なる問題に対処しています。科学は、物事の動き方、宇宙の発展の歴史やその他類似した問題を扱います。宗教は、究極的な意味、人々の関係性、人と神の関係性などを扱います。宗教的・道徳的決定が、科学的事実に基づいてなされなければいけないこともあります。また、地球の観察を通して、神が部分的に明かされると私は信じています。

### （2）「普通の信仰、普通の科学」（2002年パリ、ユネスコ会議での講義）

多くの科学者が非常に標準的な宗教的信仰を持っている。物理学者の私もその一人だ。…私の信仰は事実無根でも理不尽でもないが、科学的でもない。私は、神を創造者、そして友人として信じている。つまり、私は、神は個人に向きあい、我々と交わるものだと信じている。私の神に対する見解が科学的調査でもっと確かに検証できないかと思うが、これは無理だろう。神は、地球上に明らかな「指紋」は残さないようにされたのだ。特に、科学が神の個人に向かう性質を確認することはありそうもないと思う。…

普通の科学者であり、同時に普通のクリスチャンであることは、私にとって全く自然だ。私の知る深い信仰を持つ他の多くの科学者にとっても、まったく自然なことだ。しかし、他の人にとっては、科学と信仰の両方に真剣になることなどおかしなことで、驚きさえもするようだ。…

宇宙の秩序正しさ、わかりやすさ、美しさを観察する時、私は、ある高度な知性が、私の目に映るものを設計したのだという結論に至る。物理学の一貫性と愉快なまでの単純性に対する私の科学的な評価は、私の神への信仰を強めている。宇宙の構造は、不思議なほどに生命の発展に適している。自然の基礎的ないかなる定数（例えば、二つの電子の間の力がどれくらい大きいかを説明する数字）、あるいは宇宙の最初の状況（物質の総量など）に小さな変化があったなら、我々が知るような生物は発展することが不可能だったのだ。なぜ宇宙は、このように生命の存続にぴったり調整されているのだろう？　もっと直接的に言えば、なぜ宇宙は、我々が存続するのにぴったり調整されているのだろう？　簡単な答えは、もしそうでなかったなら、我々は今ここで質問などしていないということ（人間原理）。だがこれは、なぜ、存在し得る無限の数々の宇宙の中で、知的な生命を支える一つの宇宙があるのか、という質問に答えていない。多くの人が、知的な創造者が宇宙をそのように設計したからだと結論付けることはなさそうだ。

これは、知的な創造者がいることの論理的で科学的な証拠になるだろうか？　なるかもしれない。でも一般的に説得力はない。宇宙の秩序と美しさを良く知っている私よりも賢い科学者たちは、私とは逆の結論に至っている。（そして、彼らよりも優れた科学者たちは、私と同じ結論を出している）。複数の宇宙に関する仮説は、一つの宇宙が生命に適していることは非常に可能性が低いという。（しかし、これらの仮説も、少なくともこの時点では、神への信仰を支持する証拠よりも確固たる証拠はないのだ）。

私は（科学的あるいは神学的な根拠もない意見なのだが）、神の存在に関する、真に説得力ある科学的証拠を見つけることは出来ないのではないかと思う。神は創造したものにご自分の「指紋」は残さないのではと思う。ある賢者は、もし、神の存在を証明する説得力ある証拠があるなら、信仰などいらないだろう、と言った。

にもかかわらず、多くの科学者が、科学的証拠は十分にあるとして、我々の周りにあるものすべてを存在させ動き出させた知性ある創造者を信じているのだ。多くが、時に「アインシュタインの神」と呼ばれるものを信じる。それは、創造物の裏にある知性と秩序が具体化したものだが、地上の生物を気にかけ、交わる人格神ではない。言い換えると、伝統的な宗教の神ではないのだ。このような信仰は、信奉者の数ほど多い。ある科学者は、このような信仰を非常に美しく的確に表現したウォルター・シャルマース・スミスの『神の知恵ぞはかりなき』（1867年）を自分の好きな賛美歌として挙げている。

永遠で、見ることのできぬ、唯一の聡明な神よ
届かぬ光の中に、我らの目から隠れておられる…
我らは褒め称える。どうか我らに見せてください
御身の隠された光の輝きだけを

…私は、科学と信仰は接点があると思う。なぜなら神は、我々に、御自身の作られた宇宙をできるだけ発見させたいからだ。良い親が自分の子供にできるだけ自分の力で学ばせたいように、神も、我々が新しい発見をするたびに喜ばれているのだと思う。神は、科学的発見を含む神が与えられたすべてのチャンスを通して、我々に豊かな人生を歩んで欲しいのだと思う。そして、神は、我々が世界をよく知ることで、世界をより良い場所にするように命じられているのだと思う。私は、科学的研究は、奥深い信仰の使命だと思う。それは、神が創造を続け

られる中で、我々をパートナーにするための一つの方法だと思う。

だが、これは、科学の価値についての私の信仰の表現に過ぎない。信仰と科学的知識をより直接的に結ぶものは何だろう？　宇宙の微調整と人間原理の勉強に加え、複数の宇宙についての仮説と、物理的法則と定数に内在する制限について分析することで、いつか、創造の裏にある知性の非常に説得力ある証拠が見つかるかもしれない（あるいは見つからないかもしれない）。

### （3）スティーヴン・ホーキングと共に、ホワイトハウスでのミレニアム講義シリーズに参加したときの発言（1998年3月6日）

（「フィリップス博士、なぜ宇宙は法則に従うのでしょうか？」〔笑〕）

それはとてもよい質問です。私がとても良い答えを持っていたらよかったのに（笑）。そのような質問に、科学者、哲学者、神学者は長い間、興味を引き付けられ、延々と議論してきました。それは非常に注目すべきことです。

ホーキング教授が語った素晴らしいことのすべてが、実際に、少しの比較的簡単な方程式と、沢山の複雑な計算で説明できるのです。宇宙はなぜ、こんなにシンプルなのでしょう？　どうして、宇宙は数学的法則に従うのでしょう？　人々はこれについて推測してきましたが、可能性のある一つの答えは、もし宇宙が今の状態と少しでも違っていたら、我々はここに存在していなかったということです。つまり、もし宇宙の法則が今の法則でなかったら、あるいは、まったく法則がなかったら、生命が進化することは不可能だったということです。このような質問をするところまで我々が進化することは不可能だったのです。それを「人間原理」と呼ぶことがあります。人間だけでなく、恐らくアメーバにも当てはまることだと思いますが、アメーバも進化することができなかったでしょう。

その一方でもう一つの答えがあります。この答えも、一つ目の答えからさほど離れてはいません。もしあなたが、私のように信仰を持つ人なら、宇宙が法則に従う理由は、神がそのように創られたから、我々がこれまで発展してきたように発展し、進化してきたように進化することを神が欲されたからと答えることができるでしょう。これはもちろん哲学的で神学的な答えで、科学的結論と言うよりは個人の信仰に関係するものですが、私はこの答えが非常に好きで、最初の答えとそう変わらないと思っています。

## フランシス・コリンズ
## Francis Collins

（1950～　アメリカ　遺伝学者　大統領自由勲章受賞）

1950年、ヴァージニア州スタントンで生まれ、農場で育つ。ヴァージニア大学とイェール大学で化学を学び、イェール大学で博士号を取得した。その後、DNAやRNAに興味を持ち、ノースカロライナ大学チャペルヒル校（UNC）に進み医学博士号を取得した。ミシガン大学では教授職と研究職を務めた。ヒトの遺伝情報を読み解くことで遺伝子と病気の関係を解明する人類遺伝学に熱中し、ヒトゲノム解析計画に深く携わるようになる。1993年には、DNAコードの発見者の一人として有名なジェームズ・ワトソンに代わり、米国立ヒトゲノム研究所所長に就任し、2008年5月に退職。2009年には米国立衛生研究所所長に任命された。遺伝学の基礎研究に大きく貢献し、遺伝学に法的・倫理的影響を与えてきた。バイオロゴス財団の創設者であり会長でもある。2006年には著書"The Language of god—a Scientist Presents Evidence for belief.（邦題：ゲノムと聖書 科学者、〈神〉について考える）"を執筆した。

# フランシス・コリンズ　Francis Collins

（1950～　アメリカ　遺伝学者　大統領自由勲章受賞）

## （1）著書『神の言語：科学者が信念の証拠を提示する』（2006年）より

もし、人間性の法則が文化的な作り事や進化の副産物として説明できないのなら、それが存在することをどのように説明できるだろう？　何かまったく普通でないことが起こっている。以下にルイスを引用する。「もし、宇宙の外側に支配する力があるのなら、それは宇宙の中にある事実の一つとしてその姿を見せることは出来ない。建築家が、その家の壁や階段や暖炉にはなり得ないように。それが姿を現すだろう唯一の方法は、我々に特定の行動をとらせようとする影響力や命令として我々の内側にいることだ。それが、まさに我々が自らの中に見つけるものだ。きっと、これは我々の疑いを引き起こすはずだろう？」

私は26歳でこの主張を聞き、その論理に愕然とした。この道徳の法則は、日常生活で馴染みあるものとして私の心の中に隠れていたが、今初めて明快な原理として現れ、私の子供っぽい無神論の奥底に明るい白い光を照らし、その起源を真剣に考えるように要求したのだ。この神が私を振り返って見ていたのだろうか？

そうならば、この神はどのような神だろう？　アインシュタインが考えたように、物理学と数学を発明し、約140億年前に宇宙を動かし始め、その後、他のもっと重要なことに対処するためにどこかへ行ってしまった理神論の神（a deist God）だろうか？　いや違う。もし仮に私が神に気づいていたならば、この神は人間と呼ばれる特別な生き物と何かしらの関係性を欲したので、我々一人一人に僅かな特別なしるしを植え付けた有神論の神（a theist God）に違いない。この神はアブラハムの神かもしれないが、確実に、アインシュタインの神ではなかった。

もし、実際に神が存在するなら、この神の性質を感じることの高まりには別の重大性があった。私は定期的に道徳の法則を破っていたのだが、その法則の非常に高い基準を考えると、これは神聖な正義の神だ。その神は、善が具体化したものでなければならないだろう。また、悪を憎むはずだろう。そして、この神が優しく寛大であることを疑う理由はなかった。神のもっともらしい存在に徐々に気づいていくと、対立する感情があった。そのようなマインドの存在の幅広さと深さに安心させられる感覚と、神の光に照らされ自分の不完全さに気づくときの深い動揺だ。

私は、自分が無神論者であることを確認するために、この知的探査の旅を始めた。道徳の法則（と他の多くのこと）からの根拠が、私に神の仮説がもっともらしいと余儀なく認めさせるので、その旅はもう成り立たなくなった。二番目に安全な場所だと思われた不可知論も、現実逃避のように見えた。神を信じることが、信じないことよりもずっと理に適っているように見えた。

また、科学は、自然界の謎を解き明かすのに疑いない力を持っているのだが、神の謎を解くには不十分だということが明らかになった。もし神が存在するなら、自然界の外にいるはずで、故に、科学の手段は神について学ぶのに適さない。そうではなく、私は自分の心を見つめて理解し始めたのだが、神の存在のしるしは、他の方向から得なければならず、究極的な決断は、証拠ではなく信仰に基づいているのだろう。私は何という道を踏み出してしまったのかという混乱させられる疑念に悩まされながら、私は、神の存在を含む精神的な世界観の可能性を受け入れる入り口に到達したことを認めなければならなかった。

…今あるすべての証拠によると、地球は、誕生してから始めの5億年は非常に住みにくい場所だったことを示している。地球には、つねに巨大な小惑星や隕石が破壊力を持ってぶつかっていったが、その一つは、ぶつかった衝撃で実際に地球から月を作った。当然のことながら、40億年ほど前の岩の塊は、まったく生命の影すら見せなかった。しかし、たった1.5億年後に、複数の異なる種類の微生物の生命が見つかったのだ。推定上、これらの単細胞の有機体は、恐らくDNAを使った情報ストレージが可能で、自己繁殖でき、異なる複数の種類に発展していくことができただろう。

…これまで、科学は、生命の起源についての難解な問題を説明することができていないので、有神論者の中には、RNAとDNAを神の創造の産物である可能性があるのではないかと言う者が出てきた。もし神が宇宙を作った目的が、神が関わりを持つ生物、つまり人間へと導くことなら、そしてもし生命の課程をスタートするのに必要な複雑さは、宇宙の化学物質が自己組織する能力を超えていたら、神がその課程をスタートするのに介入したということはないだろうか?

現在、どの真面目な科学者も、生命の起源に関する自然論的な説明が存在する、と主張していないので、これは魅力的な仮定となりえる。しかし、今日は真実かもしれないが、明日は真実ではないかもしれない。科学の理解がいまだ欠けているこの分野、あるいは他の分野で、神による特別で神聖な働きを持ち込むのには注意が必要だ。古代の日食から、中世の惑星の動き、そして今日の生命の起源の問題まで、この「隙間を埋める神」アプローチは、宗教に対して幾度となく害を及ぼしてきた（そして暗に、あり得るならば、神に対しても）。もし、科学の進歩が後にこれらの隙間を埋めるなら、現時点の自然界の理解の至らぬところ（隙間）に神を置くという信仰は難局へと向かうだろう。自然界の理解が不完全な中、信じる者たちは、後で崩壊する運命にある不必要な神学的議論を作らないように、現在未解明なことに神を思い起こすのは気を付けるべきだ。数学の原理や創造の秩序の存在を含め、神を信じるもっともな理由はいくつもある。それらは、（一時的な）知識の欠如に基づく既定の思い込みではなく、知識に基づいた確かな理由だ。

手短に言えば、生命の起源の問題は興味をそそるもので、現代科学が統計的にもっともらしいメカニズムを発展させられないのは不思議なのだが、これは、思慮深い人が自分の信仰を賭けるところではないのだ。

# トニー・ロスマン
# Tony Rothman

(1953～　アメリカ　理論物理学者)

一般相対性理論と宇宙論専門。研究の大半が初期宇宙とブラックホール物理に関するものだが、時に量子力学や他のテーマの研究にも取り組む。オックスフォード大学、モスクワ大学、ケープタウン大学で博士課程修了後、研究を行なう。その後、プリンストン大学、ハーバード大学などで物理学を教える。2016年1月、ニューヨーク大学ポリテック（現在はニューヨーク大学タンドン・スクール・オブ・エンジニアリングに改名）の教員陣に加わる。著書に『聖なる数学：算額 - 世界が注目する江戸文化としての和算』（深川英俊と共著）など。

# トニー・ロスマン Tony Rothman

（1953～　アメリカ　理論物理学者）

## （1）「『見た通りのものを引き起こすことができる』説」（ディスカバー誌、1987年5月掲載記事）

アリストテレスの目を通して夜空を眺め、天使たちが天体を調和の中に動かしているのを見た中世の神学者は、アインシュタインの目を通して同じ夜空を眺め、神の手を天使にではなく不変の自然の中に見た近代の宇宙学者になった。

…私の筆は、これらの言葉を書いている最中にもためらっている。なぜなら、20世紀の物理学者である私は、最後の段階は、論理的な結論ではなく、信仰の飛躍であることを知っているからだ。

…宇宙の秩序と美しさや、自然の不思議な一致に直面する時、科学から宗教へと信仰を飛躍させるのは非常に魅惑的だ。多くの物理学者がそうしたいのだと思う。私はただ、皆がそれを認めることを願う。

## （2）「カーテンの後ろにいる男」（アメリカン・サイエンティスト　VOL．99、No．3　5-6月号掲載記事）

このような例（数学的に矛盾があるのに根本的な問題点を避けること）は、物理学のあらゆるところに見られる。物理学を教える者は、それらが存在しないというふりをするのではなく、幕の後ろから操っている「魔法使い」を思い起こさせ、認める方が良い。

20世紀末でも、物理学は一般に認められた真実、神の顔を明らかにするもの、とみなされてきた。まだそのように信じる物理学者たちもいるが、私はむしろ、物理学というのはモデルを集めたもので、モデルは領域の地図を描くが、領域それ自体にはなり得ない、と考えたい。

これは、多くにとって敗北主義のように感じるかもしれないが、究極的な答えは、人間が理解するものではない。物理学者は他の科学者よりも自然界を説明するのに先を行っているが、説明を理解と混同すべきではない。

## ジェームス・M・ツアー
## James M. Tour

（1959～　アメリカ　合成機化学者）

合成有機・有機金属化学専門でパーデュ大学より博士号取得。サウスカロライナ大学化学生物化学部で 11 年間教職に従事した後、1999 年、ライス大学ナノスケール科学技術研究所へ移動。現在、同研究所で、化学、コンピューターサイエンス、材質科学、ナノ工学の TT and WF Chao 教授を務める。研究分野は、ナノ電子、グラフェン電子、酸化ケイ素電子、医療用カーボン・ナノベクター、改良した石油回収と環境に優しい石油とガスの採取へのグリーンカーボン研究などを含む。研究出版物は 630、特許は 120 に上る。2015 年、全米発明家アカデミーフェローに選ばれる。2014 年には、TheBestSchools.org の「今日世界で最も影響力のある科学者 50 人」、トムソン・ロイター ScienceWatch.com の「世界で最も影響力のある科学者」に選ばれた。投資家にテクノロジーアセスメントを行なうナノ J テック・コンサルタント会社の創始者で、社長を務める。

# ジェームス・M・ツアー　James M. Tour

（1959～　アメリカ　合成機化学者）

**（1）リー・ストロベル『信仰について』（ゾンダーヴァン、2000年）に引用された発言**

私は分子を組み立てて生計を立てているが、それがどれほど難しい仕事か、到底言うことは出来ない。…私は、神が創造を通して成し遂げたことが理由で、神に対して畏敬の念を持っている。科学について何も知らない初心者だけが、科学は信仰を損なうと言う。科学を真に研究するなら、神へとより近づけるだろう。

**（2）「生命の起源、インテリジェント・デザイン、進化論、創造と信仰」（ブログ投稿記事2017年7月更新）ジェームズ・M・ツアー・グループ、ライス大学**

…私は聖書を信じており、神が、天と地と、そこに住む、アダムという男性とイブという女性を含むすべての生物を創ったということを信じている（科学者である私にとって、信仰は科学的証拠より上を行くと言える）。多くの詳細と期間については、個人的にはよくわからない。「神は6日間で天と地を創られた」と書いてある文章の、どこが「よくわからない」というのか、と聞く人がいるかもしれない。それはもっともな質問で、満足できる答えを出せたらいいとは思う。だが、よくわからないので答えることは出来ない。だから、マクロ進化論の提案に対する化学に基づいた科学的反対に加え、私は神学的にもそれを支持することを躊躇するのだ。聖書を愛する者として、創世記をそこまでの大きなたとえ話にすることは出来ない。屋根の上のバイオリン弾きのテヴィエが「そんなに曲げようとしたら、壊れてしまう!」と言ったが、そんな風にならないように。神は、我々が神を切望し続けるように、自然を、解決策ではなくヒントとして設定されたようだ。そしていつの日か、我々が、これらマクロ進化的な変化のメカニズムと、最初の生命の起源に至ったプロセスを真に理解したなら、それは神を低めることにはならない。すべての発見と同じように、二本鎖DNAの中の遺伝子コードが発見されたときのように、それは神の寛大さを強調することになるだろう。

科学者とキリスト教徒（メシアニック・ジュー）である私は、科学と信仰の両方に於いて、多くのことがわからない。しかし、それらの多くの疑問は、私の救済にとって根本的なものではない。救済は、イエス・キリスト（救済主イエシュア）が完成された仕業、救済主イエスに対する私の告白、そしてイエスが死から肉体的復活をしたことへの私の信仰に基づく。実に、この肉体的復活は、神がその目的を達成するために、通常観察される科学の物理的法則を超えてなされた特殊な例だ。だから、それは奇跡と呼ばれるのだ。そして、言葉にはできない神の能力に感謝するのだ。

# ピタゴラス
# Pythagoras

（前 570 ～前 496　古代ギリシャ　数学者　哲学者）

紀元前 570 年頃、サモス、イオニア（ギリシャ）生まれ。ギリシャの哲学者、数学者、ピタゴラス同胞団の創設者。ピタゴラス同胞団は本質的には宗教的だが原則を策定し、プラトンとアリストテレスの思想に影響を与え、数学と西洋の合理的哲学の発展に貢献した。
前 532 年頃にサモスの暴君の支配から逃れ、南イタリアに移住し、クロトン（現在のイタリアのクロトネ）に倫理政治アカデミーを設立した。
著作は残っておらず、ピタゴラスの教えと弟子たちの教えを区別することは難しい。しかし一般に、その客観的な世界と音楽における数の機能的重要性の理論で高い評価を得ている。
しばしば彼に起因するとされる他の発見（たとえば、正方形の辺と対角線の通約不可能性、および直角三角形のピタゴラスの定理）は、おそらくピタゴラス学校で後に開発されたものである。
ピタゴラス自身に端を発する知的伝統の大部分は、おそらく、科学的学問ではなく、神秘的な知恵に属している。
前 496 年、イタリアで死去。

# ピタゴラス　Pythagoras

（前570～前496　古代ギリシャ　数学者　哲学者）

ピタゴラスは、イオニア（小アジア）沖のサモス島で生まれたが、若い頃、ポリュクラテスの専制政治から逃れるために、故郷を離れて南イタリアのクロトネに移住し、初期のオルペウス教に似た、そしておそらくその影響を受けた秘密の宗教結社を設立した。クロトンの文化的生活の改革に着手し、市民に美徳に従うように促し、彼の周りに信者の輪を作った。

ピタゴラスによれば、「数」または数学的原理は、世界に秩序、調和、リズム、美しさを与えるものである。この調和は、宇宙と魂の両方のバランスを保つ。ピタゴラスにとって、「数」は抽象的な概念ではなく、規範、宇宙、そして合理的な自然物として顕われる具体化された実体である。

## ピタゴラス教徒

ピタゴラス教徒は、宗教的な教え、一般的な食事、運動、読書、哲学的研究の決められた生活を送ったといわれる。このことから、この生活に加わるにはある程度の富と自由な時間が必要だったと推測できる。音楽のハーモニーは魂の調和に効果的であると信じられていたので、音楽は人生に不可欠な要素と考えられていた。弟子たちは定期的に一緒に賛美歌を歌ったり、竪琴を使って魂や体の病気を治したり、記憶を助けるために睡眠の前後に詩の朗読を行なったりしたと言われている。

初期のピタゴラス同胞団は、前5世紀の後半までに解散したが、その後すぐにタレンタムで再編成され、前4世紀の終わりまで続いた。ピタゴラスとピタゴラス教徒の思想は、他の著者による断片と引用の中にのみ残っている。前1世紀頃、ピタゴラス教への関心がローマで復活し、多くの偽書が書かれた。

## 魂の輪廻

ピタゴラス教徒は、魂の輪廻についての教えと、数が物事の本質を成すという理論で知られていた。魂の輪廻の教義は、次のような核となる信念によって構成されている。魂は不滅で、その誕生と死の際に生き物から別の生き物へと移動する。人体は魂の刑務所のようなもので、肉体的な欲求は魂の自由を妨げる（「体は墓である」）。この教義は、ピタゴラス教徒を動植物の殺害と食事に関する多くの規則に導いた。

彼らは輪廻からの解放を期待して浄化の儀式を行ない、彼らの魂が神々の間のより高い階級に到ることを可能にするだろうと彼らが信じた禁欲的、食事的そして道徳的な規則に従った。宗教的な訓練とは、哲学と数学の研究（それにより魂の感覚を養う）、音楽の練習（人間のバランスと調和を高める）、および身体運動（身体制御の訓練）である。

## 宇宙学

ピタゴラス教徒にとって、調和とバランスは宇宙の秩序を決定する原則だった。数値的および幾何学的な比率は、この秩序ある世界の構築を表している。ピタゴラスの数秘術には、古代中国の思想における陰と陽の原理に匹敵する、男性性と女性性の二つから構成される原理が含まれていた。ピタゴラス教徒は、すべての数を奇数と偶数のペアに分割し、奇数を男性性、偶数を女性性と関連付けた。2世紀と3世紀の学説史家であるヒッポリュトスは、ピタゴラスの二面性の原理を次のように説明した。

…数は第一原理であり、定義されず、理解できないものであり、それ自体が無限に達する可能性のあるすべての数を持っている。そして、数の第一原理は、実質的に、男性のモナドである最初のモナドであり、父親として他のすべての数を生む。第二に、ダイアドは女性の数である。第三に、トライアドは男性の数である。最後に、テトラッドは女性の数である。

…双対性に関するピタゴラスの見方は、世界の対になった要素にまで拡張された。有限と無限、一と多、光と闇など。著書『形而上学』で、アリストテレスはこのピタゴラスの見方を説明している。

…ピタゴラスの数秘術では、10という数字は完全で神聖な数字であり、1、2、3、4の4つの数字の合計である。これらの4つの数とそれらの合計（数10）は、すべての数と世界の基本単位として考えられた。

# プラトン
# Plato

（前 427 ～前 347　古代ギリシャ　哲学者）


西洋文学の伝統の中で最も素晴らしい作家の一人であり、哲学の歴史の中で最も浸透し、幅広く、影響力のある作家の一人である。地位の高いアテナイ市民である彼は、当時の政治的出来事や知的運動への没頭を作品に表わしているが、提起する質問は非常に深遠であり、それらに取り組むために使用する戦略は非常に示唆的で挑発的であり、ほぼすべての時代が何らかの形で彼の影響を受けており、事実上すべての時代で、いくつかの重要な点でプラトニストを自認する哲学者がいる。

彼は「哲学者」という言葉が使われるべき最初の思想家や作家ではなかった。しかし、彼は哲学がどのように考えられるべきか、そしてその範囲と野心が適切に何であるかについて非常に自意識が強かった。そして自身が取り組んだ知的流れを非常に変えたので、哲学の主題はしばしば彼の発明と呼ばれる。それは厳密で独特の方法で武装した、倫理的、政治的、形而上学的、認識論的問題の体系的な調査である。

西洋哲学の歴史の中で、彼とその深さや領域が近似している他の著者はほとんどいない。おそらく一般的に、（彼と一緒に研究した）アリストテレス、アクィナス、カントだけが同じランクであることを認められるだろう。

# プラトン　Plato

（前427～前347　古代ギリシャ　哲学者）

プラトンは最初のギリシャ哲学者ではないが、間違いなく最も有名で影響力のある哲学者である。20世紀の哲学者アルフレッド・ノース・ホワイトヘッドが、「哲学の歴史はプラトンへの脚注にすぎない」と述べたことがよく知られている。

## イデア論

認識論について、彼の有名なイデア論は、パルメニデスの「すべてが一つである」という概念と、「すべてが動いていて変化している」というヘラクレイトスの概念の「中間」を見つけようとした試みであったといわれる。

プラトンは、ヘラクレイトスの「物質界のすべてが絶えず変化している」という意見を認めた。それでも、私たちが知識を習得できれば（プラトンはそれは可能だと考えた）、何かが安定しているか永続的でなければならず、「それ」を知ったときに私たちは真実を知ることができるというものだ。このため、プラトンは、私たちの「イデア」は、変化しない安定した永続的な存在であると考えた。これらのアイデアを知る、または「見る」ことは、不変の真実を知ることであるという。

プラトンは、哲学的知識は数学と密接に連携していると考えた。なぜなら数学では完璧な知識を得るからだ（たとえば、２＋２＝４であり、他の答えはない）。したがって、数学的な例を挙げることが、彼のイデア論を理解するのには役立つ。たとえば、三角形の定義を考えてみると、それは完全に真っ直ぐの線である三辺に囲まれ、それぞれの角度の合計がちょうど１８０度になる図形のことだ。

ところで、私たちが描く個々の、または特定の三角形は、技術的な機器がどれほど精密でも、たとえほんのわずかであっても常に若干の欠陥がある。したがって、これらの特定の三角形または物質的な三角形は不完全なのだ。

さらに、それらは何らかの物質的なかたちで描かれているので、（それが描かれた紙や黒板などを燃やすことによって）破壊できてしまう。

では、完全な三角形とは何で、どこにあるのか、ということになる。それは、私たちの心が関与できる非物質的な領域にのみ存在するイデアでなければならない。完璧な三角形のイデアは決して変わることはない。それは永続的、理想的、または永遠である。

プラトンは、この理論をすべての生物に適用した。私たち個々の人間は、死を免れず、変化し、不完全だが、人間のイデアは永遠で、永続的で、完璧（理想的）なのだ。イデアは死なないが、私たちは（少なくともプラトンにとっては物理的に）死ぬだろう。同じことが犬や花のイデアにも当てはまる。個々の人間、犬、花はすべて、（人間、犬、花の）一つの永遠のイデアに関与しているだけなのだ。

## 不死と生まれ変わり

初期の対話篇である『メノン』で、プラトンは、登場人物であるソクラテスに、「魂は不滅であり、私たちの誕生前に存在していた」というオルペウス教とピタゴラス教の考えを紹介させた。彼は、すべての知識は実際にはこの先行した存在から想起されていると説明している。

この対話篇でおそらく最も有名な箇所で、ソクラテスはメノンの奴隷の一人から幾何学についての回想を引き出す。ソクラテスの数学への明らかな関心と極めて洗練された数学の知識は、この対話の中でまったく新しいものに見えるが、それは中期の対話編、特に『国家』にはっきりと現れているのは興味深い。

魂の不滅についてのいくつかの議論、および魂がさまざまな生命体に生まれ変わるという考えは、プラトンの『パイドン』(ソクラテスがヘムロックを服用し、最後の言葉を発する有名なシーンも含まれている)でも取り上げられている。

計量文献学では、パイドンを初期の対話編に属すると考える傾向にある一方、哲学的内容の分析はパイドンを中世の初めのものとする傾向がある。魂の転生についての同様の説明は、『国家』第5巻と『パイドロス』、および『ティマイオス』、『法律』を含む後期のいくつかの対話篇で、多少異なる形で見つけることができる。

# ルネ・デカルト
# René Descartes

（1596～1650　フランス　哲学者　数学者）

フランスの哲学者、数学者、科学者。トゥーレーヌのラ・エーで生まれる。イエズス会で学び、数学的結論の必然性に感銘を受け、これを自身の哲学大系の基礎にしようと試みた。1628年から20年間はオランダに住んで働いていた。1649年、スウェーデンのクリスティーナ女王よりストックホルムへ招かれ移住したが、数カ月後に亡くなった。彼はその哲学体系の中で、それによって他のすべてが厳密に推定され得る疑う余地のない根拠に基づく宇宙の説明を提示しようと試みた。「デカルト派」として知られるようになった手法に従って、彼はどうしても疑うことのできないたったひとつのことがあることに気がついた。それは、その人が確かに考えているのだから、それが真実であるか否かに関わらず、彼は考える実体として存在しているはずだ（コギト・エルゴ・スム つまり"我思う、ゆえに我あり")、ということだった。続けて彼は、自分自身の身体や他の拡がった実体、そして物質的な宇宙や神の存在を立証した。精神と物質の二元論は、二者の区別が非常に徹底され、神の介在なしには互いに影響力を行使することはできないというもので、彼の哲学大系の根本を成していた。これは後の心理学者らによる批判を招いた。彼の方法は非常に機械論的で、動物を、生気を与えられた機械(machinae animatae)であり、無限に利用できるものとみなした。「方法序説」(1637年)、「省察」(1641年)、「哲学の原理」(1644年)で発表された彼の研究は、初めてフランス語で書かれた重要な哲学論文となった。また文語体も確立し、非常に大きな影響力を残している。数学においては座標幾何学の方法や、代数学の幾何学への適用を始めた。そして、科学的研究が先験的演繹法によって進められるべきだと、少なくとも当初は誤って信じていたが、光学分野で重要な実験研究を行なった。彼は敬虔なカトリック教徒だったと考えられており、ガリレオが異端審問で有罪判決を受けた後、コペルニクス的宇宙論を発展させた初期研究の発表を取りやめた。

# ルネ・デカルト René Descartes

（1596 ～ 1650　フランス　哲学者　数学者）

## （1）「デカルトの哲学的論文　3巻　書簡」に収録された手紙

メルセンヌへ　　　　　　　　　　　　　　　　　　　　　　　1630年5月27日

あなたは、神はどのような因果律によって永遠の真理を確立したのかと聞きました。次のように私は答えます。神がすべてのものを創られたのと同じ種類の因果律です。

つまり、効率的で完全な原因です。神が創造物の存在だけでなく、創造物の本質を創ったことは確実であり、この本質は永遠の真理に他ならないからです。永遠の真理が、太陽の光のように神から放たれているとは思いませんが、神がすべての創造者であること、そしてこれらの真理は大事なものなので、神がその創造者であることを私は知っています。

私はこれを知っていると言います。想像したり理解しているのではありません。なぜなら、我々の魂は限りがあり、神を理解したり想像したりすることは出来ないが、神が無限で全能だと知ることは可能だからです。同じように、我々は手で山に触れることは出来るが、さほど大きくない木や何かに腕を回すように、山に腕を回すことは出来ません。何かを理解することは、自分の思考の中で抱きしめることです。何かを知ることは、思考で触れるだけで十分なのです。

あなたはまた、何が神にこれらの真理を余儀なく創らせたのかと聞きました。私は次のように答えます。神は、円の半径がすべて同じだということを真理としない自由がありました。世界を創らない自由があったのと同じように。そして、これらの真理は、他の創造物同様、神の本質に必然的に付属していないことは確かです。

あなたは、神が真理を創るために何をしたのかと聞きました。私は次のように答えます。「すべての永遠から、神は真理を意図され、理解され、その事実により、真理を創られた」あるいは、もし「創る」という言葉をものの存在を表わすことに取っておきたいなら、「神は真理を確立し作られた」のです。神には、意志も、理解も、創造もすべて同じことで、「概念的にも」どれが先にくるということはありません。

## (2)「エンリケ・チャヴェス・アルビゾ編『鍵となる哲学的論文』に収録されたデカルトの書き物

自然と人間の知識の範囲を見つけ出すことよりも有益な探求は提案できない。だから我々はこの問題を簡潔に一つの質問に置き換えるのだ。これは、既に我々が決めた規則の助けによって最初から答えられるべきものだ。真理に少しでも関心のある人は、少なくとも人生で一度は、この探求を行なうべきだ。なぜなら、それを求めることによって、真の知識の道具と探求の完全な方法が明らかになるからだ。

しかし、多くの人がするのだが、自然界の不思議や、天の下界への影響、未来の出来事の予測や似たような事を平気で疑う者の行為よりも無益なことは何もないように思う。人間の理性が、これらの問題の解決に十分であるか問うたこともないのに。

### （3）著書『哲学原理』（初版1644年）人間の知識の原理について

I. 真理を探すには、人生で一度は、できるだけ深くすべてのことを疑ってみる必要がある。

我々はかつて子供で、我々の感覚に示されたものについて様々な判断を為してきたので、我々の理性を完全に使いこなしていないうちは、真理の知識に到達するのに数多くの偏見が邪魔をする。そして、一生に一度は、ほんの少しでも不確実性が疑えるかもしれないすべてのことを疑うことに取り掛からなければ、これらを取り除くことは不可能に思える。

II. 疑わしいものは全て偽りだと考えなければならない。

さらに、疑うことができることを偽りだとみなすことは同じように有益だろう。何がもっとも確実で、もっとも容易に知ることができるかを、非常に明確に見つけられるかもしれないのだ。

# ブレーズ・パスカル
# Blaise Pascal

(1623～1662　フランス　数学者　物理学者　哲学者)

若くして数学の天才だったパスカルは、円錐曲線の理論についての発見を 16 才の時に発表した。実験的かつ正確な気圧計の研究は、17 世紀中頃の科学と方法論のひな形となったほか、1642 年には初となる実用的な計算機も発明した。ピエール・ド・フェルマーとの著名な文通は、近代的確率論の基礎を築いた。一家はポート・ロワイヤルのシャンセニスムと関係があり、妹は修道女だった。1654 年の深い宗教的体験の後、哲学と神学に力を注ぐことになる。「Lettres provinciales( プロヴァンシアルの手紙 )」は、アルノーを彼のイエズス会の敵対者から擁護するものだったが、尽力のかいなく 1661 年には二つのポート・ロワイヤル女子修道院が閉鎖された。「De l'esprit géométrique ( 幾何学的精神について )」には、パスカルの科学的・方法論的哲学が見受けられる。また、「パンセ」(1670 年 ) は信仰的な文学作品の傑作として一般に広く認められている。両書とも著者の死後に出版されたが、後者は断片的にしか存在しておらず、決定版が出たのは 1952 年であった。彼の考え方は懐疑主義が支配的である一方、深い信仰の念とも結びついているため、理性に基づくというよりも実存主義への傾倒と信奉に基づく宗教的信念を持つ人物の代表例としてのキルケゴールと比較されてきた。貧しい人々を深く気遣い、史上初の公共バス事業を創業し、その利益を慈善事業へ寄付した。

# ブレーズ・パスカル　Blaise Pascal

（1623 ~ 1662　フランス　数学者　物理学者　哲学者）

**（1）遺稿『パスカルのパンセ』（初版1670年）より**

前後を永遠に飲み込まれた私の短い人生、そして私が居て見ることはできるが、私がまったく知らない、そして私を知らない、無限で巨大な空間に飲み込まれている小さな空間を考えると、恐ろしくなり、そちらではなくこちらにいることに驚きを覚える。なぜなら、なぜそちらではなく、こちらにいて、その時でなく今いるのか、理由がないからだ。誰が私をここに置いたのか？　誰の命令と指示で、この場所と時間が私に与えられたのか？

一日しか滞在しなかった客を思い出す。

これら無限の空間の永遠の沈黙を、私は怖れる。

いくつの王国が我々を知らないのか！

なぜ私の知識は限られているのか？　なぜ私の身長は限られているのか？　なぜ私の寿命は千年ではなく百年に限られているのか？　造物主は何の理由で私にこのようなものを与え、他ではなく一つを選ぶ理由がない無限の中で、他に何も選ばずに、他でもなくこの数字を選ばれたのか？

## （2）「偉大なる存在の条件についての講演」より

私は、それがあなたに正当に属していない、他人があなたから奪うことが許容される、とは言わない。なぜなら、支配者である神がコミュニティにそれぞれの規則を作ることを許し、それらの規則がひとたびできれば、それを破るのは不正だからだ。これが、人々の間違いで王国を所有した者とあなたをある程度分けるものだ。なぜなら、神は、この所有を許しておらず、その者に放棄するように要求したが、あなたのものは許可しているからだ。だが、その者とあなたの共通点は、あなたのこの権利は、彼の権利同様、あなたを価値あるものにする性質や美点に基づいているのではない、ということだ。あなたの魂と体は、それ自体は、ボートマンや公爵の状態には無関心だ。魂と体を、他の条件でなく一つの条件に結び付ける自然の繋がりはないのだ。

…このアドバイスは何と重要なことだろう！　偉大な人物のすべての暴飲暴食、全ての暴力、全ての虚栄心は、彼らが自分たちが何なのかを知らないという事実からくるのだ。心の中で自分を他のすべての人間と同等だと思う者には、また、他人を横柄に扱うのに使える、神が他人でなく彼らに与えた取るに足らない有利な点に値するものを何も持っていないと十分承知している者には、これは難しいのだ。このためには、自分を忘れ、他人よりも真に優れた点を持っていると信じることが必要だからだ。そこには、私があなたに明かそうとしている錯覚がある。

…神は、その支配下にある愛の恩恵を求める、愛に満ちた人々に囲まれている。ゆえに、神は、正しく、愛の王なのだ。あなたも、同じようにあなたが統制する人々の小さな輪に囲まれている。彼らは欲に満ちている。彼らは欲の利益をあなたに求めてくる。欲が彼らとあなたを結びつけるのだ。ゆえに、あなたは正しく欲の王なのだ。

あなたの王国は小さいが、この点では地球の偉大な王たちと同じだ。彼らは、あなた同様、欲の支配者だ。彼らの力を構成するのは欲だ。つまり、人間が切望することは、物を所有することだ。

## (3)「エピクテトスとモンテーニュについてのM・ド・サシ氏との対話」より

だから、次のことは不完全な啓発からくる。つまり、人間の義務を知り、自分の無能さを知らない者は、厚かましさの中で道がわからなくなっている。一方で、自分の無能さを知っているが義務を知らない者は、怠惰に陥っている。一方は真実に到達し、もう一方は誤りに到達するようなので、その二つが連携することで完璧な道徳のシステムができるだろう。しかし、このような統合からは、平和の代わりに、戦争や破壊が生じる。なぜなら、一つは確実性を生み出し、もう一つは疑いを生み出す。そして、一つは人間の偉大さを生み出し、もう一つは弱さを生み出すので、互いの真実と嘘を破壊しあうのだ。それぞれの欠陥のために一人で存在することは出来ず、反発しあうので合体することもできない。それゆえ、彼らは互いを壊しあい、福音書の真実にとって代わられる。これで、完全に神の御業によりこの矛盾は調和され、真実のすべてを統合し、誤りのすべてを追放するので、それらは真に神聖な知恵となり、人間の原理では矛盾しあうものを一致させるのだ。そして、この理由は、世界のこれらの哲学者たちが同じテーマに於いて矛盾することだ。一人は自然に偉大さを見出し、もう一人は同じ自然に弱さを見出すが、これでは存立できない。一方で、信仰は、それらを違うものとして扱うことを教える。弱いものは全て自然界に属し、力強いものは全て神の愛に属す。このような驚嘆すべき新しい結合は、神のみが教え、創ることができ、また、人格神である一人の人の中に恐れ多くも二つの性質を結合した、一つの形式であり結果だ。

## （4）「説得の技術」より

信念の美学

…ここで、神の真実を語っているのではない。なぜなら、それらは自然よりも無限に優れているので、信念の美学には含まないようにしている。神だけが神が喜ぶ方法で真実を魂に置くことができる。神は、真実が、思考の心（mind）から感情の心（heart）へと入るのではなく、感情の心から思考の心へと入っていくべきだと望まれたことを私は知っている。意志が選ぶ物事の判断が正しいと偽る高慢な理性の力に恥をかかせるためだ。そして、汚らしい付着物によって完全に腐敗した弱い意志を直すためだ。

…神はこの超自然の秩序を創ったようだ。それは、人間が自然の中で自然と感じる秩序とは真逆のものだ。人間は、神聖なるものを汚し、この超自然の秩序を壊した。なぜなら、事実、我々は、自分たちを満足させるもの以外は、ほとんど何も信じないからだ。それゆえ、我々の喜びに対立するキリスト教の真実に同意することに嫌悪感が生じるのだ。「喜ばしいことを言え、そうすれば我々は耳を傾けるだろう」とユダヤ人はモーセに言った。あたかも物事が好ましいことが信仰を制御するべきかのように！　そして、神に一致する秩序でこの無秩序を罰するため、神は、完全な天の優しさで、意志の反抗に魔法をかけ支配し、和らげた後に、思考の心（mind）に光を注ぐだけなのだ。

…だから私は、我々が到達できる真実のみについて語る。思考の心と感情の心は、真実が魂へと受け入れられる扉であるが、思考の心から入ることはほとんどない。しかし一方で、意志の性急な気まぐれによって、理性を無視し、大量に入っていくのだ。

# バールーフ・デ・スピノザ
# Baruch De Spinoza

（1632～1677　オランダ　哲学者）


1632年にアムステルダムでユダヤ人の家庭に生まれた。17世紀のオランダとヨーロッパの啓蒙主義の重要人物の一人だった。若い頃、彼はタルムードの優秀な学生であり、有望な宗教学者と見なされていた。しかし、彼はすぐにその過激で非正統的な意見のために正統的な伝統の外にいることに気づいた。1656年にアムステルダムのラビはスピノザを破門した。彼は残りの人生をレンズ磨きとして生き、匿名で哲学論文を出版し、より広いヨーロッパ啓蒙主義の哲学志向の著名人の多くと密かに手紙を交換した。

アムステルダムとヨーロッパの政治的未来を深く懸念して、彼は1670年に『神学政治論』を発表した。同年、オラニエ公が率いる抑圧的な派閥の手による迫害を恐れてハーグに逃げた。スピノザは1677年に比較的平和に亡くなり、ハーグに埋葬された。

17世紀に哲学者や科学者が広く検閲され迫害されたことを踏まえ、スピノザは彼の非正統的な著作の出版に細心の注意を払い、ラテン語の「用心しろ」を意味する「caute」で作品や手紙の多くに署名した。彼自身の名前で出版された生涯唯一の作品は、『デカルトの哲学原理』（1663）であり、それは彼の倫理における形而上学的見解の多くの準備作業として役立った。作品は、従来のように抑制された方法で提示されるのではなく、アムステルダムとそれ以降で論争を引き起こすことを意図しているようだった。神、予言の心理的根拠、そして宗教的権威の限界に関する教えは、正統性の主張に明らかに異議を唱えた。宗教的迫害から哲学的生活を擁護し、その生活を支持する新しい自由民主主義体制を主張した。

無神論者として迫害の対象となることが多かったが、彼の著作は次の世紀の哲学、神学、政治を形作る上で重要な役割を果たした。彼の考えは、言論の自由、民主主義、そして哲学的生活の尊厳の最も明確で最も説得力のある防御の一つを提供するため、自由主義立憲主義の歴史の中で画期的なものであり続けている。

# バールーフ・デ・スピノザ　Baruch De Spinoza

（1632～1677　オランダ　哲学者）

## 生涯

ユダヤ教団の学校でヘブライ語と聖典を学び、カバラの神秘思想にも接したが、卒業後は医師ファン・デン・エンデン Franciscus van den Enden（1602―1674）に就いてラテン語、自然学、幾何学およびデカルト新哲学を学び、しだいに異端的な西欧思想に傾斜していった。父の死後（１６５４）、彼はその後を継いで商人となっていたが、１６５６年３月、23歳のとき、「悪い意見と行動」のゆえにユダヤ教団から破門の宣告を受け、ユダヤ人社会から追放された。その後、オランダ各地を転々として学問研究に専念。『短論文』や『知性改善論』を執筆し、『デカルトの哲学原理』（１６６３）を出版した。

スピノザには「レンズ磨きを生活の糧とし、余暇はひたすら思索に没頭した」という伝説がある。しかし、たとえ孤独で簡素な生活を愛したとしても、スピノザは実際には当時の社会から孤立していたのでも、また極貧にあえいでいたのでもなかった。１６７２年ルイ14世のオランダ侵略に際して、オランダの専制君主たろうとするオラニエ公ウィレム3世（ウィリアム3世）と政治的に対立していた共和派の指導者ヤン・デ・ウィットは、扇動された暴徒によって虐殺された。このときスピノザはデ・ウィットの横死を激しく嘆き悲しんだという。『神学政治論』（1670）が匿名で刊行されたのは、このような社会的背景においてである。この著作は神学者の不寛容に対して思想の自由を擁護し、この目的のために政治的権力の宗教的権威からの独立を要求したが、たとえば「モーセ五書」がモーセ自身の手になることを否定し、後世の編集によると主張したために、涜神の書として神学者たちの厳しい非難を浴びた。そのため、15年の歳月を費やして完成された主著『エチカ』（1675年成立）を生前に刊行することが不可能になったばかりでなく、スピノザ哲学そのものが死後100年もの間、「死せる犬」のように葬り去られることになった。

スピノザは1673年、ハイデルベルク大学の哲学教授として招聘されたが、教育と研究とは両立しがたいという理由により、また、彼自身の哲学する自由が制限されるのを危惧してこれを固辞し、『国家論』（1675）を最後の著作として、1677年2月20日ハーグで没した。44歳であった。

### 思想

ノバーリスがスピノザを「神に酔える人」と評したことは有名であるが、彼が死後に至るまで唯物論者、無神論者として恐れられたのは、彼の神がキリスト教的な人格神ではなく、「神すなわち自然」Deus sive natura と考えたからである。万物は精神も物体も含めてすべて神の現れ、唯一の無限実体の諸様態であり、いっさいは神の内的必然によって生起するから、人間の自由意志も偶然もまったく存在しない。スピノザはこのような宿命論にたって、人間の真の最高の幸福を探究しようとするのである。

スピノザの哲学体系はもっとも根源的なものとしての実体の概念から出発する。彼は実体を自己原因としてとらえ、デカルトにはじまるアリストテレス的実体概念の革命を徹底し、無限に多くの属性から成る唯一の実体を神と呼んだ。いっさいの事物は様態すなわち神の変状であり、神はいっさいの事物の内在的原因であり、いっさいの事物は神の必然性によって決定されているとして、〈神即自然〉の汎神論的体系を展開し、思惟と延長を神の二つの属性、すなわち同一実体の本質の二つの表現と見て、心身平行論の立場をとり、デカルトの二元論をのりこえた。こうして彼は、自己の個体本質と神との必然的連関を十全に認識するとき、有限な人間は神の無限にあずかり、人間精神は完全な能動に達して自由を実現し、そこに最高善が成立すると説いた。彼の哲学はフィヒテからヘーゲルに至るドイツ観念論哲学の形成に決定的な役割をはたした。また国家と法についての彼の学説は普遍的理性の観念論と力の実在論、グロティウスとホッブズ、ルソーとマキアベリとを媒介する位置に立っている。

スピノザによれば、個物の現実的本質は「自己保存の努力」conatus se conservandi（ラテン語）にあり、欲望とは人間の自己保存の努力そのものにほかならないが、この欲望が不完全な感覚的認識によって決定される限り、人間は外的対象の支配下にあり、感情への隷属状態を脱することができない。しかし、感情にはこのような受動感情のほかに、精神自体の知的活動に伴う能動感情があり、自己自身の理性的認識によって欲望を決定するとき、人間は自由である。自由とは、スピノザによれば、自己の本性の必然性によってのみ働くことをいうからである。ところで、人間理性の最高の働きとは、事物の究極的原因としての神との必然的関係において、つまり「永遠の相の下に」sub specie aeternitatis（ラテン語）個物を直観することであり、これに伴う自足感こそが「神に対する知的愛」なのである。ここに道徳の最高の理想がある。というのは、人間の神に対する愛とは、神がその様態である人間を介して自己自身を愛する「神の知的愛」amor Dei intellectualis（ラテン語）の一部であり、同時に人間が神の変容である限り、「人間に対する神の愛」にほかならないからである。

**主著『エチカ』**

17世紀オランダの哲学者スピノザの主著。彼の死後、友人の手で1677年に刊行された。本書は正式の題名を『幾何学的順序で証明された倫理学』といい、スピノザの全体系を文字どおり「幾何学の順序」に従って演繹的に論証する。すなわち、唯一の無限実体、神が存在すること。思惟と延長とは人間精神に認識可能なその二つの属性であること。神はいっさいの結果を自己の内部に産出すること。したがっていっさいの事物は神の様態にほかならないこと。神は自己の本性の必然性に従って働き、いっさいは決定されていること。観念の秩序および連結は物体の秩序および連結と同一であること。人間精神は諸情念に隷従せざるをえないが、しかし同時に明晰判明な認識によって諸情念に打ち勝つ能力をもつこと。人間は理性によって欲望を克服するとき自由であること。万物を「永遠の相のもとに」、つまり神との必然的な関係においてみるとき、「神に対する知的愛」としての喜悦が生ずること。これは神が自己自身を愛する「神の知的愛」にほかならず、ここに人間の最高の善と幸福とが存することなどである。

**出版物**

スピノザの哲学は長い間非難と無視を被ったが、近代ヨーロッパ哲学史上の最も重要な哲学の建設者として、18世紀末以降、ことにドイツ観念論哲学に大きな影響を与え、20世紀、C．ゲープハルト編のハイデルベルク版全集4巻（1923-24）と生誕300年祭を機にスピノザへの関心はいっそう強まった。スピノザは初めユダヤ人学校でヘブライ語やユダヤ神学を学び、ユダヤ教を離れて以後、ラテン語、スコラ哲学、ルネサンス以後の新哲学、特にデカルト哲学、さらに数学や自然科学までも研究した。こうして、スピノザ哲学にはユダヤ的神秘主義の伝統と合理的な科学的思考の2つの背景が考えられ、彼はこれらを統一して独自の形而上学体系を創始したのである。

スピノザはレインスブルフ時代に『神・人間および人間の幸福に関する短論文』Korte Verhandeling van God, de Mensch en deszelfs Welstand、『知性改善論』Tractatus de Intellectus Emendatione を執筆し、1663年には、生前彼が自分の名前で公刊した唯一の書物『デカルトの哲学原理』Renati des Cartes Principiorum Philosophiae Pars I et II を出版した。この書で彼はデカルト主義の哲学を扱い、デカルトによって解決されなかった二元論を乗り越え、デカルトにおいてそれぞれ独立している精神と物質という2つの実体はあらゆる属性を包含する唯一の実体つまり神と呼ばれる永遠で必然的で完全な存在であると説いた。この実体は無限に多様な属性として発現する。自然におけるいっさいの事物は神あるいは属性の現れであり（汎神論）、思惟と延長を神の2つの属性すなわち同一実体の本質の2つの実体とみるのである（心身平行論）。1675年、スピノザは主著『エチカ』を完成したが、危険な思想家と見られたために、その出版を断念し、死後、『知性改善論』、『国家論』Tractatus Politicus、『書簡集』Epistolae などとともに『遺稿』Opera Posthuma（1677）として、友人たちの手により公刊された。彼はまた匿名で出した『神学・政治論』Tractatus Theologico-Politicus（1670）において聖書の歴史的・批判的解釈を行ない、『国家論』では、カルヴァン主義の神権政治を批判し、教会の国家への従属を主張し、オランダ共和国の指導者デ・ウィットの政治的立場を支持した。

# イマヌエル・カント
# Immanuel Kant

（1724～1804　プロイセン王国　哲学者）

18 世紀後半のドイツの哲学者。主著は『純粋理性批判』である。
カントは馬具屋の父とその妻の間に生まれた。両親はともにルーテル教会の敬虔主義の熱心な信者だった。カントの可能性を見出した地元の牧師が彼の教育を手配した。学校にいる間、カントはラテンの古典に対する深い理解を得た。
1740 年、ケーニヒスベルク大学に神学の学生として入学したが、すぐに数学と物理学に魅了された。1746 年、父親が亡くなり、家族を助けるため大学を辞めることを余儀なくされた。10 年間、裕福な人々の家庭教師として働いていた間、合理主義と経験論の中間点を探る科学的質問を扱ったいくつかの論文を発表した。
1755 年ケーニヒスベルク大学に戻り、教育を続けた。同年、哲学の博士号を取得した。次の 15 年間は講師と家庭教師として働き、哲学に関する主要な作品を書いた。1770 年に、ケーニヒスベルク大学の教授になり、形而上学と論理学を教えた。
1781 年、『純粋理性批判』を出版した。これは膨大な作品であり、西洋思想で最も重要なもの一つである。彼は、理性と経験が思考と理解とどのように相互作用するかを説明しようとした。この革新的な提案は、個人の精神がどのように経験を組織化して世界の仕組みを理解するかを説明した。また、カントは、倫理、道徳的行動の哲学的研究に焦点を当てた。道徳は合理性に由来し、すべての道徳的判断は合理的に支えられていると述べ、「定言命法」と呼ばれる道徳原理を提案した。
当時、純粋理性批判はほとんど注目されなかったが、カントは『実践理性批判』と『判断力批判』からなる一連のエッセイでその理論を洗練し続けた。

# イマヌエル・カント　Immanuel Kant

（1724 ~ 1804　プロイセン王国　哲学者）

## （1）著書『純粋理性批判』より

I.　先験的原理論、パート二　先験的論理学、第二部　先験的弁証論、第二篇　純粋理性の弁証的推理について
第三章　純粋理性の理想、第三節　思弁的理性が最高存在者の存在を推論する証明根拠について

思弁的理性によって神の存在を証明する方法は3通りしかない。

この目的を達成する方法は、一定の経験と感覚界の特殊な性質から始め、そこから因果性の法則に従って世界と離れて存在する最高原因まで上昇するか、あるいは全く不定の経験、つまり何らかの現実的存在から求めるか、あるいは一切の経験を取り除き最高原因の存在をア・プリオリな概念からのみ推論するか、の3つである。一つ目は自然神学的証明、二つめは宇宙論的証明、三つ目は存在論的証明である。これ以上はなく、これ以上はあり得ない。

## 第４節　神の存在の存在論的証明の不可能について

存在は明らかに実在的述語ではない。つまり、物の概念に付け加えられる何かの概念ではない。単に物の位置付け、あるいはその中でのある規定にすぎない。論理的には、判断の繋辞でしかない。「神は全能である」という命題は、二つの概念を含んでおり、それぞれが対象あるいは内容を持っている。「ある」という繋辞は述語ではなく、単に主語と述語の関係性を示している。さて、私が、この主語（神）とそのすべての述語（その中には全能という述語も含まれる）を一緒にして、「神が在る」あるいは「神というものが在る」と言うならば、私は神の概念に新しい述語を何も付け加えていない。私は主語自体を他のすべての述語と共に述べたにすぎない。つまり私は対象と自分の概念とを関連付けたのだ。

…最高存在者の概念は、多くの点で非常に役立つ理念であるが、それが単なる理念であるというまさにその理由で、実在に関する我々の認識を広げることはできない。また、我々が存在を知らない物の可能性についてすら我々に十分に教えない。可能性の分析的標徴は、命題に矛盾がないというところにあり、それを否定できない。しかし、物の実在的性質の結合は可能性の統合であるが、その可能性にはア・プリオリな判断がなされない。これらの実在的性質は、我々には具体的に与えられておらず、たとえ与えられていたとしても、やはり判断は不可能だからである。つまり総合的認識の可能性の標徴は、経験の世界に求められなければならないが、理念の対象は経験に属すことができないからだ。それ故、著名なライプニッツは、この崇高な観念的存在者の可能性を、ア・

プリオリを立脚点として構築しようとして完全に失敗したのである。

従って、最高存在者を証明しようとする著名な存在論的（デカルトの）証明は不十分である。そして我々は、商人が現金勘定にいくつかゼロを足してもその富を増やせないのと同じように、単なる理念だけで知識の蓄積を増やすことは望めない。

## 第5節 神の存在の宇宙論的証明の不可能について

我々が分析しようとしている宇宙論的証明も、絶対的必然性と最高実在性との関連性を保留している。しかし、前述の存在論的証明が、最高実在性から現実的存在の必然性を推論したのとは異なり、何らかの存在者における既にある無条件的必然性から、この存在者の無限の実在性を推論する。それがたどる道は、理性的であっても弁証的であっても、少なくとも自然であり、悟性に対して説得力があるだけでなく、思弁的悟性からも認められるものである。同時に、この推論法は、自然神学のすべての議論の輪郭を示し、人々は常にこの輪郭を守ってきた。そして、これからも守っていくだろう。

…宇宙論的証明は次のように組み立てられる。もし何かあるものが実在するならば、絶対に必然的な存在者も同様に実在するはずである。少なくとも私は実在する。それ故、絶対に必然的な存在は実在する。この推論の小前提は経験を含み、大前提は一般的な経験から必然的な存在者の現実的存在を推論している。このようにこの証明は明らかに経験から始まっており、完全にア・プリオリ、つまり存在論的ではない。すべての可能な経験の対象は世界なので、この方法は宇宙論的証明と呼ばれる。

…もし、絶対に必然的な存在者のいずれもが同時に最も実在的な存在者である、という命題が正しいとすれば(尚、これが宇宙論的証明の最も重要な証明根拠であるが)、すべての肯定的な判断がそうであるように、少なくとも限量換位ができるはずだ。従って、いくらかの最も実在的な存在者は絶対に必然的な存在者である、ということになる。しかし、最も実在的な存在者はどんな点でも他の最も実在的な存在者と区別されることがなく、このいくつかの最も実在的な存在者の根拠付けは、すべての存在者にも当てはまる。従って、この場合、私は単純換位を用いて、「すべての最も実在的な存在者は必然的存在者である」と言うことができる。しかし、この命題は、そのうちにある概念によってア・プリオリに決定されてしまうので、その最も実在的な存在者という単なる概念は、追加的な絶対的必然性の性質を持っていなければならない。しかしこれは、まさに実在論的証明が主張していたことだ。宇宙論的証明は、それを認めないのだが、これをその見せ掛けで偽装した推論の基礎としていたのだ。

## 第6節 自然神学的証明の不可能について

もし純粋な概念も、現実的存在の一般的な経験のどちらも神の存在を充分に証明する根拠を持ち得ないなら、残る唯一の方法を試すことができる。現在の世界における現象の一定の経験やそれらの性質や秩序に根ざして、最高存在者の現実的存在の確信に至り得るか、ということを理解することである。この証明を自然神学的証明と名付けよう。もしこれが不成功であることが示されれば、思弁的理性は、我々の先験的理念に対応する存在者の現実的存在を十分に証明することがまったくできないということになる。

自然神学的証明によれば、世界に存在する合目的性や調和は、単に形式の偶然性を証明するものであって、内容の偶然性、つまり世界の実体の偶然性を証明するものではない。内容の偶然性を証明するためには、すべてのものが、その実体に関しても最高の知恵の産物でない限り、それ自体この調和と秩序には適していないということを証明する必要がある。しかしこれは、人間の芸術との類似の示す証明根拠とは全く異なる証明根拠を必要とするだろう。よってこの自然神学的証明が示すものは、世界創造者の存在ではなく、せいぜい世界建築士の存在にすぎない。世界建築士は、その加工する材料が目的に適するかどうかで制限される。しかし世界創造者については、すべてのものがその支配下にある。従って自然神学的証明は、我々の課題、つまりすべてを満たす存在者の実在を証明するには全く不十分である。内容の偶然性を証明したいのなら、自然神学的証明があからさまに避ける先験的論証を頼みとしなければならない。

## 第7節 理性の思弁的原則に基づくあらゆる神学の批判

我々は、神の概念を、無意識で盲目的にはたらく単なる永遠の自然とは理解しないで、あらゆるものの自由で知性ある創造者である最高存在者として理解することが一般的であり、人間はこの後者の意味での概念のみに関心を示すのだ。よって、厳密に言うと、我々は理神論者を、神に対する信仰をまったくもたない者、そして根源的存在者、つまり単に第一原因の存在を主張する者とみなしてよいかもしれない。しかし、誰かが何かをもっともらしく主張しないからという理由で、まるで彼がその真実を全く否定して逆のことを言い張るかのように責めるべきではない。ゆえに、理神論者は神を信じる、有神論者は生ける神を信じる、と言う方がより辛辣でなく、適切だろう。

…したがって最高存在者は思弁的な理性にとっては単なる理想にすぎない。しかし完全無欠な理想である。これは、人間の認識の体系を完全なものとし、その頂点に位置するような概念である。しかし、その客観的実在性はというと純粋理性では証明することも否定することもできない。もしこの欠陥が道徳神学というものによって補われるとすれば、これまでの蓋然的な先験的神学は、この最高存在者の概念を完全に規定し、また感覚によってしばしば惑わされ、その理念と必ずしも一致しない理性が導いた結論を絶えず分析することによって、その概念の必要性を証明するだろう。必然性、無限、統一、(世界心としてではない)世界の外にある存在、時間を条件としない永遠、空間を条件としない偏在、全能などの属性は、純粋な先験的な述語である。ゆえに、すべての神学が必要とする最高存在の正確な概念は、先験的神学のみが備えているものである。

II. 先験的方法論、第二章　純粋理性の基準、第一節　理性の純粋使用の究極目的について

ここで、思弁的使用における純粋理性の収める成果は別にして、その解決が、到達してもしなくても、純粋理性の究極目的となるような課題のみを追求することにする。これに比すれば、その他のすべての目的は、単なる部分的な手段である。これらの最高目的は、理性の特質から、完全な統一性を持っていなければならない。そうでなければ人類にとって最高の関心を促進することはできないだろう。

理性の先験的思弁は、意志の自由、霊魂の不死、そして神の存在の三つに関係している。

…経験は、実践的自由を自然原因の一つとして我々に示す。つまり、意志規定における理性の原因性を示す。これに対して先験的自由の考えは、理性が、一連の現象を始めるその原因性に関して、感覚界を規定するすべての原因と無関係であることを要求する。したがって、それは自然法則や、あらゆる可能的経験と相反するように思われる。そのため、先験的自由は、理性にとって問題が残る。しかしこの問題は、実践的使用における理性とは関係ない。それ故、純粋理性の基準に関して、我々は二つの問題だけを追求すればよい。それは、純粋理性の実践的関心に関連するものだ。つまり、「神は存在するか」、そして、「来世は存在するか」という問題だ。先験的自由の問題は純粋に思弁的なので、実践的な理性を論じる場合には、それは完全に脇に置いておいてよいだろう。

その上、このテーマについては純粋理性のアンチノミー（二律背反）の章ですでに十分議論した。

## 第2節　純粋理性の究極目的の規定根拠としての最高善の理想について

…幸福でありたいという希望と、幸福になるに値する存在になろうとする絶え間ない努力との必然的なつながりは、自然のみを指針とした場合、理性によっては認識され得ない。このつながりは、道徳的法則に従い命令する最高の理性（神）が、自然原因として、もとにある場合にのみ望むことができる。

この理念の中では、道徳上最も完全な意志が、最高の幸福と結びついて世界のすべての幸福の原因となっている。幸福が道徳（幸せでいるに値すること）と厳密な関係性にある場合に限り、私はこの知性の理念を最高善の理想と名付ける。したがって、根源的な最高善の理想においてのみ、純粋理性は派生的な最高善と、その結果、可想的世界、言い換えれば道徳的世界の両方の要素の実践的に必然的な結びつきの根拠を見いだせるのである。感覚器官は我々に現象の世界しか示さないが、我々は自分自身をそのような可想界に属するものとして考えることを余儀なくされている。感覚界はそれについての手掛かりを我々に示していないのだから、この可想界を、感覚界における我々の行ないの結果と想定し、それゆえ、我々の来世と想定しなければならない。このように神と来世は、純粋理性の原則によれば、純粋理性が我々に課す義務から切り離すことのできない二つの前提である。

道徳はそれ自体で一つの体系を構成している。しかし、幸福の体系は、道徳と厳密に対応しない限り、構成できない。しかしこれも、聡明な創造者であり統治者の支配する可想的な世界においてのみ可能である。理性は、そのような創造者と、我々が来世と見なければならない世界での生活を、想定せねばならない。さもなければ、道徳的法則を無駄な夢とみなさざるを得ない。なぜなら、この同じ理性が道徳的法則と結びつける必然的成果は、この前提なしでは失われるからだ。だから、道徳的法則も一般的に命令とみなされる。

…実践理性が我々を導く権利を有する限り、我々が道徳的行為を我々に与えられた責務と考えるのは、それが神の命令だからではなく、我々が内面にそれを果たすべき責務を持つからこそ、それらを神の命令とみなすのだ。我々は理性の原則と一致する合目的統一の下に自由を学ぶだろう。そして、理性が道徳的行為そのものの性質から我々に教える道徳的法則を我々が神聖に保つ限り、我々は神の意志に適って行動しているとみなし、また、自分と他人が世界の幸福を促進することによってのみ、我々は神の意志に従っていると信じるのだ。従って道徳神学は内在的にのみ使用できる。それは、我々が目的を包括する道徳的体系と調和することによって、この世界での運命を全うすることを教える。また道徳的な生活を営むにあたり、最高存在者の理念とこの道徳的手引きを直接的に結びつけて、狂信に惑わされたり、手引きを放棄するという罪を犯さぬように我々に警告するのだ。そのようなことは、道徳神学の内在的使用ではなく超越的使用であろう。このような使用は、思弁の超越的使用と同じように、必ず理性の究極目的を誤らせ、妨げるだろう。

# アルトゥル・ショーペンハウエル
# Arthur Schopenhauer

（1788～1860　ドイツ　哲学者）


1788年2月22日プロシアのダンジグ生まれ。しばしば「悲観論の哲学者」と呼ばれる。彼の著作は、後の実存哲学とフロイト心理学に影響を与えた。

裕福な商人だった父とその妻ヨハンナの息子であり、後に彼女の小説などで有名になった。1793年、ダンジグがプロシアの主権下に置かれ、彼らは自由都市ハンブルクに移住した。紳士的な私立教育を受けた後、私立のビジネススクールに通い、そこで啓蒙主義の精神に精通した。1803年、両親に1年間同行し、ベルギー、イギリス、フランス、スイス、オーストリアを旅した。

1805年4月の父親の突然の死は、彼の人生に決定的な変化をもたらした。彼の母親と妹はワイマールに移り、彼自身は1年以上ハンブルクに留まらなければならなかったが、芸術と科学に従事する自由があった。1807年、ハンブルクを離れる。

1809年の秋、ゲッティンゲン大学で医学生として入学し、主に自然科学の講義に出席したが、2学期に人文科学に転向、最初はプラトンとイマヌエル・カントの研究に専念する。1811～1813年までベルリン大学に通った。1813年夏、イエナ大学で哲学の博士号を取得した「根拠律の四つの根について」の論文を完成させた。

1860年9月21日、ドイツで死去。

# アルトゥル・ショーペンハウエル

## Arthur Schopenhauer

（1788 ~ 1860　ドイツ　哲学者）

ショーペンハウエルは、「わたくしは告白するが、わたくし自身の発展の最良のものは、直観され得る世界の印象に次いでは、カントの著作の影響と並んで、ヒンドゥー教の聖典とプラトンの影響に負うものである」と自ら述べるように、仏教精神そのものといえる思想と、インド哲学の精髄を明晰に語り尽くした思想家で、フリードリヒ・ニーチェをはじめとして、リヒャルト・ワーグナー、ルートヴィヒ・ウィトゲンシュタイン、エルヴィン・シュレーディンガー、アルベルト・アインシュタイン、ジークムント・フロイト、カール・グスタフ・ユング、レフ・トルストイなど多くの哲学者、芸術家、作家に重要な影響を与えた。生の哲学、実存主義の先駆といわれる。

（1）Internet Encyclopedia of Philosophy　より

### ショーペンハウエルの形而上学と認識論

ショーペンハウエルの形而上学の出発点は、『純粋理性批判』で説明されているように、イマヌエル・カントの超越論的観念論のシステムである。ショーペンハウエルは、カントの超越論的観念論の内容の多くに非常に批判的だが、彼は、形而上学の領域を経験の境界を超えるのではなく、経験の条件を明確にすることに限定するカントの形而上学へのカントのアプローチを支持している。さらに、彼は超越論的観念論の結果を認める。カントのように、ショーペンハウエルは、驚異的な世界は表象、つまり私たちの認識の形によって条件付けられた主題の対象であると主張している。同時に、ショーペンハウエルは、すべての認知活動が十分な理由の原則に従って行なわれる、つまり、存在する理由がないものはないということを保持することによって、カントの認知装置の活動を簡素化する。

『根拠律の四つの根について』というタイトルで出版されたショーペンハウエルの論文で、彼は、私たちの表象はすべて、充足理由律の4つの表象のうちの1つに従って関連付けられており、それぞれが異なる部類の客体に関与していると主張している。経験的対象に関する充足理由律は、因果的必要性の観点から説明を提供する。物質的な状態は、それが定期的に続く前の状態を前提としている。概念または判断に関する充足理由律の原則は、論理的な必要性の観点から説明を提供する。判断が真実であるためには、充分な根拠がなければならない。原理の第3の分岐である空間と時間の分岐に関して、存在の根拠は数学である。空間と時間は、すべての部分が相互に決定するように構成されている。最後に、意欲に関する原則のために、私たちは根拠として動機を要求する。それはそれが行なわれたことの内的原因である。すべての行動は、必然的にそれが続く動機を前提とする。

ショーペンハウエルは、カントを含む以前の哲学者は、最初の表象と二番目の表象が異なることを認識できず、その後、論理的根拠と原因を混同する傾向があると主張している。さらに、哲学者はこれまで、数学と人間の行動の領域における原理の動作を認識していなかった。したがって、ショーペンハウエルは、自身の論文が充足理由律の以前の説明に有益な修正を提供するだけでなく、すべての区分の説明がより確実で正確になることを可能にするだろうと確信していた。

ショーペンハウエルは、充足理由律に関する説明を、彼の主な作品である『意志と表象としての世界』の形而上学的システムに組み込んでいる。私たちが見てきたように、ショーペンハウエルは、カントのように、表象は常に私たちの認識の形によって構成されていると考える。しかし、ショーペンハウエルは、充足理由律を逃れる現象には内面的な性質があると指摘している。たとえば、病因（物理的原因の科学）は、因果関係が充足理由律に従って機能する方法を説明するが、物理的因果関係の根底にある自然の力を説明することはできない。そのような力はショーペンハウエルの言葉でいえば「オカルトの資質」としてすべて残っているのだ。

同時に、単に表象として私たちに与えられていない世界の一つの側面があり、それは私たち自身の体である。私たちは自分の身体を時空の中に存在する物体として、他の表象の中でも表象として認識しているが、私たち自身の意図的な身体の動き（つまり運動感覚）の感覚体験として、まったく異なる方法で身体を体験する。この感覚的な気づきは、体の時空間表象とは異なる。私たちは表象以外に自分自身が何であるかについての洞察を持っているので、この洞察を他のすべての表象にも拡張することができる。

したがって、ショーペンハウエルは、根底にある力であるすべての表象と世界全体の最も内側の性質［Innerste］

は意志であり、すべての表象は意志の客体化であると結論付けている。要するに、意志はそれ自体のものであるのだ。したがって、ショーペンハウエルは、カントの試みを完了したと断言できる。なぜなら、彼はそれ自体でそのものをうまく明示したからだ。

すべての表象は意志の表象であるが、ショーペンハウエルは、世界のすべての物ごとが意図的に行動するか、それ自体の動きに意識的であることを否定している。意志は、すべての自然に存在する盲目の無意識の力であり、その最高の客観化においてのみ、すなわち動物においてのみ、この盲目の力はそれ自身の活動に意識的になる。「意志」という用語が意味する意識的で目的のある努力は、意志の根本的な特徴ではないが、意識的で目的のある努力は私たちがそれを経験する方法であり、ショーペンハウエルはこの事実を念頭に置いて用語を選択している。

したがって、ショーペンハウエルの主要な作品のタイトルである『意志と表象としての世界』は、彼の形而上学的システムを適切に要約している。世界は、個別化された客体の時空間的普遍性としての表象の世界であり、私たち自身の認知装置によって形成される世界である。同時に、この世界内存在、私たちの認知能力の外側にあるもの、またはカントが「物自体」と呼ぶものは、意志であり、すべての表象に現われる元の力であるのだ。

### （2）著書『余録と補遺』より

……この一行一行がじつになんと確乎とした、明確な、徹頭徹尾調和のとれた意義にみちみちていることだろう。どのページからも、深く、根源的で、崇高な思想がわれわれに向かってくるが、全体のうえに、気高い、神聖な厳粛さが漂っている。ここにはインドの空気と、根源的な、自然に順応した生存とがいぶいている。ここでは精神が、古くからそれに接ぎ木されたユダヤ的迷信や、それを有り難がっているすべての哲学とをきれいに洗い去っている。これは世の中でもっとも読みがいのある、もっとも品性を高める読みものである。それはわが生の慰めであり、またわが死の慰めとなるであろう。

『ヴェーダ』が説くのも神＝創造主ではなくブラフマン〔梵〕〔中性〕とよばれる世界霊であり、ブラフマー〔梵天〕は―ヴィシュヌのへそから出た、四つの顔を持つ、トリムルティの一部としてのブラフマーは―きわめて明晰なインド神話における、ブラフマンの通俗的な擬人化にほかならない。

またブラフマーの世界産出は罪ある行為であって、ブラフマンの世界顕現も同様である。

仏教徒の涅槃は相対的な無なのである。

この生の意欲しない現象は、本質的にはまた、ヴェーダの教えにいう「大いなる熟睡」（『ウプネカート』第一巻、一六三頁）や仏教徒のニルヴァーナ、または新プラトン派の「彼岸境」と同じものであろう。

## （3） 著書『意志と表象としての世界』より

バラモン教と仏教は人間にむかって、自己を根源的存在そのもの、つまりブラフマンとみなすべきこと、それはいっさいの生成・消滅と根本的に無縁なることを教えている。

ヴェーダの教えによれば、この道程はそのつどの業の結果であるいっさいの輪廻転生を経て、ついに妙覚に達し、それとともに救済（「究極の解放」）、すなわちモークシア〔解脱〕つまり、梵〔ブラフマン〕との帰一に至る道程にほかならない。

意志は、「個体化の原理」である時間と空間の外に、すなわち数多性の可能性の外にあるものとして一者なのである。

意志は、幾百万本の柏の木にも一本の柏の木にも同じ程度に完全におのれを顕現するのである。

すなわち意志のこの自由、この全能は、思慮深さや自己意識という頂点であるここにおいても〔人間においても〕かつて盲目的に、自己に無知に意志していたのとまったく同じことを意志するか、さもなければその反対になるか、のいずれかである。

人間の人生は、だからまるで振り子のように苦悩と退屈の間を往ったり来たりして揺れている。

以上叙述してきたことところに従えば、生きんとする意志の否定とは完全なる諦念もしくは神聖さとよばれるもので、これはいつでも意志の鎮静剤 Quietiv の中から生じてくるのである。

…われわれは子供が暗闇を怖れるように、この無を怖れているのである。あのインド人たちにしてからが、神話だとか、意味のからっぽな言葉を使って梵（ブラフマン）への参入とか、仏教徒たちの涅槃（ニルヴァーナ）への帰入とかいって、無を回避しているのであるが、われわれはこれを回避することすらしてはならないのである。むしろわれわれはとらわれなしにこう告白しよう。意志を完全なまでになくしてしまった後に残るところのものは、まだ意志に満たされているすべての人にとっては、言うまでもなく無である。しかし、これを逆にして考えれば、すでに意志を否定し、意志を転換し終えている人々にとっては、これほどにも現実的にみえるこのわれわれの世界が、そのあらゆる太陽や銀河をふくめて—無なのである。

無という概念は、本質的に相対的で、つねにただ、その概念を否定するところの特定のなにかあるものに関係してのみ成り立つのだということに注目しておかなければならない。人々は（とりわけカントは）このような無の相対的特性を「欠如的無」だけがもっている特性だと考えたようだ。「欠如的無」というのは＋に対して－の記号で示されるような無のことである。

ある人がもはや以下の惨めさ、つまり、苦しむこと、老年、病、そして死のどれの支配下にもないとき、彼は涅槃を得たと言われる。

われわれの知っている生存を彼はすすんで放擲する。生存の代わりに彼において生ずるところのものはわれわれの目には空無に見える。なぜならわれわれの生存は、これに代わって生ずるものから見れば空無であるがゆえに。仏教信仰ではかのものをニルヴァーナ（涅槃）すなわち寂滅とよんでいる。

あらゆる愛［アガペー、カリタス］は同情である。

善や愛や高潔な心が他の人々のためにしてあげられることは、しょせんは他の人々の苦しみを緩和してあげるといったことでしかない。そういうわけだから、善、愛、高潔な心を動かして善い行為や愛の業をおこなわせることができるのは、つねにただ他人の苦悩に対する認識にほかならず、これは自分の苦悩から出てこそ直にわかるのであり、他人の苦悩を自分の苦悩と同一視しているものなのである。そこで、純粋な愛［アガペー、カリタス］はその本性の上からいって同情であることがここから明らかになるであろう。

「個体化の原理」を見破っている以上、ありとあらゆるものが彼には平等に身近に感じられる。彼は全体を認識し、全体の本質を把握している。そしてその全体はたえまなき消滅、虚無的な努力、内部的な闘争、そして不断の苦悩にあけくれていることが彼には分かっているし、どこに目を向けようと、人間は苦悩しているし、動物界も苦悩しているし、世界は衰退しつつあるのを彼は目撃している。

彼は直接に、推論を経ないで、自分自身の現象の即自態はまた同時に他人の現象の即自態でもあることを、すなわちそれは万物の本質を形成し、万物のうちに生きている生きんとする意志であることを認識している。のみならず、この即自態こそ動物にも全自然にも拡がっていることを認めているので、それゆえ彼は動物を苦しめるようなこともしないであろう。

友の幸せや禍いをまごころをもって共感共苦し、その友のために無私無欲な犠牲もいとわないところに、友情における同情が現われている。

万物のうちに自分を認識し、万物のうちに自分の最内奥の真実の自我を認識しているそのような人であれば、生きとし生けるものみなすべての無限の苦悩をも自分の苦悩とみなし、こうして全世界の苦痛をわがものと化するに違いあるまい。

まだ「個体化の原理」やエゴイズムにとらわれている人は、個々の事物とわが身に対する事物の関係だけを認識しているから、個々の事物は次から次へと、彼がそうしたいと欲している意欲の動因となるのであるが、ひるがえって今述べた全体の認識、物自体の本質に関する認識は、ちょうどこれと反対にいっさいの意欲の鎮静剤となるであろう。

快適なものの拒否と不快なものの追求による意志の計画的な挫折のことなのである。すなわち意志の永続的な禁圧をめざして自ら進んで懺悔と苦行の生活を送ることなのである。

人々にもっともしばしば完全な諦念をもたらしてくれるのは、苦悩の単なる認識ではなしに、苦悩を自分で経験することなのであって、死をま近にしてはじめて諦念へと導かれるというようなこともよくあることなのだ。

### (4) 著書『自然における意志について』より

われわれはこれを、生への意志であるかいなかを選択する自由をもったものとしか言いようがないのである。後者の場合、仏教徒はこれを涅槃とよんでいる。

涅槃とはすなわちこの世の否定、つまり輪廻〔サンサーラ〕の否定である。

しかしかかる同一性は本来、意志の否定(涅槃)の状態においてのみ存在する。なぜならば、意志の肯定(輪廻)は、意志が多として現象することをその形式とするからである。

# セーレン・キルケゴール
# Søren Aabye Kierkegaard

（1813～1855　デンマーク　哲学者　宗教思想家）

一般的に最初の実存主義者と認識されている。学術に通じ、信心深い両親のもとに生まれた。1830年、コペンハーゲンの大学に進み、ヘーゲルの影響を強く受ける。ヘーゲルの形式構築と、デンマークルーテル教会を取り囲む形式の両方に対抗した。軽い享楽的生活の後、かろうじて結婚を避けて宗教の研究を終え、その後は学問に専念する隠遁生活に入った。ヘーゲルの哲学を、すべての人間の判断の元になっている部分的、主観的、限定的な見地を無視して人間を神の位置に置く試みであるとして、徹底的にはねつけた。このようにして、意志や、理由や動機に強制されない自由な選択が最も重要であると強調するようになった。そこには人間の行動や判断が関わっていて、客観性も外枠も権威もない。この信念に忠実に、彼の研究は多面的で一見矛盾する。偽名で出版されたものもあり、自身が、（自分自身である）古い作品の著者を攻撃することもできた。彼の影響力は20世紀の、特に宗教的、倫理的選択について関心のある思想家や、そのような実存主義者に及んだ。著書には「あれか―これか：ある人生の断片」(1843)、「哲学的断片への結びとしての非学問的あとがき」(1968)「死に至る病」(1849)がある。

# セーレン・キルケゴール

## Søren Aabye Kierkegaard

（1813～1855　デンマーク　哲学者　宗教思想家）

### （1）ハワード・V・ホング／エドナ・H・ホング（編・翻訳）『セーレン・キルケゴールの日記と論説』より

（キルケゴールの日記と論説、自叙伝パート2、1848～1855年）

もし私が自分の能力の10分の1だけ持っていたら、もっと誇りがあって、神の前で恐れ震えることを減らせたら、世界でうまくやっていけるだろう。要は、私が行なうすべてのことにおいて、最も身分の低い者や名高い者の前で私がいつも思うことは、私は神の前にいるということだ。一人間を無視することを自分に許すかもしれないという考えだ！　そしてこれが、私の不幸だ。疑いなく、また私は永遠にこれを主張するのだが、私の他人との問題のすべては、私が貴族で富裕層ではないということから生じる。これは、地位のある人もない人も理解できないことだ。だが、このことを、私と共に知る存在がいる。だが自分を正当化するのか？　いや、それはできない。神の前では、黙っていることは権利の範疇だ。結局、私は容易な人生を望まず、逆に、この頃の苦悩（これは自己処罰であり、キリスト教信仰の意味であると理解している）は、私が共に生きる人々のためになるのだと自分を慰める。目覚めは必ずやってきて、神は苦悩が終わる前ではなく、終わったら、私の人生を強くして下さるのだ、と。私の人生は、元来キリスト教徒の非キリスト教徒版になってはならない。誰かがその人生で、そこから恩恵を得るために。キリストの無私は死へと向かう。そうでなければ、非宗教と何も変わらない。

1848年、日付不明

神を称える。すべての思考を最も小さな細部にまで考える時間が永遠の中にある。そこでは、考えることは、考えることの他には何も意味しない。消化しきれていない考えによって、生計を立てる、名誉や地位を得る、そして他人に理解される、などということを意味しない。

私の悔い改めの時は、明らかに、もうすぐ終わる。私は何も文句を言うことはない。神を理解することで、私はなぜ自分が苦しむのかわかる。そして、感謝する。私は生きており、神の助けにより、私はある信念の中で死ねる。その信念とはつまり、私が死ぬとき（それは死ぬ前には起こらない。なぜなら、それだと最後までの悔い改めにならないから）、神は私の人生に支配の印をつけるということだ。有益に、人々に神を気づかせ、いかに浅はかに最高の人生、神と共同の人生を歩むことを自ら阻んでいるかを気づかせるために。

私に割り当てられた仕事だと常に感じるこの人生を私が選んだのは、私が他人よりも優れていると思ったからではない。自分がより惨めで、酷い罪人だと感じたからだ。

だから、私はこの世的な報いを厳密に拒否する人生を送っている。だから、私は常に（キリスト教の精神で）ひどく扱われ、嫌われ、さげすまれ、残酷なことを体験させられ、富裕層集団は無言の嫉妬でそれを楽しむ。

これを誰にも話す意味はない。黙る時はある。最高の原型がそれを証明している。彼は沈黙していた。私はそれを劣ったものから学んだのだが、ソクラテスは、結局、人にこびへつらって自分の命を救う力はあったのだ。

1848年、日付不明

だが、もし私の人生を、私の残りの人生から区別して考えても、疑わしい側面がある。つまり、私は独立して生きる特権を持っているという事実だ。私はこのことを十分承知で、その理由から、現実の貧困生活の中で、本物の心と精神の生活が出来ている人よりも、極めて劣っているように感じる。大昔は、これは非常に偉大なことだったが、キリスト教世界ではなおさらだ。私のメランコリー、精神的身体的な不幸がなければ、そのような人生を思い切って送ってみる試みをしたかもしれない。それに対して、私は、優遇された環境の中で自分を卑しめている。それは、私の不幸のように、でも別の意味で、私に人生で質素な状態に満足するように教えた。

しかし始めからこのように考えられたわけではない。なぜなら、最も助けを必要としたとき、助けが近くにあり、不幸の中で最も真っ暗だった時、繰り返し言うが、神は、言葉で表せないほど、私が期待する以上のものを私に与えて下さり、与え続けてくださるからだ。

神の助けにより、私は自分の惨めな状況と、どのように私がそれを感じていたかを決して忘れない。だから、私が神への感謝の言葉を見つけられないのは、理解しやすい。人々の私に対する不公平や、原因と関係のないすべての事は、結局は私のやるべきことの一部で、私はそれを任務と呼ぶ。もし人々が私を殺そうとしても、私の神への感謝は変わらない。それは、単に、神が言い表わすことのできない愛で私に仕えることを許した目的の一部なのだ。自分を不幸な者とみなし、他人をただ不幸にし、親しくなった人への負担と、ほぼ呪いとなるだけの私に。

1848年、日付不明

もし私が神を愛したことがなかったなら、私がひどい残忍行為の犠牲者になり、嫉妬の喜びのために不当に扱われていた時に神が私に為したことは、信じられないほど、表現できないほど、神の愛の印であり、神は愛そのもので、神を称え、私は、永遠に、ただ神に感謝することができると強く感じている。

1848年、日付不明

## (2) 著書『哲学的断片』ヨハネス・クリマクス(キルケゴールの仮名)(1936年)

(メモ) 私は詩人ではないので、あえて意見が言えるとは言わない。しかし、神が存在することを証明できると思い込んでいる男を描き、そしてその証明で、無神論者にそれを認めさせるのは、狂ったように滑稽な印象を与えるのではないか。両方の状況は同等に異様だが、誰もそれを証明したことがないように、無神論者もいない。

自分たちが知っていること（神が存在するということ）に自分の心を支配されたくない人は、確かに沢山いるが、それは不死と同じことだ。誰かが証明することによって、他の誰かが不死となったとしよう*。それは非常にばかげたことではないか。だから、それを信じなかった者は一人もいないが、自分たちの魂を真実に支配されたくない者が沢山いるのだ。説得されるのをひどく嫌う者たちだ。私を説得させるものは存在するが、大事なことは、私がその中にどっぷりと浸かっていることだ。神の存在や不死などに関しては、短く言えば、内在する問題のすべてに記憶が適応される。それは、すべての人の中に完全に存在し、自分が知らないだけなのだ。だが、この理解は、非常に不十分かもしれない。

（余白）

*（ニルが石になり助祭がおんどりになったように）奇跡の男として歩き回り、ブースを立て、道楽を売るように、料金をとって人の不死を証明した人がいたとしよう。彼が不死を証明した人だけが不死となった。

１８４４年、日付不明

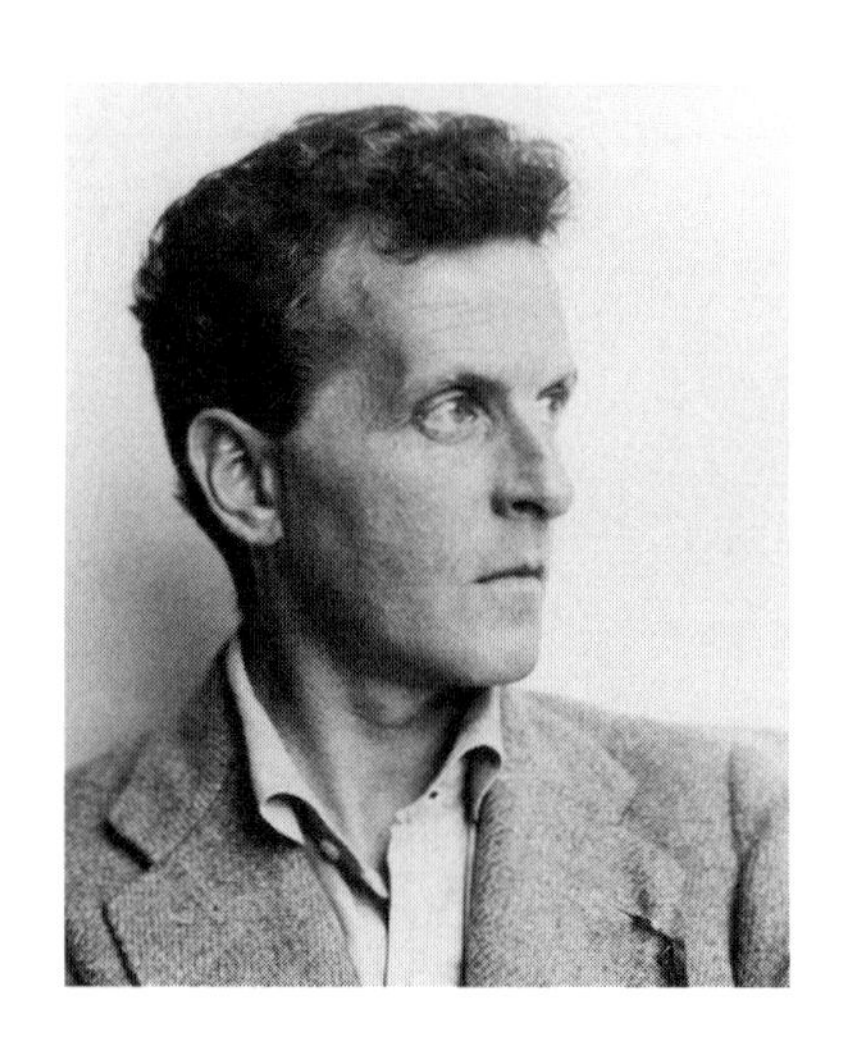

## ルートヴィヒ・ウィトゲンシュタイン
## Ludwig Wittgenstein

（1889～1951　オーストリア　哲学者）

裕福で教養のあるウィーンの家庭に生まれた。航空工学を学ぶことを決心し、1908年にマンチェスター大学（イギリス）に入学する。そこで数学の哲学、後にはゴットロープ・フレーゲの研究に深く興味を持つようになった。フレーゲに会った際、ケンブリッジ大学へ行きバートランド・ラッセルに師事するよう勧められた。1911年にそれは実現した。1911年から1913年、ケンブリッジ大学で学んだ。第一次世界大戦が始まると、オーストリア軍に従軍して戦い、1917年には捕虜となった。抑留されている間に終戦となった。戦時中、「論理哲学論考」の原稿を書いており、戦争が終わるとドイツ語で出版され、英語に翻訳された。

「論理哲学論考」で哲学の問題をすべて解いたと考え、1920年前後には、庭師や教師、建築家といったさまざまな仕事に就いた。最終的には1929年、哲学的な問題に再び深く関わるようになり、哲学者としてケンブリッジ大学に戻ることになった。色々な点で「論理哲学論考」に満足していなかった。この中で扱った問題に再び頭を悩ませてしまったのだ。ケンブリッジでの数年間、無我夢中でこれらの問題を考え抜くための、新しくてより良い方法を模索した。「哲学探究」を構成するアイデアを練り上げた、有名な暗がりでのセミナーを行なった。書き直しや整理を重ね、この本におおよそ20年間取り組んだ。1945年には本の出版準備が整ったが、その後原稿を取り下げた。その本は彼の死後、1953年に出版された。晩年は、そのキャリアの早い時期に取り組んだ問題について新しい方法で取り組み続けていた。アメリカやアイルランドに赴いたが、ケンブリッジに戻り、1951年にその地で癌により死去した。

# ルートヴィヒ・ウィトゲンシュタイン
## Ludwig Wittgenstein
（1889 ～ 1951　オーストリア　哲学者）

（1）論文集『ノートブック　1914-1916』（1961）より（執筆活動をしていた頃の準備作業として書いたノートのほとんどは、1950年にウィトゲンシュタインの指示によって破棄された。『Tractatus』が書かれた時期のノートを多く含んでいた。しかし、そのうちの3冊は、ウィーンではなくグムンデンに住む妹のストンボロー夫人の家に偶然残っていた。これは1914～1916年、ウィトゲンシュタインが25～27歳の時に書かれたものだ）

1916年5月6日
現代人のWeltanschauung（世界観）の根底には、いわゆる自然の法則は自然現象の説明だとする錯覚がある。こうして、彼らは、過去の人間が神と運命に対して至らなかったように、自然の法則を何か入り込めないものとして、至らないのだ。
だから、両者とも正しくて、間違っているのだ。過去の人間は、明らかな終点を認めるという意味では実にはっきりとしており、新しいシステムでは、すべてのものには基礎があるように見えるようになっている。

1916年6月11日
私は神と人生の目的について何を知っているだろう?
私はこの世界が存在することを知っている。
私の目が視野に置かれているように、私もこの世界の中に置かれていること
この世界の何かが解決が難しく、私はそれを意味と呼ぶこと
この意味は、この世界にはなく、外側にあること
人生は世界だということ
私の意志が世界を突き抜けるということ
私の意志が善あるいは悪であること
だから、善と悪は何らかの形で世界の意味と繋がっていること
人生の意味、つまり、世界の意味を、我々は神と呼べる
そして繋がる。神を父に喩え。
祈るとは、人生の意味について考えることだ。
私は世界の出来事を私の意のままに曲げることは出来ない。私は完全に力がない。
私は出来事への影響を放棄することでのみ、世界から自分を独立させ、ある意味征服できる。

１９１６年７月５日

世界は、私の意志とは無関係である。

もし我々の欲するすべてのことが起こるとしても、これは、いわば、単なる運命の好意である。なぜなら、それを保証するものは、意志と世界の論理的な繋がりではなく、同様に我々は想定された物質的繋がりを意図することも出来ない。

もし善や悪の意志が世界に影響を及ぼすならば、それは世界の境界だけに影響を及ぼし、言葉によって描写できないが言葉の中に現れるだけの事実には影響しない。

要するに、それは世界をまったく別のものにするのだ。

世界は、いわば、全体として満ちたり欠けたりする。意味を増加したり減少したりするかのように。[Cf. 6.43.]

死においても、世界は変わらないが、存在を止める。

１９１６年７月６日

この意味で、ドストエフスキーが、幸せな人間は存在の目的を満たしていると言ったのは正しい。

あるいは、生きる以外の目的がもはや必要のない人間は、存在の意味を満たしていると言うこともできる。すなわち、満足している人だ。

人生の問題の解決は、その問題が消えるときにある。

だが、問題がなくなる人生を生きることは可能だろうか？　それは永遠の中に生き、時間の中には生きていないのか？

１９１６年７月７日
これが、人生の意味を長い間疑問に思っていた後に明らかになった男が、その意味が何に存在するのか言えない理由ではないか？
もし私が、「客体のようなもの」を、そのような客体があるかもわからずに想像できるなら、その客体の最初のイメージを自分自身に構築できたということに違いない。
力学の方法はこれに基づいているのではないのか？

１９１６年７月８日
神を信じることは、人生の意味に関する疑問を理解することだ。

神を信じることは、世界の事実は問題の終わりではないことを知ることだ。

神を信じることは、人生には意味があることを知ることだ。

世界は私に与えられている。つまり、私の意志は、完全に外側から、そこに既にあるものとして世界へと入っていく。

（私の意志が何なのかは、まだわからない）

だから、我々は異質な意志に頼っているという感覚があるのだ。

しかしそうだとしても、いずれにせよ、我々はある意味依存しており、その依存しているものを、我々は神と呼べる。

この意味で、神は単に運命、あるいは同じことなのだ。つまり、我々の意志とは無関係な世界だ。

私は自分自身を運命から独立させることができる。

そこには二つの神格がある。世界と、私の独立した私だ。

私は幸せ、あるいは不幸せ、ただそれだけだ。善あるいは悪は存在しない、と言える。

幸せな人は恐怖がないに違いない。死に直面しても。

時間にではなく、現在に生きる人だけが幸せだ。

現在の人生には死はない。

死は人生の出来事ではない。それは世界の事実ではない。

もし永遠が、無限の一時的な期間ではなく、非一時的なものとして理解されるなら、人は現在に生きれば永遠に生きると言える。

幸せに生きるために、私は世界と一致していなくてはいけない。そして、それが「幸せでいる」ことが意味するものだ。

では私は、いわば、私が依存していると思われる異質の意志に一致している。それは、「私は神の意志を行なっている」ということだ。

死に直面する時の恐怖は、偽、つまり悪い、人生の最高のしるしだ。

私の良心が心の平静を乱すとき、私は何かと一致していない。だが、それは何だ?それは世界か?

良心は神の声だ、と言うのは確実に正しい。

例えば、これこれしかじかの人を私は怒らせた、と考えることは私を悲しくする。これは、私の良心か?

人は、「あなたの良心がなんであろうが、それに従って行動しなさい」と言えるか？

幸せに生きよ！

1916年7月9日
もし、最も一般形態の命題が与えられないのなら、我々が突然新しい体験、いわば論理的な体験をする瞬間が来るはずだろう。
それはもちろん不可能だ。
(3x)fx は、「fx という x がある」という意味ではなく、「fx という真の命題がある」ということを意味することを忘れるな。
fa という命題は特定の客体、つまりすべての客体の一般命題について語っている。

1916年7月21日
人間の意志の状態は実際は何なのだ？　私は、まっさきに、「意志」とは善と悪を持つものだとよぶ。

自分の手足が使えないので、普通の意味で、自分の意志を使うことができない人がいると想像しよう。しかし、彼は、考え、欲し、自分の考えを他の誰かに伝えることができる。だから、他の誰かを通して善か悪を為すことができる。すると、道徳は彼にも当てはまると言うことは明らかで、道徳的には、彼は意志の持ち主なのだ。

さて、原理上、この意志と人間の体を動かす意志に何らかの違いはあるのか？

あるいは、「欲すること（考えること）さえも意志の活動か？」というのは間違いか？（この意味で、実に、意

志のない人は生きていない）

まったく意志（Will）がないが、発想（Idea）（例えば見ることの発想）はある存在を考えられるか?ある意味、これは不可能に見える。

しかし、もしこれが可能なら、道徳のない世界もあるだろう。

1916年7月24日

世界と命は一つだ。

生理的な命はもちろん「命」ではない。心理的な命もそうだ。命は世界だ。

道徳は世界を扱わない。道徳は論理のように、世界の条件に違いない。

道徳と美学は一つだ。

1916年8月1日

物事がどのように成り立つか、は神だ。

神は、物事がどのように成り立つかだ。

私の人生の唯一性の意識からのみ宗教、科学、芸術は生じる。

# ソール・A・クリプキ
# Saul Aaron Kripke

（1940～　アメリカ　哲学者　論理学者）


1960年代から現代の分析哲学において最も強力で影響力のある思想家の一人であるアメリカの論理学者および哲学者。

クリプキは、ネブラスカ州オマハの高校生のときに、様相論理（必要性や可能性などの様相論の論理）の意味論に関する重要な研究を始めた。この時期の画期的な論文「様相論理の完全性定理」は、ハーバード大学で彼の新入生の年の1959年に「Journal of Symbolic Logic」に掲載された。1962年、彼はハーバード大学を卒業し、これまでに受けた唯一の非名誉学位である理学士号を数学で取得した。1968年までハーバードに留まり、最初はハーバードフェロー協会の会員として、次に講師として勤務した。その間、様相論理についての独自の結果を著した一連の出版物を出し続けた。彼はまた、直観主義論理（L.E.J. ブラウワーの数学的直観主義の根底にある論理）、集合論、および超限帰納法の理論についての重要な論文を発表した。1968年から1976年までロックフェラー大学で、1976年から1998年に引退するまで、プリンストン大学で名誉教授として論理学と哲学を教えた。1973年にオックスフォード大学で名誉あるジョンロック講義を行ない（『指示と存在：2013年 ジョンロック講義』として出版）、2001年にスウェーデン王立科学アカデミーから論理と哲学のロルフ・ショック賞を授与された。2003年にニューヨーク市立大学大学院センターの教授に任命された。

クリプキの最も重要な哲学出版物である『Namingand Necessity（名指しと必然性―様相の形而上学と心身問題）』（1980）は、1970年にプリンストンで行なった3つの講義の記録に基づいている。それは形而上学的概念としての必要性と可能性について初めて説得力ある説明を提供し、分析哲学の方向性を変えた。

# ソール・A・クリプキ　Saul Aaron Kripke

（1940～　アメリカ　哲学者　論理学者）

## （1）著書『命名と必然性』（1972、1980年）より

我々は、質的に同質の認識に関する状況についての観点から状況を分析してきた。問題は、観察者がSの感覚を持つのと質的に同じ認識的状況のイメージとは、観察者がその感覚を持っている状況なのだ。固定指示子（rigid designator）の指示的意味を見つけ出すイメージについても同じことが言える。分子の動きから生まれる熱のアイデンティティの場合、大事なことは、「熱」は固定指示子だが、指定子の指示的意味は指示対象の偶然な性質、つまり我々の中に感覚Sを作り出す性質、によって決定されたということだ。だから、現象が、その現象が熱でも分子の動きでもなく、指示的意味も感覚Sによって選びだされて、熱の現象と同じように固定指示された可能性があるのだ。一方で痛みは、偶然の性質の一つによって選びだされたのではない。むしろそれは、直接的な現象の性質から、痛みである性質によって選ばれたのだ。だから、痛みは、熱と違って、「痛み」によって固定指示されただけではなく、指示子の指示的意味は指示対象の本質的性質によって決定しているのだ。だから、痛みはある物理的状態と必然的に同質だが、特定の現象は、その物理的状態と関係なしに痛みを選ぶのと同じように選べるとは言えない。もし現象が、痛みを選ぶのとまったく同じように選ばれたら、その現象は痛みなのだ。

恐らく、同じことが、これらの講義のテクニカルなことに特別に触れなくても、もっと鮮明に説明できるだろう。神が世界を創造しているとイメージしよう。熱と分子の動きのアイデンティティを確立するのに神は何をしなければならないか？　神がすべきことは、ただ熱を創ること、つまり分子の動きそのものを創ることのように思える。もし、この地球の空気分子が十分にかき混ぜられたら、もし燃える炎があれば、観察者がいなくても地球は熱くなる。神は人間と動物の観察者を創る前に、光を創造した（だから、現在の科学の理論によれば、光量子の光線を創造した）。そして恐らく同じことが熱についても言える。ならば、どうして、熱を伴う分子の動きのアイデンティティが実質的な科学事実である、そして、分子の動きを創り出しただけでは、神はまだ分子の動きを熱に変えるというさらなる仕事がある、というように思うのだろうか？　この感覚は実に錯覚だが、神にとって実質的な仕事は、分子の動きを熱として感じさせることだ。これをするには、神は、知覚できる存在を創る必要がある。分子の動きが彼らの中に感覚Sを作り出すことを確実にするために。神がこれを為した後にのみ、我々と全く同じように、「熱は分子の動きだ」という文章が帰納的な真実を表しているということを知る存在が現れるのだ。…

## （2）著書『哲学的紛争：論説集　1巻』（2011年）

「バンダースナッチ（ルイス・キャロルの小説「鏡の国のアリス」（1871）に登場する凶暴な架空動物）はいない」あるいは「バンダースナッチは存在しない」と言えるかもしれないが、もしバンダースナッチが存在していたらどんな様子かということを我々が知っているとは明白に暗示していない。まるい四角が必然的に存在しないというような、普通の不可能なことも含まれていない。我々は、「バンダースナッチは存在しない」と言い、バンダースナッチに関するある文章は真理値があるように見えるが、これは、「バンダースナッチ」を含む文章が普通の命題を表現していることを意味しない。私は、これはかなりの問題だと思う。恐らく、コメンテーターは、これについて何か言うことがあるだろう。彼らは、ただ私が間違っていると言うかもしれない。しかし、デビッド・カプランは、いろんな場所で私と非常によく似た見解を示しているので、彼にとっても問題だろう。だから、彼は、単に私が間違っているとは言わないだろう。

ここで、何が言えるのか?「シャーロック・ホームズ」についても同じ問題が生じる。「シャーロック・ホームズは存在しない」と言いたい。一つの提案は、人についてではなく、メタ言語的に解釈することだ。これで、「シャーロック・ホームズは存在しない」という文章は、「『シャーロック・ホームズ』という名前は指示対象がない」という意味であると分析されると言えるかもしれない。ゆえに、「シャーロック・ホームズは存在する」という文章は「『シャーロック・ホームズ』という名前は指示対象がある」という意味であると分析されるだろう。そしてもし、指示的意味の特定の理論、例えば歴史的な理論、を持つ人ならば、さらに分析を進め、「シャーロック・ホームズは存在する」ということは、「チェーンはどこかに繋がっている」ことを意味し、「シャーロック・ホームズは存在しない」ということは、「チェーンはどこにも繋がっていない」と言うことを意味する、と言うかもしれない。

既に右で述べたが、私はこれを複数の理由で否定する。まず最初に、私が何を認めているか言おう。モーセは「モーセ」という名前に指示対象がある時のみ存在し、シャーロック・ホームズは「シャーロック・ホームズ」という名前に指示対象がある時のみ存在するということは、ア・プリオリではないかもしれないが、現在の目的ではア・プリオリに十分近い。これが、名前の指示的意味の条件だ。一般的に、このような関係性は有効で、メタ言語的な文章と「物質的な状態」のそれに対応する文章との物質的等価は自動的に受け入れられる。

しかし、このメタ言語的な翻訳は、「モーセ」も「シャーロック・ホームズ」の場合も、事実に反する状況にも通用する分析を与えない。反事実的に言えば、モーセは「モーセ」という名前が指示対象を持っていなくても存在していたかもしれない。もし、彼も他の誰も「モーセ」と呼ばれたことがなかったなら、これに当てはまる。「モーセ」という名前は指示対象を持っていたが、指示対象はモーセではなかったかもしれない、ということも事実だ。しかし、右で述べたことで私が一番強調したかったことは、以下だ。反事実的に「モーセが存在していなかったら、こうだったろう…」、あるいは「もし両親が出会っていなかったら、モーセは存在していなかったろう」、あるいは単純に「モーセは存在していなかったかもしれない」と言うなら、我々はこの男について語り、彼に何が起きたのかを聞いているのだ。

それならば、我々の問題は次のものだ。もし、我々が否定的な存在を仮定的に、反事実的に、あるいは何であれ使うならば、我々は指示対象について語っており、もしそれが存在しなかったらどうなっていたかを聞いているのだと、普通は考える。その一方で、もし同じことを断定的に言うのなら、その客体自体を否定し、使われている名前は単に名前を意味していると言っているようだ。また、モーセ五書だろうがドイルの物語だろうが、それを見ただけでは、どの方法が適しているのかわからない。だが、問題になっている言葉に、一つの意味しか持たない分析を与えたいと願わないか？

架空の人物について述べたことは小休止だ。架空の人物の名前は指示対象がある。ならば、名前は間違いなく指示対象（架空人物）があると思うだろう。それは、特定の作品について、架空の人物に関するか実際の人物に関するものかを調べる経験的調査の問題となるだろう。

しかし、私はこれを完全な回答だとすることに不安がある。「シャーロック・ホームズは決して存在しなかった」と言いたい気持ちがある。無神論者は、頻繁に神の存在を否定する傾向にあり、時には、それを恐らく中身のない名前として故意に使うのだろう。右に述べた例を使うと、アイスフェルトから引用したモロックの否定があるが、もしアイスフェルトが間違っているなら、二人の古代人が言い争うのを想像できる。一人はジュピターを信じるがモロックは信じないと言うのだ（そしてアイスフェルトの支持者の使い方も、特定の架空の存在を否定しつつ説明しなければならない）。「バンダースナッチ」は真に架空の種類あるいは獣のようなものを意味するが、我々は「バンダースナッチは存在しない」と言う傾向にあり、この場合、そのような種類のものは存在しないことを意味している（誰もバンダースナッチが何なのか言えなくても）。

何が我々にそのように話す権利を与えるのか？正確にどう答えればよいか知っていたらよいと思う。しかし、次のように試みよう。我々は時々、我々の言うことが何ら命題を表わすことを約束せずに命題を否定する、つまりその形の真の命題はないことを意味するようだ。だから、シャーロック・ホームズが人間だったのか、あるいは「シャーロック・ホームズがこれこれをした」と正確に状況を説明する仮定的な状況を語れるのかどうかの確信なしに、我々は、「この部屋にいる人は誰もシャーロック・ホームズではない。なぜなら、皆遅く生まれてきたからだ」、あるいは、「バンダースナッチが何であろうとも、ドゥビュークには確実に一匹もいない」などと言えるのだ。厳密に言って、ここで我々は、このような命題の存在を約束せずに、ドゥビュークにバンダースナッチがいるという旨の真の命題はないと言えるべきだ。そして、「シャーロック・ホームズは存在しない」、「バンダースナッチはいない」などは、ある種の命題があることを否定する同じ原理の制限的なケースだ。

要約すると、次のことを私は強調したい。

第一に、存在とは、個人の現実的な述部だ。すべてが存在するということは些細なことかもしれないが、多くのことが単なる偶然の存在で、存在していなかったかもしれないのだ。この種の言葉は、性質を実現する言葉のレベルに下げてはいけない。

第二に、作品が真実か作り事かどうかは、物語の中のある出来事が起こった、あるいは起こらなかった（または、物語の中で具体例を挙げて説明された性質は実例を示された、あるいは示されなかった）ということを主張する存在に関する発言かどうか、とは同等ではない。偶然は奇妙かもしれないが、このようなことが起こったがその作品とは関係がないということは不可能ではない。

第三に、物語に沿って何が真実かを評価するとき、存在に関する言葉は他の言葉と同じように評価されなければならない（「ハムレットは考える」と「ハムレットは存在する」のヒンティッカの場合やマクベスの短剣のように、別々にではなく）。

第四に、架空の人物の存在とその他の架空のものの存在の問題は、他の問題同様経験に基づくもので、時には肯定的、時には否定的な答えがある。それらは、どんな架空の作品が存在するかによる。だから、確かに、彼が存在していたとされる頃に広く読まれた、ベーカー通りに住んでいた架空の探偵がいたことになるのだ。しかし、様々な架空や想像のものの存在は疑わしい、あるいは意見が分かれるという例を示し、また、「架空の」という言葉は繰り返して言えることを述べた。我々は、間違って架空の人物の存在を信じてしまうかもしれない。恐らく、最も印象的なケースは（上では述べていないが）、本当は現実の書かれている歴史だったのに、架空のものと思ってしまうケースだ。

最後に、まったく中身のない名前と非存在の真の主張についての問題が残っているが、これらはすでに話した。

# ジークムント・フロイト
# Sigmund Freud

（1856～1939　オーストリア　精神医学者）


独創的であり多筆であった。全研究は24巻に及ぶ。力動精神医学（一般的には精神分析学）と呼ばれる、人間の行動を理解するための新しい方法を開発した。

ウィーンで生まれ、3人の兄弟と5人の姉妹がいた。家計が厳しかったため狭いアパートに身を寄せ合っていた。ウィーン大学で医学の学位を取得した4年後、同大学で講師の職に就いた。フロイトは自身の突出した特徴はその勇気であると信じていた。生涯にわたって、より優秀な頭脳を与えられなかったことに不満を漏らしていた（ジョーンズ、1955）。一生の間、自身の理論に批判的であった。しかし、何を精神分析学と呼ぶことができるかを決める権利があるのは、提唱者である自分だけだと主張した。

1923年、「自我とエス」を発表した。この中で、これまでと大きく異なる、心理学の構造と機能の新しい様式を提案した。この様式では心的装置が、イド、自我、超自我の3つの異なる精神構造に分けられる。神経症の徴候は、イドが強くなり欲動をすぐに満たしたくなるのと、超自我が過度に懲罰的で抑制的になることの間の葛藤という観点から理解される。そして自我の逃亡によって、許容範囲の緊張低減を行なう適切な防御機構の発達が妨げられると、その葛藤は悪化する。

# ジークムント・フロイト　Sigmund Freud

（1856 ~ 1939　オーストリア　精神医学者）

## （1）著書『幻想の未来』（1961年）より

この状況はなにも新しいことではない。実際には、ただ続いているだけの幼児の原型がある。なぜなら過去に一度、人は似たような絶望的な状況に陥っているからだ。小さな子供の時、両親との関係においてだ。人は両親、とくに父親を怖れる理由がある。だが同時に、危険がある時は父親の守りがあることも確信している。だから、二つの状況を同化させるのは自然なことだったのだ。ここでも、夢の世界と同じように、祈りが役目を果たしている。眠っている人は、墓に入れられるかもしれないと脅えさせる死の予感にとらわれるかもしれない。

しかし夢の仕事は、そのような非常に恐ろしい出来事さえも願望成就に変える条件を選ぶ方法を知っている。夢を見る人は、古代エトルリア人の墓を降りていき、そこで自分の考古学の興味が満たされるのを喜んでいる、という状況を見る。同じように、人は、自然の力を、単に自分が同等として付き合えるような人々に変えるのではなく（これでは、その自然の力が彼に与える非常に強い印象を正当に取り扱っていない）、人はそれに父親の性質を与えるのだ。人は自然の力を神に変え、それに従い、私が示してきたように、幼児の原型だけでなく、系統発生上の原型を作り出した。

そうしているうちに、自然現象の法則の規則性と服従に関する最初の観察がなされ、自然の力は人間の特徴を失っていった。しかし、人の無力さ、そして自分の父と神々への切望が残った。神々は三つの仕事を維持した。つまり、神々は自然の恐怖に対して魔除けをしなければならない。神々は運命の残酷さ、特に死に見られる残酷さに人間を甘んじさせなければならない。神々は、文明生活が共通して人間に課してきた苦しみと欠乏に対して埋め合わせをしなくてはならない。

だが、これらの機能の中に、特徴の置き換えが徐々に起こってきた。自然現象は、内なる必要性に従って自動的に発展したと思われた。疑いなく、神々は自然の権力者だった。神々は、自然をそのように手配し、あとは自然に任せた。ほんのたまに、神々は、もともとの力の範囲を一つも手放してはいないことを明らかにするかのように、奇跡と知られる形で自然の営みに介入した。運命の分配については、人類の混乱と無力さは修正することができないという不快な疑念が続いた。ここで、神々はもっとも破綻しそうだった。もし神々が自分たちで運命を創ったならば、その忠告は不可解だと思われたに違いない。

モイラ（運命）は神々を超えたところに位置し、神々は自分たちの運命を背負っていたという考えは、古代の最も優れた人々は理解し始めていた。そして自然がより自立し、神々が自然から離れていくと、すべての期待はより熱心に神々の三番目の機能に寄せられていった。道徳が神々のより真の領域となったのだ。そして、神々の仕事は、文明の欠点や悪を安定させ、人間が生きている間にお互いに負わせる苦しみに注意を払い、人間が非常に不十分に従う文明の教訓の実現を見守ることとなった。これらの教訓自体に神聖な起源があると信じられた。それらは、人間社会の上を行くとされ、自然や宇宙にまで及んだ。

このようにして、自分たちの無力さを耐えられるものとする人間の要望から生まれ、自分らの子供時代と人類の子供時代の無力さの記憶要素から創られた考えが蓄えられていった。これらの考えを持つことは、人間を二つの方向から守った。自然と運命の危険と、人間社会が脅かす被害だ。ここが要点だ。この世界での人生は高い目的を果たすものだ。その目的が何かを推測するのは簡単ではないことは明らかだが、確かに、人間の性質を完全にすることを意味している。この飛躍と精神的高揚の対象は、恐らく、人間の精神的な面、つまり魂だ。魂は時間の経過の中で、体からゆっくりと嫌々と離れていった。この世で起こるすべてのことは、我々よりも優れた知性の意図の表われだ。その道と裏道について行くことは難しいが、その意図は、ついにはすべてを最高の状態に整える。

つまり、我々にとって楽しいものにするのだ。善意ある神意が我々一人一人を見ており、それは一見したところ厳しいが、我々を、自然の非常に強く情け容赦ない力のおもちゃにして苦しませたりしない。死自体も、絶滅や、無生物の死んだ状態へ戻すことではなく、より高等な何かへと発展する道の途中にある新しい存在の始まりなのだ。そして、別の方向を見てみると、比較にならないほどの強い力と一貫性で最高裁判所によって維持されているということを除いては、我々の文明が作った同じ道徳の規律は全宇宙をも支配するということを、この考え方は語っている。最後には、すべての善は報われ、すべての悪は罰せられる。この世の形でなければ、死後に始まる後の存在の形で。このようにして、人生のすべての恐怖、苦しみと困難は、取り除かれるように運命づけられている。

死後の人生は、ちょうど領域の見えない部分が見える部分に交わるように地球上での人生を続けるが、我々がこの世で見過ごしたかもしれない完全性を我々にもたらす。そして、物事の道筋を決める優れた知恵、自らを現す無限の善、その目的を達成する正義、これらは我々と全世界を創った複数の神聖なもの、あるいは我々の文明で太古からのすべての神々が凝縮した一つの神聖なものの特徴だ。最初に神の特徴を集結するのに成功した人々は、その前進にかなり満足した。そのおかげで、最初からずっとすべての神聖なものの後ろに中核として潜んでいた父を見えるようにしたのだ。根本的に、これは神の考えの歴史的始まりへと戻るものだった。これで神は一人の人となったので、人間と神との関係は、子供と父親の関係の親密さと強烈さを取り戻したのだ。しかし、父親のために多くを為したならば、人は褒美をもらいたかった。少なくとも神に唯一愛された子供、選ばれし人種になりたかった。ずっと後に、敬虔なアメリカは「神の国」であるという主張を始めた。人間が神を崇拝する形の一つとしては、この主張は明らかに正当である。

上にまとめた宗教的考えは、もちろん長い発展の過程を経て、様々な文明によってさまざまな時期に支持されてきた。私は、今日の白人キリスト教文明がとった最終的な形に大体対応する一つのそのような時期を取り上げた。この図（註：本書には収録していない）のすべての部分が互いにうまく符合するわけではなく、すべての問題に答えが得られるわけではなく、日常体験の矛盾を無視するのは難しいということは、容易にわかる。それでもなお、広い意味で宗教的なこれらの考えは、文明の持つ最も貴重なもの、文明が人々に提供すべき最も貴重なもの、として尊重されている。地球の宝を得る方法、あるいは人間の生命を維持させたり病気を予防したりするためのすべての方法よりも、はるかに高く尊重されている。人々は、自分たちの価値とこれらの考えを結び付けなければ、人生は耐えられないと感じる。そこで質問が出てくる。心理学の観点からすると、これらの考えは何なのだろう？　その考えへの尊重はどこからくるのだろう？　そして、もうほんの少し踏み込むと、それらの真の価値は何だろう？……

## （2）著書『トーテムとタブー：未開人と神経症者との精神生活における類似点』（1919年）より

…きわめて凝縮した形で進められたこの研究の終わりに、私は結論を述べたい。それは、宗教、道徳、社会、芸術はエディプス・コンプレックス（註：子供が無意識のうちに異性の親に愛着・性的願望をもち、同性の親に敵意を持つ傾向）で交わるということだ。これは、精神分析学の結論と一致している。つまり、現在の我々の知識の限りでは、すべての神経症の中核部には、エディプス・コンプレックスがあるのだ。これら民族的心理学の問題も、父親との関係のような、一つの具体的な例を通して解決できることに、私は非常に驚く。恐らく、別の心理学的問題がここに含まれるべきだろう。我々は、大事な文化の形成の根本において、本当の意味で感情の両面性を示す機会、つまり同じ対象に対する愛情と嫌悪が同時に起こること、を示す機会が沢山あった。この両面性の源について、我々は何も知らない。それは、恋愛面（emotional life）の基本的な現象だと思われているかもしれない。しかし、もう一つの可能性が考慮に値すると思う。それは、もともと両面性は我々の恋愛面とは無関係だったが、父親コンプレックスから人類が獲得したものだということだ。今日の個人の精神分析の調査は、それが非常に強いことを示している。…

# カール・グスタフ・ユング
# Carl Gustav Jung

（1875～1961　スイス　精神科医　心理学者）

分析心理学の創始者で精神分析学の先駆者の一人であり、フロイトの初期の弟子である。トゥールガウ州ケスヴィルで、プロテスタントの牧師とその妻のもとに生まれ、幼少期をバーゼルの近くで過ごした。バーゼル大学で医学を学んだが、若い頃から彼の興味の対象は広範にわたり、色々な本を読んで哲学や言語、神学を学んだ。1900年にはチューリッヒに移り、ブロイラーと共に働いた。1903年、エンマと結婚する。彼女は後に分析心理学の文学に貢献する。言語連想法の初期実験に取りかかり、1907年にはフロイトと出会い、アドラーやアブラハム、フェレンツィなどが所属するウィーン精神分析サークルのメンバーとなった。フロイトとユングは1906年から1913年にかけて定期的に文通を行なっており、ユングは1911年、国際精神分析協会の初代会長となった。フロイトは彼をこの活動の"皇太子"で、自分の後継者と考えていた。しかし1914年までにはユングの考えはフロイトの考えと大きく異なっていたため、互いにかなりの痛みを伴うかたちで二人の関係性は壊れてしまった。ユングによる教え子への連続講義に関する出版物（ユング、1983年）は、新フロイト派が彼に与えた影響についての議論を活発化させた。この講義は1895-6年に書かれたもので、ユングは当時20-21才、フロイトの名前すら聞いたことがなかったが、彼の多くのより成熟した関心を窺わせる。多くの中心的場において、ユングとフロイトの支持者の間での親善がある程度なされてきている。アドラーのように、自身の精神分析の様式に新しい名前を付けた。多筆だった著書の多く（20巻に及ぶ全集として英語で発表された）は、精神的・集合的な解釈および生物学的・個人的な必要性から、個人をその人物全体として理解しようとしたものである。晩年、広範囲を旅し、アフリカを訪れて原始文化を研究した。晩年の大部分をキュスナハトとチューリッヒ湖畔のボーリンゲンで過ごし、仕事や執筆を行なった。

# カール・グスタフ・ユング　Carl Gustav Jung

（1875 ～ 1961　スイス　精神科医　心理学者）

## （1）「ニーチェのツァラトゥストラ：1934～1939年に行なわれた講義のノート」より

1936年5月6日の講義

…人々が遠い海を眺めて神を呼び続ける、という議論の弱さが見て取れる。彼らは、未発達のポリネシア人が蓄音機を聞いて「ムルング(良くない！)」というように、「あら、何と美しい！(God, how wonderful！　直訳：神、何と美しい！)」と言うのだ。我々は、非常に驚いたりびっくりする時、それが何であろうと、肯定的でも否定的でも、「あら！（God!)」と叫ぶのだ。我々は神という言葉を使って罵り、神を信じていない人でも、「こんちくしょう！(God damn you!　神がおまえを地獄に落とす！)」と言うのだ。フランス人は些細な挑発に対して「おお、私の神（Oh, mon Dieu.)」と言い、ドイツ人は「ああ、神様、私を忘れないでください。(Ach Gott, lass mich in Ruhe.)」とか何とか言う。イタリア人労働者は、無神論者のクラブにいようが、神を殺そうとするボルシェビストのクラブにいようが、「神のために（Per Dio)」と言う。

それは我々の言葉の中に非常にたくさん出てくるのだ。「おお、スーパーマン、何てバカなの！」という人は誰もいない。誰もスーパーマンという言葉で罵らないのだ。だから、神は自然な現象なのだ。それは、私を創るものを指す言葉なのだ。

「神」という言葉は善とは何の関係もない。「生じさせること」という根源的意味からくる単語だ。神は、ものごとを生じさせるもの、創造者、ものごとの作者なのだ。私を創るもの、私の実際の気分を作るもの、私の父のように私より偉大あるいは強いもの、それが「神」と呼ばれる。感情に圧倒されるとき、それはまったく神であり、いつも人々が「神」と呼んできたものだ。例えば激怒の神、喜びの神、愛の神のように。人々は、感情自体を人格として理解してきた。自分が怒るのではなく、怒りの悪魔、悪霊が私のシステムに入り込んで、私を怒りの形に作る（創る）のだ。だから、それは神なのだ。そして、人が感情に圧倒される限り、自由にならない限り、それは永遠に続くのだ。

ツァラトゥストラ（註：古代ペルシア・ゾロアスター教の予言者ゾロアスター）は、ある意味スーパーマンの予知でもあったが、様々な出来事に圧倒される。彼は怒り、泣き、まったくニーチェのように感情の被害者だった。後に、実はしていないことをしていると思うとどうなるかがわかる非常に典型的な一節がある。人は、自分が物事の創造者だと思うと、物事の被害者になるのだ。

だから、人が「神」を呼ぶ根源的な現象は、単に抗し難い事実の発言なのだ。時に私を圧倒する私の心霊システムの一部なのだ。そして、遠い昔から、人はこのような言葉を発してきた。もちろん、私がもつ神の観念は人間の感情に他ならないと思ったバカもいる。彼らは、感情とは何かを知っていると思っているバカだ。

私は、彼らの仲間ではない。私は「感情」と呼ばれる現象を知っているだけだが、精神（psyche プシケ、魂）とは何かをまったく知らないので、それが何かを語ることは出来ない。それが何かまったくわからない。だから、現象は「神」と呼ばれると私が言うときには、神の定義を与えていない。私はその言葉の定義を与え、後はその人が明らかにするのに任せる。もし彼が最悪の罪を通してそれを明示するなら、それは彼の問題だ。だが、感情を語るバカ者たちは、感情が何かを知っていると思っている。あるいは、私が精神について語る時、彼らはそれが何かを知っていると思う。物理学者に物質とは何か聞くがいい。これは身の毛のよだつような質問だ。だから、超人を教えることで神の心理学的な事実を抑圧することは決してできないが、もちろん、ニーチェの超人の観念を解釈するときは、これは異なる問題だ。…

**(2)『C・G・ユング著作集　9巻　パート2　アイオーン：自己の現象学の研究』(1959年)**

…全体として見れば、我々の中に直観として現れる自然の力を「神の意志」として説明することは、心理学的に有益なだけでなく「正しい」。このようにして、我々は先祖から伝わる精神生活の習慣行動と調和して生きているのだ。それはつまり、我々は、いつの時代もどこの場所でも人間が機能してきたように機能しているのだ。この習慣行動の存在がその実行可能性の証拠だ。なぜなら、もしそれが実行可能でないなら、それに従ってきた者は皆、不適応でずっと前から滅びていただろうからだ。

一方で、それに従うことで、人は妥当な寿命を得る。習慣的な考え方がこれほど保証を与えているなら、それを間違いだと言うのは根拠がないだけでなく、それどころか、心理学的な意味において「真実である」あるいは「正しい」とする理由が大いにある。心理学的な真実は、形而上学的な洞察ではない。それらは、経験が適切で有益だと証明した習慣的な考え方、感じ方、行ない方なのだ。

だから、我々の中にある衝動が「神の意志」として理解されるべきならば、それは、気まぐれな願望や意図ではなく、我々がどのように正しく扱うかを学ばねばならない絶対的なものとしてみなされなければならないと私は強調したい。

意志は、それらを部分的にのみコントロールできる。意志はそれらを抑圧することができるかもしれないが、それらの性質を変えることは出来ず、抑圧されたものは別の場所で変化した形で再度現れる。だがその時は、普通なら無害の自然の衝動を、我々の敵に変化させる怒りであふれているのだ。

また、「神の意志」の「神」という言葉は、キリスト教の意味合いではなく、ディオティマ（註：プラトンの『饗宴』で言及される女性哲学者）が、「ソクラテスよ、エロスは強力なダイモンである」と言ったときの意味合いで理解されるべきだ。

ギリシア語のダイモンとダイモニオンは、神意や運命のように外側から人間へとやってくる決定的な力を表しているが、道徳的な決断は人間に任されている。しかし、人間は、自分が何について決め、何をしているのかを知らなければならない。そうすれば、もし従うならば、彼は自分の意見だけに従っているのではなく、またもし否定するなら、彼は自分の作り事だけを壊しているのではないのだ。…

## (3)「魂を求める現代人」（1933年）

…それは生物学的事象の止められない循環を超えるところへ導くことは決してない。この絶望的な状況が人をパウロと共に叫ばせるのだ。「惨めな男だ、私は。誰がこの死んだ体から私を解放してくれるのか?」そして我々の知性豊かな人が、頭を振りながらやってきて、ファウストの言葉で言うのだ。「おまえは、たった一つの衝動しか意識しない」。つまり、父と母へと戻る肉体の結び付き、あるいは我々の肉体から生まれる子供たちへと進む肉体の結び付きだ。

過去との「近親相姦」と将来との「近親相姦」、家族の状況を永続化する最初の罪だ。この結び付きから我々を自由にするものは、生命の逆の衝動、つまり魂（spirit　精神）しかない。肉体の子供たちではなく、「神の子供たち」が自由を知っているのだ。エルンスト・バルラハの家族生活の悲劇を描いた戯曲『Der Tote Tag（死んだ日）』で、母ダイモンは最後に言った。「おかしなことは、人間は、神が自分の父だということを学ばないこと」。これがフロイトが決して学ばないことで、彼の考えを共有する皆が学ぶのを自分に禁じていることだ。少なくとも、彼らはこの知識への鍵を決して見つけることはない。神学は鍵を探している者を助けない。なぜなら神学は信仰を要求し、信仰は作ることができないからだ。

それは、もっとも真理的な意味で、恩寵の賜物なのだ。我々現代人は、魂の命を再発見する必要性に直面している。それを自分たちで新たに体験しなければいけないのだ。それが、生物学的事象の循環に我々を縛り付ける呪文を解く唯一の方法なのだ。

この問題に関する私の立場は、フロイトと私の意見の違いの三つ目のポイントだ。このせいで、私は神秘主義者だと非難される。だが、私は、人間がいつでもどこでも自発的に宗教的表現を発展させ、太古からの人間の精神（psyche プシケ、魂）には宗教的感情と考えが入り混じっているという事実に対して責任は負わない。

この人間の魂の側面がわからない者は盲目であり、それを説明して取り除いたり、啓発して取り除いたりすることを選ぶ者は現実的感覚がない。あるいは、フロイト説支持派の者皆とその創始者にも見られる父親コンプレックスの中に、避けられない家族状況から言及する価値のある救出の説得力ある証拠を見つけられるのだろうか？

非常な頑固さと過敏症により狂信的に擁護されているこの父親コンプレックスは、誤解された信心深さを覆い隠すものだ。それは、生物学と家族関係の観点から表現された神秘主義だ。

フロイトの「超自我」の考えについて言えば、昔からのエホバのイメージを心理学理論のドレスに包んでこっそり持ち込む誤魔化しの試みだ。そんなことをするなら、隠し立てせずにそのように言った方が良い。私としては、物事をいつも知られてきた名前で呼ぶことを好む。歴史の糸車は戻すべきではなく、太古の入門儀式で始まる霊的な（spiritual 精神的な）人生への人間の前進は否定されてはいけない。科学が探求の領域を分割し、限られた仮定を立てることは許容される。なぜなら、科学はそのように機能するからだ。しかし、人間の魂（psyche プシケ、精神）は分割できないかもしれない。

それは、意識を包含する統一体で、意識の母なのだ。その全機能のたった一つの機能である科学的思考は、命のすべての可能性を使い尽くすことは決してできない。心理療法師は自分の視覚を病理学の眼鏡で色付けさせてはいけない。彼は、病んでいる心は人間の心であり、それは、すべての病気に関して、人間の精神生活のすべてに共有するということを、決して忘れてはいけない。

心理療法師は、自我は全体から切り離され、人類（mankind 人間）とも魂ともつながりを失っているという理由で病気であるということを認めることさえも出来なくてはいけない。フロイトが『自我とエス』の中で言うように、自我とは実に「恐怖の場所」であるが、それは、「父」と「母」に戻っていない限りにおいてだ。フロイトはニコデモの質問で難破する。「人は、二度母親の子宮に入って、再び生まれることができるか?」小さなことを大きなことと比べるようだが、ここで歴史は繰り返すと言えるだろう。なぜなら、この質問は現代心理学の内輪の喧嘩の最前線に再びやって来ているのだ。

何千年もの間、始まりの儀式は魂の生まれ変わりを教えてきた。だが、おかしなことに、人間は何度も何度も神の創造の意味を忘れるのだ。これは確かに魂の強い命の証拠にはならないが、誤解の罰は重い。なぜなら、それは神経症的な腐敗、つらさ、萎縮、不毛に他ならないからだ。魂（spirit 精神）を締め出すことは簡単だが、そうすれば、命の気が抜ける。その持ち味がなくなる。

幸運にも、古代の手ほどきの主要な教えが世代から世代へと受け継がれているという事実に、魂はいつもその力を新しくするという証拠がある。折々に、神は我々の父であるという事実の意味を理解する人間が生まれてくる。肉体と魂の同等のバランスは世界に失われてはいない。

フロイトと私の差異は、我々の基本的な前提の本質的相違に遡る。前提は避けられないので、前提を立てていないふりをするのは間違っている。だから私は根本的な問題を扱ってきたのだ。

これらを始めとして、私とフロイトの考えの多様で詳細な違いがよくわかる。…

# ピーター・ハリソン
# Peter Harrison

（1955～　オーストラリア　人文科学教授）

オーストラリア名誉フェローで、クイーンズランド大学人文科学高等研究所所長。クイーンズランド大学以前は、オックスフォード大学イアン・ラムジー・センター所長、同大学科学宗教教授。近代の哲学、科学、宗教思想に焦点を置いた文化史の分野で幅広く出版している。特に科学と宗教の歴史上そして現代における関係性に関心がある。エール大学とプリンストン大学の客員研究員、国際科学宗教学会の創立会員の一人、そしてオーストラリア人文科学学会のフェローでもある。2011 年にはエディンバラ大学でギフォード講義を行ない、2019 年にオックスフォード大学でバンプトン・レクチャーを行なった。100 を超える記事と本の著者であり、著書には 2016 年のアルダースゲート賞を受賞した『The Territories of Science and Religion（科学と宗教の縄張り）』が含まれている。

# ピーター・ハリソン　Peter Harrison

（1955～　オーストラリア　人文科学教授）

## （1）「キリスト教と西洋科学の台頭」、『宗教と倫理』への投稿記事（2012年5月8日）

キリスト教と科学の関係は、長きにわたって争いであると思われている。これには様々な原因がある。例えば、進化と創造についての現代の論争は、科学と宗教の過去の関係を象徴しているとされる。この見方は、カトリック教会が、地球は太陽の周りをまわっているとガリレオが教えたことに対して激しく非難した「ガリレオ非難」のような歴史的出来事が広く語られることによって強められる。さらに、この歴史的見解が正しいと思わせるのは、宗教的信仰は科学の考えとは相いれず、過去からいつもそうだった、と声高に主張する最近の宗教批評家たちだ。

このような科学と宗教の歴史的関係に関する見解は広く支持されているのだが、科学歴史家は、西洋に於いて現代科学が出現し持続されてきたのには、宗教的要因が非常に重要な役割を果たしてきたということを知っている。科学の発展における主要人物の多くは、誠実に宗教に傾倒していただけでなく、彼らが先駆けた自然への新しいアプローチは、様々な形で宗教的推測に裏付けられているのだ。

自然界は数学的法則で支配されているという考えは、最初に17世紀に提案されたが、これは直接的に神学の考え方に影響されていた。物理学で数学的説明をするという動きも、ある特定の宗教的観点から生まれたのだ。聖書をより言葉に忠実に解釈することは、通常、科学への障害になると思われているが、実は上記の展開に重要で間接的な役割を持ち、科学的アプローチに繋がる自然世界の象徴的でなく実用的な理解を進めている。ついには、宗教は、科学の追求に対して社会的な認可を与え、科学が現代西洋文化の永続する中心的要素となるようにした。

…自然の法則がそうであるように、数学的関係が実在するという考えは神学的根拠があった。ガリレオ、ヨハネス・ケプラー、ルネ・デカルト、アイザック・ニュートンのような人々は、数学的真理は人間の心の産物ではなく、神の心の産物であると確信していた。宇宙の新しい法則に明らかに存在する数学的関係の源は神だったのだ。聖書のように、「自然の書」も神によって書かれ、ガリレオが主張したように、この書は「数学の言葉で書かれていた」。

他の科学者たちも同じ意見だった。惑星運動の法則を見つけたヨハネス・ケプラーは、神は宇宙を創造するのに数学の原型を使ったのだと言った。それゆえ、彼は、自然の数式化に対する古いアリストテレス的偏見を捨てるべきだとした。「数学がなぜ自然の物事の原因であるか（アリストテレスが色々な場所でケチをつけた理論）の理由は、創造者である神が、数学を、もっとも簡素で神聖な抽象の状態で、無限からの原型として持っておられたからだ」。

デカルトは、神は論理と数学の法則を創ったとし、2+2=4の方程式は、神がそのように望まれたから真実なのだと言った。神は数学者であったという考えを支持するのに、デカルトは聖書の言葉を引用した。「あなたは、長さや、数や、重さにおいて、すべてに均衡がとれるよう計らわれた」(知恵の書 11:20)。後にニュートンは、宇宙には「無限で偏在する精霊(spirit)」が住んでおり、物質は「数学の法則」により動かされていると言った。

神を数学の創造者とするのは、数学的関係の現実を主張するのに非常に大事な一歩だった。このおかげで、後に物理学に数学を適用することが可能となった。神聖な立法者という考えと併せ、この見識が、自然は数学的法則により支配されているという近代的見解をもたらした。

…自然は、次第に、生物というよりは機械(machine)に似たものとして理解されていった。この理由から、新しい科学はしばしば「機械的哲学」と呼ばれた。機械が人間によって設計され組み立てられるように、世界は神聖な存在による設計の形跡を示していると信じられた(アリストテレスは有神論者だったが、世界は永遠なので創造はされていないと思っていた)。それに応じて、「目的因」の考え方も大きく変化し、一般的に、神の目的あるいは設計と同一だとされた。自然が神の設計の証人であるという考えは、自然科学を追求することへの強力な根拠となった。実際、17~18世紀の自然科学はキリスト教信仰を理性的に支持していたということは正しいが、自然科学は神学的に有益だと思われたので、社会的な正当性を得たということも同様に事実である。

自然の法則の出現、自然の数式化、物質の機械的・原子的な新しい理解という、17世紀に起きたこれらの展開に於いて、神は、中世の時よりも、親密に自然にかかわっていると考えられた。事実、これが科学革命を主に推し進めてきた人たちの明白な目的だった。彼らは、自分たちの自然に対する新しい見方は、アリストテレスの「異教的」科学よりも、純粋にキリスト教的だと言った。

16～17世紀に起こった、中世から近代の世界観への推移は、必然的に宇宙を宗教から切り離したという一般的な考えに、幾分の真実はある。しかし、科学革命の中心人物となった人の多くは、自分たちが取り換えた中世の自然世界に対する考え方よりも、キリスト教と両立する科学を支持していた。

…現代科学は、西洋のキリスト教世界の神学的土台の外側で生まれることは出来たのだろうか？　答えるのは難しい。確実に言えるのは、現代科学はその神学的環境から生まれ、神学的思考が科学の主な仮定のいくつかを支持していた、ということだ。科学と宗教が相反すると主張する人は、歴史から安心を得ることは、ほぼないだろう。

さらに歴史の記録が示すことは、現代科学が自然の法則を肯定的に仮定し、自然の不変性を前提とする限りにおいて、それは暗黙のうちに神学を思い起させるということだ。恐らく最も重要なことは、宗教的思考が、科学的知識の探求に極めて重要な是認を与え、ほぼ間違いなく、宗教的思考のおかげで科学は肯定的に受け止められ、現代の西洋で科学は高い地位を得ているのだ。

これは、過去に宗教的理由から科学的見解に反対した人たちがいたということを否定しているのではない。これは、宗教界で様々な反応を引き起こしたダーウィン説の出現以来、特に当てはまることなのだ。しかし、ダーウィン説は科学界でも様々な反応を引き起こした、ということは往々にして忘れられている。

最近の科学と宗教の論争を誇張する者、その論争を歴史を遡って投影する者は、単に歴史の作り話を繰り返しているのだ。科学と宗教は永続的に衝突するという虚構に、科学の歴史学者は誰一人賛同しないだろう。

# レフ・トルストイ
# Lev Nikolayevich Tolstoy

（1828～1910　帝政ロシア　小説家）


ロシアの小説家、劇作家、短編小説作家、哲学者。ロシアの上流階級に生まれた。若い貴族としては平均的な放蕩生活を送り、コーカサスで軍隊に入隊した。クリミア戦争の際にはセバストーポリで砲兵隊を指揮した。彼の自叙伝3部作「幼年時代」(1852)、「少年時代」(1854)、「青春」(1857) は、若者が書いた自叙伝として、これまでで最も卓越した作品の一つである。ヤースナヤ・ポリャーナに居を定めるまでに優れた才能を持つ作家として名声を馳せていた。そして、これまで作られた小説の中でもとくに素晴らしい数作品を生むこととなる精神的な自問に取りかかった。

2つの小説が特に、あらゆる小説の中で最も卓越しているとしばしば評される。一作目の「戦争と平和」(1863-9) は、ナポレオンのロシア遠征を描いた概観的な大作で、この中の混乱したピエール・ベズーホフは著者自身の精神的・道徳的混乱を象徴している。二作目は、「アンナ・カレーニナ」(1875-7) で、悲劇的な不倫の愛の物語で、個人的、社会的な倫理観について奥深い問題を提起した。

キリスト教徒はどのように生きるべきかという無慈悲な考察や、経験豊富な男性が、"純潔な"女性と結ばれる"通常の"婚姻関係が極めて不道徳であるという彼の主義により、1901年に破門宣告を受けた。彼のようなキリスト教的反戦主義（事実上の無政府主義的立場）は"トルストイアニズム"と呼ばれるようになり、特にガンジーなど多くの近代思想家に影響を与えた。

英語ではレオ・トルストイ（Leo Tolstoy) と表記する。

# レフ・トルストイ　Lev Nikolayevich Tolstoy

（1828～1910　帝政ロシア　小説家）

## （1）著書『私の信じること』より

はじめに

5年前、私は50歳になった。14～15歳の子供の頃以外の35年間、私は真の意味でニヒリストだった。つまり、ニヒリストという言葉が通常意味する社会主義者や革命家ではなく、宗教心がないという意味でニヒリストだったのだ。

5年前、私はイエス・キリストの教えを信じるようになり、すると私の人生は突然変わった。以前に欲していた事すべてを欲することを止め、以前には気にもしなかったことを望み始めた。以前は良く見えたことが悪く見え、悪く見えたことが良く見えた。私に起こったことは、家を出て仕事を始めたが、突然、仕事は不必要で家に帰るべきだと気づいた男にも起こるかもしれない。彼の右手にあったものは左手にあり、左手にあったものは右手にある。以前は出来るだけ家から遠くにいたかったのに、今は家の近くにいたいと思うようになった。

私の人生とすべての欲求の傾向が変わった。善と悪が立場を変えた。そしてこれは、以前私がイエスの教えを理解していたのとは別のように理解したことから始まった。

私は、イエスの教えの解説者だとは思われたくない。その教えの最もシンプルなもの、最も明らかなもの、最も理解しやすいもの、最も確実なもの、そして最も一般応用できるものを、私がどのように理解したのかを語り、この理解がどのように私の心の基盤に影響し私に静けさと喜びを与えたかを語りたいだけなのだ。

私はイエスの教えを「解説」したくはない。私は一つの事だけをしたいのだ。どのような特別な「解説」をも咎めることだ。

キリスト教教会は、どんなに学識と知性の差があっても、賢い者と愚か者は、神の前では同等であり、神の真実は全ての人が得られるのだということに、常に賛同してきた。キリストは、賢い者の目から隠されているものを愚か者に明らかにすることは神の御意志だ、と言った。

独善的、教父的、典礼的、弁明的、その他類似した書き物の謎については、ほとんどの人に教えることができない。しかし、イエスが、地球にかつて生き、今生きている何百万もの単純な者や愚か者に言ったことは、皆が理解でき、また理解すべきだ。パウロ、クレメント、クリュソストモスのような人から教えを聞く機会をまったく持ったことがない単純な人々にイエスが語り掛けたこと——私がかつて理解しなかったが、今は理解しているこのことを、私は皆に語りたい。

十字架の上の盗賊は信じて救われた。もし盗賊が十字架の上で死なず、十字架から降りて彼のイエスへの信仰を語っていたら、これは悪いこと、誰かに有害なことだったろうか？

私も、十字架の上の盗賊のように、イエスの教えを信じて救われた。そしてこれは極端な比較ではなく、生と死の問題における絶望と恐怖の精神状態を最も正確に表しているのだ。この絶望と恐怖の状態の中にかつて私はおり、今は平和と幸せの中に生きている。

盗賊のように、私は、私が生きていた人生は悪く、私の周りのほとんどの人も同じ人生を歩んでいたことを知っていた。また、盗賊のように、私は不幸せで苦しんでおり、私の周りの人々も不幸せで苦しんでいたことを知っていた。そして、私は死以外のことに目を向けなかった。盗賊のように、私はある力によって十字架に、悪と苦しみの人生に釘付けにされた。そして、数えきれない人生の苦痛と罪の後には恐ろしい死の闇が盗賊を待ち受けていたように、それは私をも待ち受けていた。

すべてにおいて、私は盗賊のようだった。私と彼の違いは、彼は死に、私はまだ生きているということだ。盗賊は、墓の向こうに救済があると信じていたが、私はそれでは満足できなかった。なぜなら、墓の向こうの人生の他に、私の前にはまだここでの人生があったからだ。私はその人生を理解しておらず、それはひどいものだと思っていた。すると、突然、私はイエスの言葉を聞いたのだ。私はそれらを理解した。すると生と死は悪の姿を止めた。絶望の代わりに、私は、死では決して壊されることのない生命の喜びと幸せを感じたのだ。

それがどのように私に起こったのかを語ることは、もちろん誰にも有害ではない。

レオ・トルストイ
1884年1月22日、モスクワ

## （2）著書『神の国はあなたの内にあり』（1894年）より

「人は期待しすぎてはいけない」とは、キリスト教の要求するところを語る時によく言うことだ。「福音書にあるように、人は明日のことをまったく何も考えないことはできないが、ただ考えすぎないようにするだけだ。人はすべてを貧しい人に与えることは出来ないが、限られたものを与えなければいけない。人は純潔を目指す必要はないが、放蕩は避けなければならない。人は妻と子供を見捨てる必要はないが、心の中に彼らに必要以上の場所を与えてはならない」などだ。

だが、このように言うことは、流れの速い川で、流れに逆らって方向を変えようと奮闘している人に、流れに逆らって川を渡ることは不可能だ、渡るには行きたい場所の方向へ浮かんでいかなければならない、と言うのと同じことだ。

実際には、行きたい場所へ行くには、ずっと高いところまで、ある限りの力で漕がなければならない。

理想の条件を手放すことは、完璧になる可能性を減らすだけでなく、理想自体を終わらせることになる。人間を支配する理想とは、誰かが発明した理想ではなく、すべての人間がその魂の中に持つ理想なのだ。完全で無限の完全性をもつこの理想のみが、人間を支配し、人を行動へと駆り立てる。ほどほどの完全性など、人間の心に影響する力を失う。

キリストの教えは、絶対的な完全性を要求する時のみ、力がある。つまり、すべての人間の魂にある神聖な性質と神の意志を融合させることだ。子と父の結合だ。キリストの教えに従う人生とは、すべての人間に存在する神の子を獣から自由にし、父に近づけることだけだ。

人間の人生は、人間の獣的存在のみがあるのではない。神の意志のみに従う人生も、人間の人生ではない。人間の人生は、獣の人生と神聖な人生が混ざったものなのだ。そしてこの混ざったものが、より神聖な人生に近づくと、そこには、より活力が存在するのだ。

キリスト教によると、人生とは神の完全性へ向かって前進することだ。この教義によれば、どの状態も、他の状態より高い、あるいは低いということはない。すべての状態が、それ自体には結論のない、達成不可能な完全性へと向かう途中の特定の段階なだけであり、優れたあるいは劣った人生などということは示さない。この教義によると、人生を強化することは、完全性への前進を速めることに他ならない。ゆえに、収税吏ザキアス、罪人の女、十字架の上の盗賊の完全性への前進は、パリサイ人の停滞する公正さよりも高等な人生を暗示している。ゆえに、この宗教には、強制的に従わせる規則はあり得ない。低いレベルにいるが完全性に向かって動いている男は、高い道徳レベルにいるが完全性に向かって動いていない男よりも、より道徳的で良い人生を歩み、十分にキリストの教えを実行しているのだ。

この意味で、迷える羊は、迷っていない羊よりも、父にとって愛しいのだ。放蕩息子、一度失われてまた見つかった金貨は、失われていない金貨よりもより貴重なのだ。

キリストの教えを達成することとは、神へと向かって自己から離れることだ。この教えを成就するのに、明確な法則や規則があり得ないことは明らかだ。その中において、完全性の度合いと不完全性の度合いは等価だ。この教義を成就するのに法則に従うことはないので、縛り付ける規則や法則はあり得ないのだ。

# フョードル・ドストエフスキー
# Fyodor M. Dostoyevsky

（1821～1881　帝政ロシア　小説家）

敬虔なロシア正教徒の家庭に育つ。若い頃、ある一連の疑いをかけられた。シベリアへの流刑 (1849–59) を機にロシア正教の伝統と精神性を具体化するうち、キリスト教の教義への誓約を再確認し、ロシア人の'救世主的運命'観を呼び起こした。小説家としては、悪の力が極めて大きいことや、ローマ・カトリックや社会主義（両者をほぼ同等とみなした）、神を適切な立場に置かず、救済をもたらす苦しみの価値を認めない個人主義や、そのようなすべての哲学の危険性を異なる方法で表現した。

しかし体系立てられた考え方をする人物ではなかった。哲学や神学の本を書くことはなかった。まして抽象的な概念についての小説など書かなかった。才気あふれ、創造性に富んだ作家として、多くの異なる考えや情熱に動機づけられた、人々の記憶に残る数々の登場人物を遺した。その中の何人かは作者自身として登場した。

疑う余地なく、最も力強い意見の表明は'大審問官の伝説'（『カラマーゾフの兄弟』、第5部、5編）でイヴァン・カラマーゾフを作者自身として表現しているところだ。イヴァン・カラマーゾフや人間を神と同じ位置に導く大審問官の哲学の破綻と有害な影響を表現しようとした。キリストが荒野での三つの誘惑を退けたことを糾弾する'大審問官'のローマ・カトリックと、社会主義の両者の価値観を異端信仰と感じたのだ。

# フョードル・ドストエフスキー

## Fyodor M. Dostoyevsky

（1821 ~ 1881　帝政ロシア　小説家）

### （1）著書『フョードル・ミハイロヴィチ・ドストエフスキーより、家族と友人への手紙』（1914年）

**N．D．フォンヴィージン夫人への手紙**

オムスク、1854年3月初旬

なぜかわかりませんが、あなたの手紙から察するに、あなたは気分を害して家に戻られたのですね。わかります。私も、もし家に帰ったならば、そこの印象から喜びよりも悲しみを感じるかもしれない、と時に思います。あなたの人生を生きているわけではなく、多くのことが私にはわかりませんが、実に、誰も仲間の人間の人生を正確に知ることは出来ません。それでも、人間の感情は皆に共通のもので、追い出された者は誰でも、家に帰る時は、繰り返し意識と記憶の中で過去の苦悩を味わわなければなりません。それは、自分が耐え、体験し、失ったものの真の重要性を試すことのできる秤のようなものです。

神はあなたに長い人生を与えられました！　あなたが非常に信心深いことは、多くの人から聞きました。しかし、あなたが信心深いからではなく、私自身が学び体験してきたから、私は次のことをあなたに言いたいのです。

このような瞬間、人は「乾いた芝生のように」信仰を渇望し、真実は不幸の中でより明らかに見えるという単純な理由から、ついにはそれを見つけるのです。私に関して言いたいのですが、私はこの時代の子供で、不信仰と懐疑の子供であり、おそらく死ぬまで（実際わかっていますが）そのようにいるでしょう。信じることへの渇望は、私に何という酷い苦悩をもたらし、もたらし続けているのでしょうか。私の中に反対の証があればいっそう、それは強くなるのです。それにもかかわらず、神は時に、完全なる静けさの瞬間を与えるのです。そのような瞬間、私は愛し、愛されていると信じます。そして、このような瞬間、私は自分の信念を持つのです。その中では、私にとってすべてが明らかで神聖なのです。この信念とは非常に簡潔で素朴です。つまり、私は、救世主よりも優れて、奥深く、思いやりがあり、理性的で、勇気があり、完全なものはいないということを信じています。このようなお方は他にいないだけでなく、誰もあり得なかったのだということを、私は嫉妬深い愛を持って自分自身に言うのです。さらに加えると、もしも誰かがキリストは真実ではないと証明したとしても、そして実際にキリストが真実でなかったとしても、私は真実よりもキリストと共にいることを選ぶでしょう。

**兄ミハイルへの手紙**

ペテルブルグ

1838年10月31日

…友よ、君は詩人のように哲学的に思索している。魂は永遠に高揚していられないので、君の哲学は真実ではなく、正しくない。もっと知るには感じることを減らさねばならず、その逆もしかりだ。君の判断は馬鹿げていて、心の狂乱状態を表している。君は「知る」という言葉で、具体的に何を意味している？　自然、魂、愛、神を、人は心を通して認識する。理性を通してではない。もし僕らが精神だったならば、僕らの魂がさまよう考えの領域に、答えを求めて、いることができただろう。でも僕らは地球に生まれた生き物で、その考え（the Idea）を推測することしかできない。すべての面から一度に理解することは出来ない。僕らの知性を、一時的な錯覚を通して、魂の最も深い部分の真ん中へと導くものは「理性」と呼ばれる。理性は肉体的（material　感覚的、実質的、物質的、物欲的、形のある）能力だが、魂や精神は心がささやいた考えに生きている。考えは魂の中に生まれる。理性は、精神的な炎に突き動かされる道具、機械だ。

人間の理性は（これ自体説明するのに一章が必要だが）知識の領域に入り込み、「感情」、それゆえ「心」とは独立して動く。だが、愛や自然を理解することが目的ならば、僕らは心の要塞へと向かって行進する。君を怒らせたくないが、僕は詩と哲学に関する君の考えに同意しないと言いたい。哲学は、自然が未知の量だとする単なる方程式だとは考えられない！　ひらめきの瞬間、詩人は神を理解し、その結果、哲学者の仕事を為すということに気づけ。それゆえ、詩的なひらめきは、哲学的ひらめきに他ならない。ゆえに、哲学は詩、高等な詩に他ならないのだ！　君が、現代哲学の意味で論じているのは奇妙だ。最近、最も賢く熱心な秀才たちの中に、多くの正気でないシステムが生まれているんだな！　このごちゃまぜの塊から正しい結果を出すには、それらをすべて数学の式に当てはめる必要がある。だが、それらが現代哲学の「法則」なのだ！　もう十分ゴチャゴチャとしゃべった。僕が君の締まりのないシステムを不可能だと見なすなら、僕の異論も同じように締まりのないものだと思うので、もう書くのを止めよう…

# デイヴィッド・チャーマーズ
# David John Chalmers

（1966～　オーストラリア　哲学者）


哲学と神経科学の大学教授。心の哲学（特に意識）と認知科学の基礎、そして言語、形而上学、認識論、および他の多くの分野の哲学に興味を持つ。

1966年4月20日シドニー生まれ。シドニーとアデレードで育つ。10代を数学オタクとして過ごし、1983年から1986年までアデレード大学で数学を学んだ。1987年、オックスフォード大学に向かう途中でヨーロッパ中をヒッチハイキングした後、「意識の問題に対する私の小さな執着は制御不能になった」と語っている。その結果、1989年にインディアナ大学に移り、そこで博士号を取得。1993年に哲学と認知科学を学ぶ。セントルイスのワシントン大学でポスドクとして中西部でさらに2年間過ごした後、1995年から98年にかけて最初にカリフォルニア大学サンタクルーズ校に移り、1999年から2004年にかけてアリゾナ大学に移った。

国際意識科学会、「PhilPapers Foundation」、および3つの異なる意識センターを共同設立。意識、意味、形而上学、認識論、AIと計算、および哲学と認知科学の他のさまざまなトピックに関する書籍と多くの記事を執筆。技術的な哲学（言語の哲学、形而上学、認識論）だけでなく、科学（神経科学、心理学、AI、物理学）の仕事にも深く関わっている。

# デイヴィッド・チャーマーズ

## David John Chalmers

（1966〜　オーストラリア　哲学者）

**（1）「デイヴィッド・チャーマーズ：あなたは意識をどう説明しますか？」TEDでの講演（2014年9月14日）より要約**

意識とは人間の実存における基本要素の一つです。誰でも意識があります。私たちがこれ以外に直接的に知っているものはありません。少なくとも自分の意識については、直接的に知っています。

意識は人生を生きる価値のあるものにしてもくれます。意識がなかったら、生きることの意味や価値はなくなってしまいます。しかし同時に、意識は宇宙で最も神秘的なものなのです。

なぜ私たちには意識があるのでしょうか。なぜ内なる映画を私たちは見ているのでしょうか。どうして私たちは単にインプットを処理してアウトプットを作り出す内なる映画などを経験しないロボットではないのでしょうか？

現時点では、誰もこれらの質問に答えられません。

意識の科学は、不可能だと言う人もいます。科学は本質的に客観的なものであり、意識は本質的に主観的であるから、意識の科学はあり得ないというのです。20世紀の大半は、そういう見解が主流でした。

近年、フランシス・クリックのような神経科学者や、ロジャー・ペンローズのような物理学者が今こそ科学が意識に取り組む時だと言いました。それ以来、意識に関する科学的研究が急増しており、この研究は素晴らしく偉大なものです。

しかし、これまでのところ根本的な限界もあります。意識の科学の中心は、相互関係の探求、脳の特定の領域と特定の意識の状態との相関関係の研究にすぎませんでした。神経科学によるこうした研究は、このテーマの核心である真の謎に触れていないのです。

私は、唯物論的科学者だと思っています。

私は意識をうまく説明できる科学的理論を長い間探し求めており、意識について純粋に物理用語で語れる理論を求める中で、壁にぶち当たってきました。そして体系的な理由でうまくいかないのだという結論に達しました。

物理用語や脳科学的な言葉などの純粋に還元主義的な説明からは、体系の働き方や構造・力学、その結果である行動などの説明が得られます。これらは、単純な問い―行動や機能の仕方などには適していますが、主観的な経験―なぜすべてが内側から発せられるように感じるかなどは全く新しいものであり、これによって説明されていません。

一方で、私たちに意識があることは感覚与件です。その一方、それを科学的な世界観にどう当てはめてよいのか分かりません。意識を科学に統合するには、ある種過激な発想が必要かもしれません。

その一つは、意識は基本的なものだとするものです。物理学者は宇宙のある側面を基本的単位として捉えます。空間や時間、質量などです。それらは自らを支配する基本的な法則を前提としています。重力の法則や量子力学などです。これらの基本的特性や法則はそれ以上基本的な概念で説明することは出来ません。むしろ、それらを根源的なものとして捉え、そこから世界を築くのです。

自然な考え方は、意識そのものを基本的な概念―つまり自然を構成する基本的な要素として仮定するものです。そうなると、意識を支配する基本的な法則を学ぶ必要があります。意識を他の基本的な概念―空間や時間、質量や物理的現象などと結びつけるものです。

2番目のクレージーな発想は、意識は普遍的なものかもしれないとするものです。万物には程度の差こそあれ意識が存在します。これは汎心論とも呼ばれています。「汎」はあまねくという意味で、「心」は精神を意味しており、万物には意識があるとするものです。

人間だけでなく犬やネズミやハエ、微生物や素粒子にもあるのです。光子にさえある種の意識があります。光子に知性があり思考できるということではありません。光子にも未熟な主観的感情があり、意識の先駆けのようなものを持っているかもしれないということです。

こんなクレージーなことを考える動機の一つは、意識は基本的な概念であるという1つ目のクレージーな考えから生じています。意識が空間や時間や質量のように基本的なものであるなら、意識が普遍的であり、そういうものなのだと考えるのは自然なことです。

さらに深い動機は、意識を物理現象と結びつける基本的法則を見出すための最も単純かつ強力な方法は、意識と情報を結び付けるという発想に起因しています。情報処理が行なわれるところにはどこでも意識があるのです。

人間が行なうような複雑な情報処理には複雑な意識が伴います。単純な情報処理には単純な意識があります。近年、神経科学者のジュリオ・トノーニがこうした理論を数学の理論を用いて大きく発展させています。

最後の動機は、汎心論が意識を物質世界と統合するのに役立つかもしれないということです。物理学者も哲学者もたびたび物理が不思議なほどに抽象的であることに気付いてきました。物理は多くの方程式を使って、現実の構造を説明しますが、その根底にある現実について、説明することはありません。

スティーヴン・ホーキングが言うように、何がこれらの方程式に力を与えるのでしょうか？　汎心論者の見解では、物理の方程式をそのまま捨て置くことはできますが、意識の流れを説明するために用いることもできます。物理の究極の目的は、意識の流れを説明することなのです。この見解において意識こそが、方程式に力を与えるものです。その見解では、意識は物質世界の外へ何か余分なものとしてぶら下がることはありません。それはまさに中心に位置しているのです。

この汎心論的見解は私たちと自然との関係性を変容させてしまう可能性があります。そして非常に重要な社会的・道徳的結果をもたらすかもしれません。

意識について考えると、あなたの物の見方は大きく変わるでしょう。しかし倫理的な目的や道徳的な考え方に重要な事柄は、意識そのものというよりも、意識の程度や複雑さなのです。コンピュータなどの他のシステムにおける意識について疑問を持つのは当然でしょう。映画『her／世界でひとつの彼女』のサマンサのような人工知能型ＯＳはどうでしょうか？　彼女には意識がありますか？　情報に基づく汎心論的な見方をするなら、彼女には意識が「ある」と言えそうです。それがもし正しいのなら、人工知能型ＯＳ開発やそれらの電源を落とすことについて深刻な倫理問題となるでしょう。

最後に地球全体としての意識について、問いを抱くかもしれません。

さてこの汎心論的見解は、極端なものかもしれません。

私は実は意識を基本的な概念だとする1番目のクレージーな発想の方が、2番目に紹介した意識を普遍的なものとするものより正しいのではと思っています。何故ならその見解は多くの疑問と多くの難題を生むからです。例えば、いかにほんの小さな意識が集まって私たちが理解しこよなく愛する複雑な意識となるのかなどです。

これは科学と哲学において最も難解な問いなのです。でも、最終的には必ず解明されると思います。意識を理解することが、宇宙を理解したり、私たちの自己を理解したりする真の鍵となるのです。

## 湯川　秀樹
## Yukawa hideki

（1907～1981　日本　理論物理学者　ノーベル物理学賞受賞）

1907年1月23日、地質学者、小川琢治の三男として東京都に生まれる。1908年、父が京都帝国大学教授となり、京都に転居。1929年　京都帝国大学理学部物理学科卒業。同大学理学部副手として理論物理学を研究。1932年、京都帝国大学理学部講師となる。湯川スミと結婚、湯川家に入る。1933年、大阪帝国大学理学部専任講師となる。中間子の存在を予想し、日本数学物理学会で発表。「素粒子の相互作用について I」を投稿。この研究成果が、ノーベル賞受賞につながる。1936年、大阪帝国大学助教授となり、理学部に勤務する。1934年、「中間子論」を発表。1938年、大阪帝国大学より理学博士の学位を授与される。1940年、帝国学士院恩賜賞を受ける。1939年、京都帝国大学理学部教授。ソルヴェイ会議(9月)に招待される。1943年、文化勲章受章。1946年、欧文学術誌「理論物理学の進歩」を創刊。帝国学士院会員となる。1948年、プリンストン高等研究所に招かれ渡米。1949年、コロンビア大学 客員教授となり、ニューヨークに移る。核力に関する中間子理論により 日本人として初のノーベル物理学賞を受賞。1950年、大阪大学名誉教授となる。1953年　京都大学基礎物理学研究所 が新設され 初代所長 となる。京都名誉市民。大阪大学湯川記念室発足。1957年、ラッセル・アインシュタイン宣言に基づいて、カナダで開かれた第1回パグウォッシュ会議に出席。1962年、朝永振一郎氏、坂田昌一氏らと第1回科学者京都会議を開く。1970年、京都大学を定年退官、同大学名誉教授となる。1981年、第4回科学者京都会議を主催する。同年、京都市下鴨の自宅で死去。

# 湯川　秀樹　Yukawa Hideki

（1907～1981　日本　理論物理学者　ノーベル物理学賞受賞）

ここに紹介した58人の科学者たちの最後に、敗戦後の打ちひしがれた日本人にノーベル賞受賞という絶大な誇りと自信と勇気を与えた湯川秀樹がその著『天才の世界』の中で工学博士の市川亀久彌のインタビューに答えて語っている神仏観を紹介する。湯川は拙著『タオと宇宙原理』の中でも老荘思想について著した内容を紹介しているのだが、彼は幼い時より父・祖父の薫陶を受け老荘を親しく学んでいる。その視点は後に量子論を研究するに際し、極めて有用な知識として、そしてそれ以上に直観として彼を支えるに到っている。

前半の話しの中で彼がマンダラの金剛界のことを認識と呼んでいるのだが、認識とは形而上学的な意味合いとして用いられるものでもあり、知恵とも語っている。この金剛界は理の世界であって、宇宙の法則を示すものである。理路整然とした理法がこの宇宙を支配していることを意味している。更に、胎蔵界を実在と呼んでいる。この場合の実在とはこの世のことを言っているのだが、本来的には形而上的意味として用いられるものであるので、この場合は「現実の世界」のことであり、金胎は理情と解すると分かりやすい。都合上、市川氏の発言は一部割愛した。

**『天才の世界』より**

## 認識と存在を示すマンダラ

湯川　マンダラというのは、弘法大師の発明じゃない。中国からもってきたものですね。どういうものであるか、ぼくにはよくわかりませんけれども、簡単にいえば、それを媒介として悟るわけでしょうね。それは中国から来たが、そのもとはインドにあるわけですけれどね。そのマンダラを日本にもってくるわけですね。ところが、わたしが、マンダラについておもしろいと思っているのは専門家からいうたら誤解かもしれんけれども、大きく分けると二種類のマンダラになる。二つとも必要だということです。金剛界マンダラと胎蔵界マンダラ、この二つあるんですけれども、これにはむつかしい解釈があるのでしょうが、わたしなどにひじょうにわかりやすい解釈は、これは認識と実在だというのです。

——どっちが認識なんですか。

湯川　金剛界が認識あるいは知恵なんです。胎蔵界が実在です。つまり胎蔵というのはいろいろのものからできているこの世界、このなかに生死もあっていいですけれども、そういう実在世界、金剛というのは、知恵の世界です。もっとわかりやすくいえば認識ですね。そうすると、認識と存在と両方いっしょに並んでいる。というのは、わたしは実にみごとなシステムだと思うんですね。

ここで市川がマンダラに於いて密教の極意や真髄を把握している弘法大師は書や絵にも相当な才能を持っていたと指摘する。

湯川　もちろんそうですね。自分でどの程度描いているかわかりませんけれども、仏画など描かすときに、こういうふうに描けとか、仏像その他建物についても、指図し監督していることは確かですね。土木事業のすぐれた監督であったことも確かです。自分自身相当技術をもっている人で、筆でも、こうしてつくるとか、そんなこともみな知っているわけですからね。話が少しとびますが、マンダラについては、おもしろい話がありまして、わたしの記憶にまちがいがなければ、さきほど申しました恵果和尚のところでいろいろ習いまして、いよいよ灌頂の儀式になって、そこにひろげられているマンダラの図の上へ蓮華をほうる。それがどの仏に行くかというわけです。そこに並んでいる仏さんたちは、それぞれ特殊な性格をもっている。その中心にあるのが大日如来ですね。空海がパッとほうったら、たくさんある仏さんのなかで、大日如来のところへ行った。もういっぺんほうったら、また大日如来だったというので、恵果は、これはたいへんよろしいといった。そういう話が伝わっている。

こう言って、湯川は仏教学者かの様な話口調でブッダについて説明をし始めるのであるが、その語り口調は堂に入っていて、随分と勉強しているのが分かる。彼の中には神仏の存在は極普通の日常として受け止められていたことが窺い知られるのである。このあとに語っている法身とは法（ダルマ）がその身となった状態。肉体を持つ仏を応身といい肉体を去った仏を法身と呼ぶ。

**湯川**　大日如来というのは何かといいますと、もともと仏さんというのは、これはブッダです。つまりお釈迦さんという実在の人間です。インドのある時代に生きておったひじょうにすぐれた聖者、思想家、宗教家ですね。仏教では比較的初期から、この実在の人物の姿が仏像とかなんとかになっていくわけでしょう。ところが、仏教がさらに進んでまいりますと、そこに現に歴史的に生きていたブッダだけでなく、もっと前にも仏がいた。ある根源的な存在が何度も現世にあらわれてきた。その一つの代表的なのがブッダであると考えるようになる。そうすると、仏というものがたくさん出てくるわけですね。そこでプラトンのイデアに多少似てくるわけでしょうけれども、最後には宇宙の生命というか、存在とか認識とかすべてのもののもとになるものがあって、しかしそれもやはり仏である。法身仏（ほっしんぶつ）というわけですね。それがつまり大日如来。

――そうすると、その大日如来というのは、あらゆる万物を支配している真理の象徴みたいなものですね。

**湯川**　そういうことですね。実在そのものであり、真理そのものである。両方なんです。

――そうすると、われわれがいまいう宇宙法則とか自然法則そのものとみても、いいわけですね。

**湯川**　法則と存在、さっきいったマンダラに二つあるということもそういうことです。法則といっても、単に外的なものでなく、その認識、知恵という内的なものも同時に含んでいる。

この言葉に触発された市川が、密教が持つ、まじめな一般の顕教にはない男女の営みを肯定するといった大思想に向かって、大きな人間的いれ物たる弘法大師の登場を語り、その中心に大日如来があることを湯川の「同定理論」（異なる二つのものを同じと考える）に基づく全自然学的アプローチとして質問する。

**湯川**　全自然学的性格も明らかにありますが、しかしそれはやはり宗教ですから、内面性がひじょうに強い。もしも、宗教ということを離れて、哲学とか学問、あるいは芸術も含めて考えてよいなら、明らかに全自然学的性格がみられる。

――たしかに、そういう見地からながめてみますと明確な等価性がありますね。

**湯川**　大日如来というのは、宇宙神、神さんですね。法身（ほっしん）といえばすでに生身の仏さんではなくて、もっと象徴的な意味をもって、しかも実在的なものであるわけでしょう。それは神さんに近い。神さんというのは、仏教でいっぺん否定されたものであるわけです。仏教以前に何があったかというと、バラモン教ですね。バラモン教にさまざまの神さんがある。それをまずいっぺん否定する。次にこれを従属させることによって、仏教にとってのいろんな神さんがつくられるけれども、それはみな、仏教を守るための神さんという、そういう秩序、ヒエラルキーをあらためてつくってしまうわけです。毘沙門（びしゃもん）さんとかいろいろ出てくるけれども、これは要するにみな仏教を守る神さんですね。ところが、密教までできますとまた逆転して、こんどはそういう宇宙神みたいなものがポカッと出てきた。それがたまたまこの世に人間としてあらわれる、その代表的な人がブッダだということになるわけです。しかし、そこはきわどいところで、大日如来はまた如来だという。だから、ふつうの狭い意味の仏教の枠をちょっと越えるんですね。そこでインドの仏教は終りになる。

――その点では、弘法大師ほどの多芸多才、そして能力に満ちあふれた人が、密教に傾倒し、大日如来信仰をより発展させて、日本における新しい真言密教をつくったということは、やはり当人の体質上の共鳴が最初からありますね。

**湯川**　あるのです。つまり大日如来というものは宇宙神であって、宇宙の生命力や知恵が一身に結集しているのですが、自分を大日如来に帰一させようと思うわけです。つまりもしも同定ということばを使うならば、自分を宇宙の大生命と同一化するということがあるわけですね。それは仏でもあるから、即身成仏（そくしんじょうぶつ）ということにもなるのでしょう。

これを受け市川は、梅原猛と宮坂宥勝（ゆうしょう）の共著『仏教の思想』から「空海は絶対者としての法身の光は生滅変化することなく永遠不滅であるといっている」と語り、湯川のいう同定理論や即身成仏の考えから、これは自然法則なのだと指摘する。

**湯川**　法則と同時にやはり実在ですね。ひじょうに実在論的性格が強くなりまして、そこでふつうの仏教とはちょっと話が逆転しまして、ふつうの仏教は空とか無とかいって、全部なくしてしまうわけですね。ところが、それがさらに奥へいくと、真の実在がパッとあらわれる。そこまでいくというのが密教の立場で、とくに弘法大師の立場はひじょうにはっきりしているように見える。

ここで市川は、「近代科学は、それから、さらに遅れて発展してくるわけですけれども、ともかく古代インドで、道徳的な動機から出発してきたと思われる宗教体系が、いっぺんは全自然学的発想にまで高まったところで終ってしまっているということは、ひじょうに惜しいと思いますがね」といい、バラモン教が科学的側面としての密教性にまで高めそこなったことを指摘する。それに対し、湯川は「科学と結びつけるかつけないかは別としまして、そこでひじょうにむつかしい問題が出てくるのは、弘法大師はどう解決したかわからないんですが、宇宙を実在的にみますと、これはまた欲望肯定になる（笑）。ほんとうですよ。だから、密教からはひじょうに欲望肯定的な傾向が出てくる。どこまでいっても、しかし本来仏教というものの特色は、やはりそういう欲望を否定していかなければいかんわけですね」と答えている。

## 綜芸種智院の設立――日本最初の私立総合大学――

市川が、東寺のような護国寺、権力階級に対する有形無形の権威づけに奉仕しながら、一方では、高野山に一つの大きな道場をつくり、そして全国から集まってくる弟子たちを教育するために、俗界から切り離したのは、学問というものが、直接に実社会的利益と深い交流をし過ぎてはいけないからだと言い、現在の大学の走りだったと指摘する。

**湯川**　お寺について、わたしのような俗人が、かれこれいうべきじゃないのであって、要するにそこでは仏教を教えるのであって、仏教以外のことは関係ないはずですね。仏教の信仰が絶対であって、ほかのことをごちゃごちゃ気にするのは、いかんはずですね。ところが、弘法大師という人は、宗教についての考え方もほかの人と少し違いまして、なるほど彼の中核は仏教であり、とくに真言密教が最上の教えだという立場は堅持するわけです。その意味で彼はたしかに宗教家ですけれども、同時にその周囲にはいろんなものがあって、つまり、信仰、宗教というものと、学問、芸術、あるいはもっと広く文化というものを、全体としていつも離さずに考える。だから、彼の活動もいろんな方面に広がったわけでしょう。そこで彼は東寺という寺は寺として、それとは別に学校をこしらえようと思ったわけですね。当時むろん学校はあるわけです。京都には大学があるわけですね。その大学は何かといえば、だいたいは中国の古典の勉強をするわけですね。とくに儒教的なものですね。それに歴史もあれば文学もある。そこで勉強のできる人は、だいたい貴族の子弟ですね。ある程度家柄がよくなければはいれぬ。そして、大学を卒業すれば、官吏になって出世する。家柄の制約が大いにありますけれども……。

——いよいよ帝国大学ですね。

**湯川**　古代の帝国大学。空海は帝国大学を中退してどこかへ行った人ですね。しかし、彼はもちろん学問がだいじだということはわかっている。そこで自分はひとつ帝国大学でない大学をつくろうと思うわけやね。

そのときに彼が考えることとは、つまり仏教というのは彼にとって最上の教えである、しかし、そのほかに儒教その他歴史、文学いろいろあって、こういうものもみなだいじなものである、そういうものを家柄のいかんにかかわず、なんとかみながそこへ来て勉強できるようにしようということで、東寺の近くに土地を寄付する人がありまして、それで綜芸種智院（しゅげいしゅちいん）というものをつくるわけですね。

——あれは当時からできていたのですか。いま残存しているのがありますけれども。

**湯川**　いまある種智院の話はあとですることにして、弘法大師の計画を支援して土地を提供する人、金を出してくれる人があってできた。この学校の方針がどんなものであったかというと、弘法大師自身がくわしい趣意書を書いているわけですが、それはおもしろいものです。たとえば仏教を教えるのは、道人（どうにん）伝授の事と書いてある。道人というのは坊さんのことです。坊さんが仏教の教えを説く。これがつまり道人伝授の事、それが一つある。もう一つは俗博士教授の事、俗博士というのが、われわれのような学者で、伝授でなく教授する。

——聖と俗に分けているわけですね。

**湯川**　道と俗。坊さんは坊さんで仏教を教える。しかし、別にわれわれのような大学の先生がおって、それが俗博士ですが、俗博士が教えるということが書いてある。これはたいへんおもしろいことですね。そして、一般庶民は、勉強しようと思っても貧乏ではできんから、やはり給費にしてやらんといかんとか、いろいろ書いてあるんです。そういうことが、実際どこまで実現したのか、彼が生きている間は、綜芸種智院なるものは曲がりなりにも運営ができておったらしい。死んでしばらくしたら、もうもたんわけです。まあいえば私立大学ですね。私立大学で、しかも給費生みたいなやり方でしょう。だから、金持ちにたくさん寄付してもらわんならんわけでしょう。弘法大師のあとの人には、とてもそこまでできぬ。寺自身の運営で手いっぱい。だから、綜芸種智院の土地も手放してしまったということです。彼の没後、二十年くらいしたら、種智院は消えたということです。

――いずれにしても、彼は私立総合大学の開祖ですね。

**湯川**　当時そんなことを考えるというのは、あまり時代に先がけしすぎた話なんです。すでに中国ではいろんなことをやっておりますから、中国で教育の普及しているのをみて、日本も教育をもっと普及させないといかんと思ったのでしょう。彼は実力があるから、それができたのですが、とにかくこれは日本最初の庶民のための私立総合大学ということでしょうね。それがなくなってしまったのは残念だけれども、現在それの後身として種智院大学というものがあるわけです。わたしはひじょうに興味をもっておりまして、一度そこへ行ったことがあります。真言宗のお寺の子どもさんが入学するんですが、わたしの気に入ったのは、ものすごく小さいことですね。だいたい、学生全部で五十人足らずです。毎年十人くらいはいってくる。ことしは十二人で、いちばん多かったということですが、小さいことはいいことですね。そのほかにも弘法大師という人は中国滞在中に梵語(ぼんご)、つまりサンスクリットも研究するなどいろんなことをやり遂げているわけです。自分の生きている間は、千手観音(せんじゅかんのん)みたいにやった人ですけれども、残された弟子たちには、これはえらいことです。空海の事業を全部、手分けして継がんならぬ。なかでも大学なんかはいちばんむつかしいから、つぶれますけれども、やはりそこにはあなたのおっしゃる全自然学というような性格も一つあるわけですね。

――マンダラのことをうかがっていて、そう感じました。しかし、当時の学問の限界として、全自然学への要求が社会経済史的にはなかったと思いますが、彼の興味がそういう方向にあったという点は、否定できませんね。

**湯川**　否定できません。とにかく弘法大師という人はスケールの大きい人で、東寺も大きいし、高野山も大きいものです。あとの人がいろいろつけ加えるから、ますます大きくなってくるけれども、しかし、彼はいつでも、もう一つそれとは矛盾したものをもっているんですね。自分も含めておおぜいでワイイやっているけれども、それは空しいことだ、どうせ死ぬときは自分ひとりだというわけでしょう。後世になると、彼は高野山で入定（にゅうじょう）したということになる。いま奥の院のある場所ですけれども、そこで入定した。入寂（にゅうじゃく）ではなく、入定というのは、生きながらそこにずっといるというのです。

――間もなく死ぬことを前提にして……。

**湯川**　後世の人は彼は死んだのでなくて、まだ生きていると信じるようになる。ミイラの話と多少つながってくるけれども、彼自身ミイラになろうとしたと思えんけれども……。それであとの人は、弘法大師はまだ生きているという。あとでできた伝説でしょうけれども、そのように思っている。『平家物語』をお読みになると、「高野の巻」というのがあります。そこに、ひじょうにおもしろいことが書いてあります。空海がなくなってから百年ほどたってから、弘法大師という号が贈られるわけですけれども、弘法大師はまだお墓のなかで生きているということになっている。そこで勅使の中納言資澄と般若寺の僧正観賢とが高野山に登り、大師に会って衣を着せ、延びた髪を剃った。ところがついていった弟子には大師の姿がみえない。僧正が弟子の手をとって大師の膝におしあてた。その手が一生香（こう）ばしかった。そういう話が書いてある。

　とにかく弘法大師という人は、自分は自然にかえっていくと思ったでしょうが、それは同時に永遠の実在世界のなかで生き続けることでもあったのじゃないか。単に空、無になってしまうというのではなかったのではないか。だから後世、彼は五十六億七千万年後の弥勒の世まで生き続けるという伝説ができたのは、まったく根拠のないことではないように思われますね。いろんな意味で密教はふつうの仏教とは違うものをもっている。だから、明治以後の知識人の大多数は、密教というものをぜんぜん理解せなんだわけです。梅原猛君もそれをしきりにいうていた。

現代の日本人の間では親鸞と日蓮がポピュラーで、知識人の間では道元の評判がよい。これらの人たちはそれぞれ、ひたすら一つの方向に徹底していった。それが多くの日本人に好かれる。空海はそう単純ではない。とくに明治以後の日本知識人には、ものすごく異質的に思われるわけです。空海が好きという人は少ない。

この様に湯川は弘法大師空海を評する。それにしても仏教にも精通していて、さすがに頭が良いというか全方位型の人物であったことが窺（うかが）われるのである。このインタビューからも分かる様に、彼は大日如来的実在論を語っており、顕教が説く無我の仏教から更にそれを突き抜けた究極の金剛仏教について語っているのである。それは仏教を学ぶ筆者から見ても、仏教学者以上に仏教の真髄をとらえているものであり、えらく感心させられるものである。さすがに、仏教哲学の真髄を説き明かした近代科学の枠としての量子力学に於いて、世界をリードした人物だけのことはある。「おわりに」で紹介する同時代の同じくノーベル賞受賞者のシュレーディンガーと意を同じくするものと言えるだろう。シュレーディンガー以上に仏教哲理を把握していたことに疑う余地はない。この様な偉大な物理学者がいたにも拘わらず、現代の学者たちの大半が湯川の精神と知恵を受け継いでいないことをまことに残念に思う。

# おわりに

本書の締め括りに求道者エルヴィン・シュレーディンガーの言葉を贈りたい。量子物理学という極めて高度な学問を修めた人物にして、卓越した宗教観を持つこの稀代の天才は、量子の世界を通して何を観たのか、その深奥の神観について、彼が一九二五年に著した〈道を求めて〉と、一九六〇年に著した〈現実とは何か〉とから成る『わが世界観』からその主旨をここに紹介する。

彼は〈道を求めて〉の章の冒頭で、「すべての思弁的形而上学を消し去ってしまうのはたやすいが、それは人間の経験的な知識の内容から形而上学を真に消し去ったということを意味しているのではない。もしすべての形而上学を消し去ってしまうならば、どんな専門科学の極めて限られた領域の分野についてさえも、なんらかの明瞭な説明をするのは不可能になるだろう」と述べている。

それは彼が、あらゆる事象の根本因として形而上的存在を肯定していたことを意味する。そして彼は形而上学の功罪を説く。すなわち、それは自然科学に於いては事象の根本因として神を持ち出すことで物理的因果関係が不確かとなり科学が成立しなくなる点であり、他方、それ以外の見方や事柄については、形而上学が不可欠である点を強調する。つまり形而上学とは認識論として理解するものではなく認識そのものを支える全体であり土台であると説明する。そしてその進行の過程で物理学に姿を変える、というのである。ここに言う物理学とは数学に支えられた公理を指していると思われる。

## 西洋文明の謬(あやま)り

更に彼は、今から百年前の彼の時代に於いても、すでに形而上学は自然科学によって駆逐され困難を極めていることを指摘している。すなわち「われわれが純粋認識の領域から離れ、文化全体及びこれに関わる倫理の問題に目を向けるとき、形而上学は死滅したとの宣告とどのように妥協すべきかという問いは今やますます困難なものになってきている。」として、道徳社会の維持について大きな懸念を示しているのである。それは二十世紀初頭に生きた彼らが共通して味わった第一次大戦による国の崩壊と人心の荒廃、虚無主義(ニヒリズム)化する社会に対する善良なシュレーディンガーの慨嘆であった。そして彼はさらに続けて言う。

「西洋はこの一世紀の間に、ある特定の方向に向かってまことに飛躍的な発展を成し遂げた。それはすなわち〈自然の空間的時間的な事象〉の基礎を広く認識すること（つまり物理学と化学）を意味している。そして西洋は（広い意味での）〔各種機械〕の夢のような生産によって、人間の意志の到達しようとする領域を拡大すること（つまり技術）をその支えとしてきた。

ただし、私はこれ（後者の技術）を、この時代にヨーロッパで産み出された最も意味のあるものとは決して見なしはしないと言明せざるを得ない。」と、戦争兵器や工業による大量生産等の科学技術優先の社会に対して強い否定を示している。そして第一章の最後にこう述べている。

この片寄った、いわゆる〔技術の発展という名の〕「象皮病」のために、西洋の知性、あるいはなんにせよこのように呼ばれるものの目ざす、文化や認識という別の方向への発展が無視され、実にかつてなかったほどに弱められてしまった。それはまるで、恐るべき勢いで肥大する一つの器官が、直接他の器官に破壊と退化の影響を与えたかのように思われる。

自然科学は幾世紀もの間、教会によってきわめて卑劣なやり方で従属させられてきたが、ついに自らの頭をもたげ、その神聖な権利と神々しい使命とを自覚し、この昔からの抑圧者に対して激しい憎悪に満ちた打撃を加えた。しかし教会は――十分なものとは言えず、しかもその職務に怠慢ではあったが――われわれの最も神聖な先祖伝来の遺産を守るように命ぜられた唯一の委託管理人であった。しかもこのことに自然科学は注意を払わなかったのである。

ほとんど気づかないくらいにゆっくりと、あの古代インドの叡智のきらめく光が消えていった。それは、かつて偉大なラビ〔＝キリスト〕がヨルダン河のほとりで新たに焚きつけた焔であり、中世という暗黒の夜の間もわれわれを照らしてくれた光であった。〔だがこのキリスト教という〕再生されたギリシャの太陽の光は薄れてしまった。われわれが今日享受している〔西洋文明の〕実りは、この光がもたらしたものなのであった。

それにもかかわらず、人々はこれらすべてについてもはや知るべくもない。彼ら群衆は支えを失い、道案内を失ってしまった。彼らは唯一神も、やおよろずの神々も信じてはいない。彼らにとって、キリスト教会はいまやたんなる政党にすぎない。そして道徳はやっかいな拘束以外のなにものでもない。このようになった醜い化け物ども〔＝群衆〕は、これまで長い間教会に頼ってきたのだが、いまや信仰をなくしてしまい、もはや教会を支持することもなくなり、それゆえ教会はあらゆる基盤を失ってしまったのである。

西洋人は、これまで決してうまく克服できなかった発展の初期の段階にあと戻りする危険にさらされている。このようにして、いわゆる一種の先祖返りの現象が現れ始めた。節度のない、はなはだしい利己主義は、にやにやとあざ笑いしながらその頭をもたげ、原初的な生活習慣によって鍛えられた強い力をその握りこぶしに込めて、水先案内人のいなくなったわれわれの船の舵をつかもうとしているのである。

この文章には、シュレーディンガーの非常に強い憤りが表現されている。人類が科学偏重へと陥り、無神論へと変じていく様をもどかしさと共に、その誤りに気付かせようとするその姿勢は、ギリシャからの伝統であるソフィア（知恵）への思いとして正に理性に生きようとした主張が読み取れるのである。

第二章に於いて彼は、西洋思想の最終成果を過去千五百年にわたって概観しても高揚できないと言い、「超越的なもの」をきっぱりと排除すべきとする〈西洋の知恵〉に幻滅している。そして「なぜならわれわれは認識の領域では形而上学的な導きを欠くことは出来ない」からだと述べている。

さらに知的な中産階級に端を発した道徳や倫理、宗教からの自由を唱えたムーブメントが古代ギリシャやローマ時代末期と酷似している点を指摘。ローマの末期ではプラトン的形而上学を排除したアリストテレスの哲学が席捲し、現代では自然科学が神を葬り去っており、それはローマ時代より酷いと述べる。

そしてこの様な状況下では、真実を深く明らかにしようとすればするほど、社会からの反発に「発言を差し控えたくなってしまう」と言い、〈発言〉とは不明瞭性、不適当性、偏向性、不公平性等を指摘するものであるから、真正面からぶつかる形の意見の表出ではなく、仏教哲学の叡智である中観の論法をもって「Aに非(あら)ず、而(しか)してAに非ざるに非ず」「Aにして而してAに非ず」といった否定命題の形での意見表出を選ぶしかない、と述べている。

シュレーディンガーも相当に学者仲間やジャーナリストらからの揶揄にうんざりしていた様である。

そして超越的なもの（神）は認識の対象としてこれに依存するものではないことを伝えている。形而上学とは超越的存在のことであり、超越者を否定するならば形而上学も否定されることになる。それは人類にとって危機的状況にあると述べるのである。

## 数量的「一」

第四章に於いては、自我について語っている。この場合の自我とは普遍自我を指すもので、シュレーディンガーもその解釈に苦戦している。自分という自我と他者という自我の同一性について論じ、それらは数量的には一つであると同時に、各自我の普遍性に言及し「われわれ西洋人には奇異に感じられる」と述べている。この言葉は明らかに東洋人なかんづくインド人を指しているもので、自他の同一という思想は東洋にあってはごく当たり前の考えだが、個性を重視する西洋人には受け入れがたい〈考え〉というより〈感覚〉なのである。

そこではシュレーディンガーが強い影響を受けたカントの「もの自体」という思考が題材として語られている。「もの自体」とは事物の本質を指す言葉であり、人がそれを見ることは出来ないものとして定義されている。

人が何らかの事象なり物を見聞きする際には必ず人の自我が関わり何らかの色が付けられた状態でしか見られない。例えば動物の世界と昆虫の世界と人間の世界では視覚機能の違いから、それぞれがモノクロだったり、違う色だったりという違いがあり、そこには「もの自体」ではないものを、われわれが見ていることを意味している。

そういった「もの自体」として自我を捉えていくと、それは他者とも同一の存在として見られることになり、一即多の関係がそこに出現する。そういうことを彼はこう語っている。

> ここに至ってわれわれは現実的な矛盾に再び直面する。われわれはさきにこれと同じ矛盾をやりすごしたあの場所に、再びやって来たのである。われわれが現実の特異な自我を排除し、超越的な神のようにただ傍観的に外から全体を叙述するものであるならば、多くの結合点、すなわち多くの自我で結合し、これらの大部分に普遍的な要素という考えは、明瞭かつ適切なものである。
>
> しかしながら、私自身がこれらの自我のうちの一つだということ、そしてこれらの要素の構造全体が、あたかも一つのきわめて不均衡で、しかも気ままなパースペクティブの中にのみ、その確かな不変の姿を現しているということを思い起こすやいなや、私は、この一つの位置がいったい何によって自我全体の中から浮き出てくるのか等々という、以前に論じたものと同じ疑問を呈示せざるをえなくなってしまうのである。

この様に再びとシュレーディンガーは悩むことになるのだが、彼の思考を助けているのが実は印度哲学であり、その中のヴェーダーンタ学派であり、またサーンキヤ学派である。彼は印度哲学を通して梵我一如や我（アートマン）が如何なるものであるのかを、ストレートにではなく婉曲に理解しようとし、また語っているのだ。恰も仏教中観派が如くに！

彼はこの様な思考過程の中で、ヴェーダーンタ哲学を学び、一つの結論に達している。彼は人が何万年もの間、何度も転生しているのではないかと指摘しながら、その自我（魂）に言及する。

このように観察し、また考察した結果、君は、かのヴェーダーンタ哲学の根本的確信には十分な妥当性があるということを、即座に理解することになろう。つまり、君が君自身のものと言っている認識や感覚や意志からなるこの統一体〔＝君自身〕が、さして遠い過去ではない特定のある瞬間に、無から降って湧いたなどということはありえないのである。この認識や感覚や意志は本質的に永遠かつ不変であり、すべての人間に、否感覚をもつすべての存在〔＝生命体〕において、数量的にはたった一つのものなのである。

しかしそれは、君が永遠にして無限の存在〔＝最高神もしくは創造神〕の一部であるとか、スピノーザの汎神論が説いているような、この存在のある局面、あるいはその様態的変容であるとかという、そのような意味あいにおいてではない。というのは、そこでまた同様の不可解な問題が残されるからである。すなわち、君はその存在のいったいどの部分であり、またどんな局面であるのか。さらにまた、これを他の部分や局面と客観的に区別するものはいったいなんなのであるのか、といった問題である。

私の言わんとすることは、このような汎神論などではなく、通常の理性では信じがたいことかもしれないが、君――そして意識をもつ他のすべての存在――は、万有のなかの万有だということなのである。君が日々営んでいる君のその生命は、世界の現象のたんなる一部分ではなく、ある確かな意味あいをもって、現象全体をなすものだと言うこともできる。

ただこの全体だけは、一瞥（いちべつ）して見わたせるような〔単純に構成された〕類のものではない。――周知のように〔古代インドの〕婆羅門たちはこれを、タト・トワム・アスィ〈Tat Twam asi ＝其は汝なり〉という、神聖にして神秘的であり、しかも単純かつ明解な、かの金言として表現した。

これは印度哲学の哲人ウッダーラカ・アールニが息子に語った言葉である。世界の本質について梵我一如の状態であることを指したものである。これは正に核心中の核心、究極の真理について、シュレーディンガーがたどり着いているのだから大したものである。それでもまだ西洋人の彼には個から抜け出せないところにいるのではある。キリスト教の洗脳を受けている彼らには、汎神論までは理解できても、汎我論の理解には無意識の拒絶感が生じる。それを乗り越えてきたシュレーディンガーは大した人物である。そして彼は驚くことを語るのである。

さて、哲学が現実にかかえている困難の原因は、観察し思考する個々人の、空間的かつ時間的な数多性にある。しかし、かりにただ一つの意識のなかにすべての事象が生じるとすれば、ことは簡単になろう。それぞれの事象はそのなかで、たんなる与件として与えられることになろうし、この与件が――たとえどんなものであれ――いま現実にある、数量的規範からくる困難を生むことは、まずなかろうと私は思う。もっとも私は、われわれの知性にとって可能な、首尾一貫した思考による論理的手段をもとにしても、この困難が解決できるとは思わない。がしかし、その答えを以下のような言葉で簡単に表現することはできよう。すなわち、われわれが通常知覚する数多性は、たんなる仮象〔みせかけ〕にしかすぎず、決して現実のものではない、ということである。

遂にシュレーディンガーは極めつけの言葉を吐いた。他者（自我）の存在は仮象、錯覚にすぎないと述べているのである。そう考えた時に、彼の思考は納得するというのである。

仏教哲学に於いても、この世は幻影であってわれわれが持つ実存感は執着心による幻覚だと語られるのである。

ここまでの解答が出てくるとは筆者も驚かされたものだ。実に素晴らしい。

さて次に、自我については、『精神と物質（mind and matter）』（中村量空訳）の中でも「多元の意識的自我と一つの世界」と題して次の様に語っている。

> 感覚力をもち、知覚力をもち思考する、この私たちの自我を、科学的な世界描像のなかに見い出せないその理由は、次の十七字で容易に示すことができます。つまり「世界描像とは自我そのものなのである」と。自我は世界全体と同一なのですから、その部分として世界に含まれるわけがないのです。
> だがそこで、私たちは必然的に算術上の矛盾にぶつかります。このような意識的な自我は膨大な数にのぼるように思われますが、他方世界はたった一つしかありません。しかしながらこのような考えは、世界概念を作りあげているその方法に起因するものなのです。
> 「個々の」意識がいくつかの領域で互いに部分的に重なっております。すべての意識が重なる共通の領域が、「私たちのまわりの真実世界」という構造概念を形成しているというわけです。
> けれどもなにかしっくりしない感覚が残りまして、次のような疑問が浮かんできます。私の世界は本当にあなたの世界と同じなのでしょうか。個々人の知覚を通して投影された個々の描像と区別されるべき、一つの真実の世界があるのでしょうか。もしあるとすれば、いったい個々の描像は真実の世界に一致しているのでしょうか。それとも世界「それ自体」は、私たちが知覚している世界とまったく異なっているのでしょうか。
> これらは巧妙な疑問なのでしょうが、私の意見を申しますと、論点を混乱させてしまいそうな疑問であり

ます。これに対する適切な答えはありません。このような疑問はすべて、一つの源から発した矛盾になるか、それともこの矛盾に導かれていくでしょう。これを私は、算術上の矛盾と呼んでおります。すなわち多数の意識的自我がありまして、それらの精神的経験から一つの世界が作りあげられているというものなのであります。この数の矛盾に対する解答は、さきに述べた類のすべての疑問を消し去り、それらが言わばいつわりの疑問だということを明らかにするでしょう。

数の矛盾からの出口は二つあります。両方共に、今日の自然科学的考え（これは古代ギリシアの考えに基礎を置くもので、まったく「西洋的なもの」です）の視点からすれば、むしろ異常と思えるかもしれません。その一つの出口は、かのライプニッツの恐るべきモナドの学説に述べられた、世界の多数性にあります。すべてのモナドはそれ自体が世界なのでありまして、互いに何も伝達されません。すなわちモナドは「窓をもたず」、つまり「幽閉されている」のであります。

にもかかわらず、すべてのモナドは互いに共通しております。これは「予定調和」と呼ばれるものです。この提案に魅力を感じる人はわずかだろうと思います。そればかりか、この提案がすべての数の矛盾を軽減すると考える人も、ほとんどいないでしょう。

もう一つだけ、明らかにこれとは異なった出口があります。それは、精神あるいは意識を統一するという考え方です。それらの多数性は単に見かけだけのもので、本当は一つの精神があるだけだという考え方でありまして、つまりウパニシャッドの教理であります。けれども、これはウパニシャッドに限った考え方ではありません。根強い偏見によって敵視されることがなければ、神と合一するという神秘的な体験をした者は一様に、そのような姿勢を取るものなのです。

これは、東洋よりも西洋の方がそのような姿勢を受けいれにくかったという意味であります。ウパニシャッド以外の例として、十三世紀の回教徒でペルシアの神秘主義者アジズ・ナザフィーの言葉を引用しましょう。これはフリッツ・マイヤーの論文から取ったもので、彼のドイツ語訳から私が訳したものです。

いかなる動物もその死に際しては、精神は精神世界に戻り、肉体は肉体世界に戻る。しかしこのとき、変化を受けるのは肉体のみである。精神世界は単一の精神からなっている。それは肉体世界の奥に光り輝いてあり、一個の動物が生を受けるとき、それがまるで窓のようになって、そこから光が差してくるのである。その窓の種類と大きさとに応じて、多くまた少なく、光がこの世に差し込むのである。だが光そのものは不変なのである。

十年前、オルダス・ハクスリーは、『永遠の哲学』という題名の貴重な著書を出版しました。これは、各時代の多彩な神秘主義者の名言をもっとも多く集めた名言集です。そのどこを開いても、似かよった多くのみごとな言説を見つけることができるでしょう。異なった民族、異なった宗教の人々の言葉が驚くべき一致を示しているのに心打たれるでしょう。彼らは、互いの存在について何も知らず、数世紀も一千年もの時を隔てられ、この地球上で互いに遠く離れていたのです。

けれどもその教理は、西洋思想にとってはほとんど興味をそそるものではなく、西洋的な趣味にかなうものではなく、奇異な感じを与え、しかも科学的ではないと言われるにちがいありません。確かにそうでありましょう。なぜなら、私たちの自然科学——ギリシア〔以来〕の科学——は、客観化にその基盤を置いているからです。客観化によって科学は、認識の主体あるいは精神に関する適切な理解から自らを切り離してしまったのであります。

だがこれこそがまさに、私たちの現在の考え方が東洋思想からの輸血を必要としている点なのだと、私は信じております。それはたやすいことではないでしょう。私たちは大間違いをしでかさないように注意していなければなりません――輸血の際には常に、血の凝固が起こらないように最大の用心をする必要があります。

科学的考えがたどり着いた、理論的な確かさというものを失いたくはありません。これは古今東西を通じて、比類のないものでありましょう。

この様に東洋哲学の重要性を真正面から語る西洋の最高権威は珍しい。量子力学の人物たちがそろってそうだとしても、それ以降の権威がこの様に語ることは稀である。何であれ、東洋哲学の汎神論的感覚や一即多の思想などは、西洋人にとって極めて新鮮な内容であった。そしてシュレーディンガーはその哲学や感覚を西洋人も身に付けなくてはならないと言っているのである。

## 「神は霊なのです」

世界全体を見わたすという目的や意味合いに関連した疑問に対して、自然科学の研究がまったく沈黙しているというのは、私たちにとりましてはとてもつらいことであります。その沈黙に注意を払えば払うほど、それがますます的外れでばかげたことのように思われてくるでしょう。この〔世界という〕舞台での上演は明らかに、これを熟視する精神に関する意味をもっているのであります。ところが、その関係について自然科学が私たちに教えてくれるのは、まったくばかげたことなのです。つまり精神は、まさにその〔世界という〕見ものによって、単に生み出されたものであるにすぎないと言うのです。精神はいまもこの見ものを見物しておりますが、太陽がついに冷却し、地球が氷と雪の荒野と化したとき、精神も見ものと共になくなってしまうというわけなのであります。

すでに周知の、自然科学の無神論——これはもちろん〔自然科学と〕同じ題の項目にはいるものです——について簡単に述べておきましょう。科学はこれについての非難をくり返し受けてきたにちがいないのですが、不当にそうされてきたわけでもありません。

いかなる人格神も世界描像の一部分を形成することは出来ません。その描像は、すべての人格的なものをそこから取り除くという犠牲を払って、やっと手に入れることができたのです。神を体験したとき、それは直接の知覚や自分自身の個性と同じように、ありありとした現実の出来事になるということを私たちは知っております。人格的なものと同様に、神もまた時空の描像からは消えてしまっているにちがいありません。

神は時空間のどこにも見い出せない――これは誠実な自然主義者の言っていることであります。そのために彼は神の非難を受けるでしょう。教義問答は神のなかにあるのです。神は霊なのです。

ここの最後の一文は刮目する必要がある。ノーベル賞まで取った物理学者が仲間たちからの非難を知った上で、ここまで大胆に「神は霊なのです」と言い切ったことに、筆者は只々頭が下がる憶いである。何とも深い言葉である。

ここで注意しなくてはならないのは、「神」という存在を認めた上で、「神とは霊」と言っているのか、それとも「神」は存在するものではなく、人が「神」だと〝誤認〟しているのは特殊な霊にすぎない、と言っているのかが不明な点である。

もし後者だとしたら、ヨーロッパ世界に育った人物で物理学の頂点にまで登りつめた人物としては異例の感覚の持ち主だということが出来るだろう。残念ながらこれ以上の説明はないため、推測の域を出ないのであるが、彼はいわゆる人格神の否定者であることから汎神論的な霊のイメージを持ったのかも知れない。

つまりそれは、人格なき法則としての意志として世界そのものであり、霊的に梵我一如という一体を可能ならしめると考えたのではないだろうか。なぜならキリスト教の神とは絶対であり人間とは絶対に混じり合うことのない存在であるからである。そのイメージを沁み込ませている西洋知識人にとって、神を霊と分析することは、心理的に極めて困難な作業だったに違いない。にも拘わらず、シュレーディンガーのこの発言は実に自然に発せられたものとうつるのである。

一方、第五章の科学と宗教の項では、「あの世」について言及しており、しかも「もちろん私がこれらの疑問に答えるつもりのないことはご留意願いたいのです」と断っている。つまりそれは「自分は信じているが、そのことを科学的に証明できない限りは口に出すのは控えたい」という心の声が聞こえてくるのである。

神の概念は人それぞれでいいのではないだろうか。少なくとも、自分の依拠する場としての形而上的存在への畏敬はあるべきだと思う。この誠実さを失い慢心となったならば、人は再びと戦火に見舞われる時を迎えるだろう。無神論者とて、その精神に根付く道徳性に気付き実践者となるならば、すなわち有神論者に他ならないのである。人々から争いがなくなることを祈りたい。

猶、本書は佐々木涼子君の翻訳の手伝いに負うところが大きいことを述べここに感謝するものである。

二〇二〇年　十二月八日

著者　識

# 引用・参考文献

● Sir Roger Penrose
"The Big Conversation video series from 'Unbelievable?"　SEASON2 - EPISODE2 "The Universe: Where did it come from and why are we part of it?" https://www.youtube.com/watch?v=9wLtCqm72-Y
● James M. Tour
(1) Lee Strobel, "The Case for Faith: A Journalist Investigates the Toughest Objections to Christianity," (Zondervan, 2000)
https://books.google.co.jp/books?redir_esc=y&hl=ja&id=gOo1kRfXOecC&q=I+build+molecules+for+a+living#v=snippet&q=I%20build%20molecules%20for%20a%20living&f=false
(2) James Tour, "Origin of Life, Intelligent Design, Evolution, Creation and Faith
(Updated July 2017)", James M Tour Group, Rice University. Retrieved September 13, 2017, from http://www.jmtour.com/personal-topics/evolution-creation/
● Peter Harrison
(1) Peter Harrison, "Christianity and the rise of western science," Religion & Ethics (May 8, 2012). Retrieved September 14, 2017, from http://www.abc.net.au/religion/articles/2012/05/08/3498202.htm
● Tony Rothman
(1) Tony Rothman, "A 'What You See Is What You Beget' Theory ", Discover, May 1987, p. 99, quoted in "How science Discovered God" by Daniel Lazich, May 1989, Ministry: International Journal for Pastors. Retrieved September 14, 2017 from
https://www.ministrymagazine.org/archive/1989/05/how-science-discovered-god
(2) Rothman, Tony. "The Man Behind the Curtain." American Scientist, vol. 99, no. 3, May-June 2011, pp. 186–189. www.jstor.org/stable/23019308
● Francis Collins
(1) Francis S. Collins, "The Language of God: A Scientist Presents Evidence for Belief", (Free Press, 2006)
https://books.google.co.jp/books?id=y-AwVWuVT_wC&pg=PT69&dq=There+are+good+reasons+to+believe+in+God,+including+the+existence+of+mathematical+principles+and+order+in+creation.+They+are+positive+reasons,+based+on+knowledge,+rather+than+default+assumptions+based+on+a+temporary+lack+of+knowledge.&hl=ja&sa=X&ved=0ahUKEwi-uNSq4ZnVAhXMerwKHUxKDY4Q6AEIJjAA#v=onepage&q&f=false
● William Daniel Phillips
(1) Tihomir Dimitrov, "50 Nobel Laureates and Other Great Scientists Who Believe in God," in Scientific GOD Journal, April 2010, Vol. 1, Issue 3, p.157. (Phillips, William D. A letter to the compiler T. Dimitrov. May 19. 2002.) https://scigod.com/file/SGJ_V1(3).pdf
(2) William D. Phillips, "Ordinary Faith, Ordinary Science," in Roy Abraham Varghese (ed.), The Missing Link: A Symposium on Darwin's Creation-Evolution Solution (University Press of America, 2013), p.174-182. (Lecture at the conference "Science and the Quest for Meaning" delivered on April 20, 2002 at UNESCO, Paris).https://books.google.co.jp/books?redir_esc=y&hl=ja&id=lBoU6Nf0LLQC&q=ordinary+faith%2C+ordinary+science#v=snippet&q=ordinary%20faith%2C%20ordinary%20science&f=false
(3) Remarks by President Clinton and Q&As at Hawking Lecture on March 6, 1998. https://clintonwhitehouse4.archives.gov/Initiatives/Millennium/19980309-22774.html, https://scigod.com/file/SGJ_V1(3).pdf
● Paul Davies
(1) Paul Davies, "God and the New Physics," Simon and Schuster, 1984　https://books.google.co.jp/books?id=cPWd08Fbem4C&pg=PA44&hl=ja&source=gbs_toc_

r&cad=3#v=onepage&q&f=false
(2) Paul Davies, "Physics and the Mind of God: The Templeton Prize Address," August 1995
https://www.firstthings.com/article/1995/08/003-physics-and-the-mind-of-god-the-templeton-prize-address-24
● George Fitzgerald Smoot III
(1) "Looking at God" in Maclean's, May 4, 1992, p.38-41.
(2) "The Man Who Has The Key: Shining Light on Cosmic Secrets" (interview by Hilary Mackenzie at Smoot' house near Greenbelt, Md., USA) in Maclean's, May 4, 1992, p.42.
(3) George Smoot, Interviewed March 1994 by Monte Davis (OMNI Publications International, Ltd.)
http://aether.lbl.gov/www/personnel/OMNIinterviewSmMarch93.html
● Henry F. Schaefer III
(1) Henry F. Schaefer III, Lecture, "Stephen Hawking, the Big Bang, and God"
http://www.leaderu.com/offices/schaefer/docs/bigbang.html
(2) Henry F. Schaefer III, Lecture, "Scientists and Their Gods"
http://www.leaderu.com/offices/schaefer/docs/scientists.html
(3) Henry F. Schaefer III, "Is Evolution a Good Theory?" Westminster Hall Scholar Series. (Invited Essay by the Atlanta Constitution, September 28, 2002)
http://www.forananswer.org/Top_Ath/Schaefer_EvolutionTheory.pdf
● Saul Aaron Kripke
(1) Saul A. Kripke, "Naming and Necessity," (Harvard University Press, 1972, 1980), p.152-153
https://books.google.co.jp/books?redir_esc=y&id=9vvAlOBfq0kC&q=god#v=onepage&q=God&f=false
(2) Saul A. Kripke, "Philosophical Troubles: Collected Papers, Volume 1," (Oxford University Press, 2011)
ttps://books.google.co.jp/books?redir_esc=y&id=0RibxOr0pzIC&q=god#v=snippet&q=god&f=false
● Yoshikawa Shoichi
(1) Yoshikawa Shoichi, "The Hidden Variables of Quantum Mechanics Are Under God's Power," in Henry Margenau and Roy A. Varghese (eds), "Cosmos, Bios, Theos: Scientists Reflect on Science, God, and the Origins of the Universe, Life, and Homo Sapiens," (Open Court Publishing Company, 1992), pp.133-135.
https://books.google.co.jp/books?redir_esc=y&hl=ja&id=5yCl6iGSfK0C&q=personally%2C+I+subscribe+to+the+old+notion#v=snippet&q=personally%2C%20I%20subscribe%20to%20the%20old%20notion&f=false
● Arno Allan Penzias
(1) Arno Penzias, "Creation is Supported by All the Data So Far," in Henry Margenau and Roy A. Varghese (eds), Cosmos, Bios, Theos: Scientists Reflect on Science, God, and the Origins of the Universe, Life, and Homo Sapiens, (Open Court Publishing Company, 1992), pp.78-83.
https://books.google.co.jp/books?id=5yCl6iGSfK0C&pg=PA78&lpg=PA78&dq=Creation+Is+Supported+by+All+The+Data+So+Far,+penzias&source=bl&ots=jQoPyiIgda&sig=OACaGT5gUcogPCR0Yh1VJq0daoY&hl=ja&sa=X&ved=0ahUKEwj7nZHSos7VAhWMipQKHWe4BgEQ6AEIJjAA#v=onepage&q=Creation%20Is%20Supported%20by%20All%20The%20Data%20So%20Far%2C%20penzias&f=false
(2) Joshua O. Haberman, "The God I Believe In: What Jews still Believe, A survey of contemporary Jewish spirituality in conversation with leading Jewish

philosophers, writers and rabbis" (2011, Xlibris) p.192
https://books.google.co.jp/books/about/The_God_I_Believe_In.html?id=T7LPi7apKa4C&redir_esc=y

● Abdus Salam

(一) Abdus Salam. (April 27, 1984). "ISLAM AND SCIENCE - CONCORDANCE OR CONFLICT?," Speech at the UNESCO House in Paris. Retrieved September 21, 2017, from IDB Alumni & Science Development Network website
http://www.sciencedev.net/Docs/Islam-and-Science-Concordance-or-Conflict.pdf

● Antony (Tony) Hewish

(一) Foreword by Tony Hewish in John Polkinghorne and Nicholas Beale, "Questions of Truth: Fifty-one Responses to Questions About God, Science, and Belief," (Westminster John Knox, 2009), p.xi-xii
https://books.google.co.jp/books?id=jiXANZ1CPD4C&pg=PA1&hl=ja&source=gbs_toc_r&cad=3#v=onepage&q=The%20ghostly%20presence%20of%20virtual%20particles%20defies%20rational%20common%20sense%20and%20is%20nonintuitive%20for%20those%20unacquainted%20with%20physics.%20Religious%20belief%20in%20God%2C%20and%20Christian%20belief%20that%20God%20became%20Man%20around%20two%20thousand%20years%20ago%2C%20may%20seem%20strange%20to%20common-sense%20thinking.%20But%20when%20the%20most%20elementary%20physical%20things%20behave%20in%20this%20way%2C%20we%20should%20be%20prepared%20to%20accept%20that%20the%20deepest%20aspects%20of%20our%20existence%20go%20beyond%20our%20common-sense%20intuitions&f=false

(二) Interview With Antony Hewish, 1974 Nobel Prize Laureate in Physics, By Kourosh Ziabari.
17 October, 2012, Countercurrents.org　http://www.countercurrents.org/ziabari171012.htm

● Freeman John Dyson

(一) Freeman Dyson. (May 16, 2000). "Progress in Religion," Acceptance Speech for 2000 Templeton Prize, at the Washington National Cathedral.
https://www.edge.org/conversation/freeman_dyson-progress-in-religion

● Walter Kohn

(一) Tihomir Dimitrov, "50 Nobel Laureates and Other Great Scientists Who Believe in God," in Scientific GOD Journal, April 2010, Vol. 1, Issue 3, p.181. (Kohn, Walter. "Dr. Walter Kohn: Science, Religion, and the Human Experience." An interview in The Santa Barbara Independent on July 26, 2001). https://scigod.com/file/SGJ_V1(3).pdf

(二) Tihomir Dimitrov, "50 Nobel Laureates and Other Great Scientists Who Believe in God," in Scientific GOD Journal, April 2010, Vol. 1, Issue 3, p.157. (Kohn, Walter. A letter to the compiler Tihomir Dimitrov. May 23, 2002) https://scigod.com/file/SGJ_V1(3).pdf

● Arthur L. Schawlow

(一) Arthur L. Schawlow, "One Must Ask Why and Not Just How," in Henry Margenau and Roy Abraham Varghese (eds), Cosmos, Bios, Theos: Scientists Reflect on Science, God, and the Origins of the Universe, Life, and Homo Sapiens, (Open Court Publishing, 1992), p.105~107
https://books.google.co.jp/books?id=5yCl6iGSfK0C&pg=PA105&lpg=PA105&dq=It+seems+to+me+that+when+confronted+with+the+marvels+of+life+and+the+universe,+one+must+ask+why+and+not+just+how.+The+only+possible+answers+are+religious&source=bl&ots=jQoQvgHmk8&sig=1XBNk_Oq2zsIm9DgpQhkaz7qtdA&hl=ja&sa=X&ved=0ahUKEwjH2P7MhuLVAhUIVRoKHX9KC2kQ6AEIJjAA#v=onepage&q=It%20seems%20to%20me%20that%20when%20confronted%20with%20the%20marvels%20of%20life%20and%20the%20universe%2C%20one%20must%20ask%20why%20and%20not%20just%20how.%20The%20only%20possible%20

answers%20are%20religious&f=false
(二) Arthur L. Schawlow, “Optics and Laser Spectroscopy, Bell Telephone Laboratories, 1951-1961, and Stanford University Since 1961,” an oral history conducted in 1996 by Suzanne B. Riess. (Regional Oral History Office, The Bancroft Library, University of California, Berkeley, 1998)
https://archive.org/stream/opticslaserspect00scharich#page/n7/mode/2up

● Joseph Edward Murray
(一) Gabriel Meyer, “Pontifical Science Academy Banks on Stellar Cast” in National Catholic Register, December 1-7, 1996. (reprinted by Eternal Word Television Network) http://www.ewtn.com/library/issues/stellar.txt

● Sir Derek Harold Richard Barton
(一) Derek Barton, “The Ultimate Truth Is God,” in Henry Margenau and Roy Abraham Varghese (eds), Cosmos, Bios, Theos: Scientists Reflect on Science, God, and the Origins of the Universe, Life, and Homo Sapiens, (Open Court Publishing, 1992), p.144~148
https://books.google.co.jp/books?id=5yCl6iGSfK0C&pg=PA145&lpg=PA145&dq=The+observations+and+experiments+of+science+are+so+wonderful+that+the+truth+that+they+establish+can+surely+be+accepted+as+another+manifestation+of+God.+God+shows+himself+by+allowing+man+to+establish+truth&source=bl&ots=jQoQvjHkc3&sig=gwahy-w0wNkTSA4t4h7myYFCmN8&hl=en&sa=X&ved=0ahUKEwiw9Lym9eLVAhXIi5QKHX7nCowQ6AEIKzAB#v=onepage&q&f=false

● Christian Boehmer Anfinsen
(一) Letter to Professor Henry Margenau dated June 28, 1988, in response to his request for contribution for his anthology. Later published in “Cosmos, Bios, Theos: Scientists Reflect on Science, God, and the Origins of the Universe, Life and Homo sapiens” (Open Court Publishing Company, 1992). Retrieved on September 22, 2017, from U.S. National Library of Medicine https://profiles.nlm.nih.gov/ps/retrieve/ResourceMetadata/KKBBHH

● Charles Hard. Townes
(一) Charles H. Townes, “The Convergence of Science and Religion,” in THINK, March-April 1966, Vol.32, No.2, IBM. pp.2-7.
http://www.templetonprize.org/pdfs/THINK.pdf
(二) Charles H. Townes. (2001). Logic and Uncertainties in Science and Religion. Science and the Future of Mankind, Pontifical Academy of Sciences, Scripta Varia 99, Vatican City 2001. Retrieved September 23, 2017, from
http://www.pas.va/content/dam/accademia/pdf/sv99/sv99-townes.pdf

● Sir Ernst Boris Chain
(一) Tihomir Dimitrov, “50 Nobel Laureates and Other Great Scientists Who Believe in God”, Scientific GOD Journal, March 2010, Vol. 1, Issue 三 (Ernst Boris Chain, “Social Responsibility and the Scientist in Modern Western Society,” Perspectives in Biology and Medicine, Spring 1971, Vol. 14, No. 3) https://scigod.com/file/SGJ_V1(3).pdf

● Sir Nevill Francis Mott
(一) Sir Nevill Mott, “A Life in Science,” (Taylor & Francis, 1986)

● Sir John Carew Eccles
(一) Sir John Eccles, “Modern Biology and the Turn to Belief in God,” in Roy Abraham Varghese (ed.), The Intellectuals Speak Out About God: A Handbook for the Christian Student in a Secular Society (Regnery Gateway, Inc., 1984), p.50
(二) Sir John Eccles, “A Divine Design: Some Questions on Origins,” An Interview with Sir John Eccles (1982), in Henry Margenau and Roy A. Varghese (eds),

Cosmos, Bios, Theos: Scientists Reflect on Science, God, and the Origins of the Universe, Life, and Homo Sapiens, (Open Court Publishing Company, 1992), pp.160-164.
https://books.google.co.jp/books?redir_esc=y&id=5yCl6iGSfK0C&q=If+I+consider+reality+as+I+experience+it%2C+the+p+rimary+experience+I+have+is+of+my+own+existence+as++a++unique++self-conscious++being++which++I++believe++is++God-+created.#v=onepage&q=IF%20I%20consider%20reality%20as%20I%20experience&f=false

● Paul Adrien Maurice Dirac

（1） Helge Kragh, “Dirac: A Scientific Biography,” (Cambridge University Press, 2005), p.257
https://books.google.co.jp/books?id=zXm1Bso1VREC&printsec=frontcover&dq=Dirac:+A+Scientific+Biography&hl=en&sa=X&ved=0ahUKEwiuzPiG1-zVAhVCS7wKHTsmBfUQ6AEIKDAA#v=onepage&q=god&f=false

（2） Paul Dirac. (May 1963). “The Evolution of the Physicist’s Picture of Nature,” Scientific American. Retrieved September 25, 2017, from https://blogs.scientificamerican.com/guest-blog/the-evolution-of-the-physicists-picture-of-nature/

● Werner Karl Heisenberg

（1） Werner Heisenberg, translated from the German by Arnold J. Pomerans, “Physics and Beyond: Encounters and Conversations,” (Harper & Row, Publishers, 1971)
https://ja.scribd.com/doc/134183019/Werner-Heisenberg-Physics-and-Beyond-Encounters-and-Conversations

● Isidor Isaac Rabi

（1） John S. Rigden, “Rabi, Scientist and Citizen,” (Harvard University Press, 1987).
https://books.google.co.jp/books?redir_esc=y&id=Qgv9Xjv8_LYC&q=god#v=snippet&q=god&f=false

● Arthur Holly Compton

（1） Dave Armstrong, Science and Christianity: Close Partners or Mortal Enemies? (lulu.com, 2012), p.212
https://books.google.co.jp/books?id=XzWcAwAAQBAJ&pg=PA212&dq=Arthur+Holly+Compton%E3%80%80religion&hl=ja&sa=X&ved=0ahUKEwjnk_uMqPHVAhWCzLwKHbmlA8M4ChDoAQgtMAE#v=onepage&q=Arthur%20Holly%20Compton%E3%80%80religion&f=false

● Ludwig Wittgenstein

（1） Ludwig Wittgenstein, “Notebooks 1914-1916,” (Harper & Brothers, 1961)
https://ia600207.us.archive.org/11/items/notebooks191419100witt/notebooks191419100witt.pdf

● Erwin Schrödinger

（1） Erwin Schrödinger, “Nature and the Greeks,” (Cambridge University Press, 1954)
https://books.google.co.jp/books?id=w7m2-jnZWq0C&pg=PA69&source=gbs_toc_r&cad=4#v=onepage&q&f=false

● Max Born

（1） Max Born, “Physics in My Generation” (Pergamon Press, 1956),
https://archive.org/details/physucsinmygener006567mbp

（2） Max Born, “Natural Philosophy of Cause and Chance,” (Oxford University Press, 1948) https://archive.org/details/naturalphilosoph00born

● Albert Einstein

(1) Helen Dukas and Banesh Hoffmann (eds.), "Albert Einstein, The Human Side: Glimpses from His Archives" (Princeton University Press, 1979)
https://books.google.co.jp/books/about/Albert_Einstein_the_Human_Side.html?id=T5R7JsRRtoIC&redir_esc=y

(2) Albert Einstein, "Ideas and Opinions," (Crown Publishers, 1954, 1982)
https://books.google.co.jp/books?id=vLm4oojTPnkC&source=gbs_book_other_versions
(http://www.sacred-texts.com/aor/einstein/einsci.htm)
https://namnews.files.wordpress.com/2012/04/29289146-ideas-and-opinions-by-albert-einstein.pdf )

(3) "What Life Means to Einstein: An Interview by George Sylvester Viereck," The Saturday Evening Post, October 26, 1929
http://www.saturdayeveningpost.com/wp-content/uploads/satevepost/what_life_means_to_einstein.pdf

(4) Albert Einstein, "Religion and Science," New York Times Magazine, 9 November 1930, in David E. Rowe and Robert Schulmann (eds.), Einstein on Politics: His Private Thoughts and Public Stands on Nationalism, Zionism, War, Peace, and the Bomb, (Princeton University Press, 2007)
https://books.google.co.jp/books/about/Einstein_on_Politics.html?id=AIHgK-p6mhgC&redir_esc=y

(5) Albert Einstein, My Credo (1932). Speech to the German League of Human Rights, Berlin (Autumn 1932), Albert Einstein Archives, Hebrew University of Jerusalem, Israel. http://www.einstein-website.de/z_biography/credo.html

(6) George S. Viereck, "Glimpses of the Great," (Macauley, 1930), p. 372, quoted in Knujon Mapson (ed.), Pandeism: An Anthology, (iff Books, 2017)
https://books.google.co.jp/books?id=FPyiDQAAQBAJ&pg=PP1&lpg=PP1&dq=Pandeism:+An+Anthology,+mapson&source=bl&ots=ROXUt7j0qP&sig=TAt8miv3FvolexghviAdRbgGe9Q&hl=ja&sa=X&ved=0ahUKEwiJopnrj8XWAhWDxbwKHW9eAj4Q6AEIUjAI#v=onepage&q=Your%20question%20%5Babout%20God%5D%20&f=false

(7) Jean Eisenstaedt, 'The Curious History of Relativity: How Einstein's Theory of Gravity Was Lost and Found Again," (Princeton University Press, 2006)
https://books.google.co.jp/books/about/The_Curious_History_of_Relativity.html?id=d2bnXTOtCD8C&redir_esc=y

(8) Vincent C. Müller (ed.), "Philosophy and Theory of Artificial Intelligence," (Springer, 2013)
https://books.google.co.jp/books?id=JMyClio8BmUC&pg=PP1&lpg=PP1&dq=Philosophy+and+Theory+of+Artificial+Intelligence+(Studies+in+Applied+Philosophy,+Epistemology+and+Rational+Ethics)&source=bl&ots=hMLLm2rRlv&sig=RCj4uVanuYMKpsqiACLxUo-4oRE&hl=ja&sa=X&ved=0ahUKEwirlo7_4PTVAhWLi7wKHS1JCXIQ6AEIWDAH#v=onepage&q=Philosophy%20and%20Theory%20of%20Artificial%20Intelligence%20(Studies%20in%20Applied%20Philosophy%2C%20Epistemology%20and%20Rational%20Ethics)&f=false

(9) Ronald N. Giere and Alan W. Richardson (eds.), "Origins of Logical Empiricism," (University of Minnesota Press, 1996)
https://books.google.co.jp/books/about/Origins_of_Logical_Empiricism.html?id=o0gbMQAACAAJ&redir_esc=y

(10) Letter to philosopher Erik Gutkind on January 3, 1954. Retrieved September 27, 2017, from Letters on Note website http://www.lettersofnote.com/2009/10/word-god-is-product-of-human-weakness.html

(11) Max Jammer, "Einstein and Religion: Physics and Theology," (Princeton University Press, 1999)
https://books.google.co.jp/books?redir_esc=y&hl=ja&id=5thtLcsmNvwC&q=How+much+do+I+love+that+noble+man+More+than+I+could+tell+with+words#v=snippet&q=How%20much%20do%20I%20love%20that%20noble%20man%20More%20than%20I%20could%20tell%20with%20words&f=false

(12) Otto Nathan and Heinz Norden (eds.), "Einstein on Peace," (Simon & Schuster, 1960)
https://books.google.co.jp/books?id=MxokDwAAQBAJ&hl=ja&source=gbs_book_other_versions
(13) https://winners-auctions.com/en/content/auction-no-100

● Carl Gustav Jung
(1) C. G. Jung, "Nietzsche's Zarathustra: Notes of the Seminar Given in 1934-1939," (Princeton University Press, 1988)
https://books.google.co.jp/books?hl=ja&id=5q3gBQAAQBAJ&q=hen+we+assume+God+to+be+a+guiding+principle#v=onepage&q=God&f=false
(2) C. G. Jung, "The Collected Work of C. G. Jung, Volume 9, Part II. AION: Researches into the Phenomenology of the Self," (Princeton University Press, 1959)
https://ia800606.us.archive.org/11/items/collectedworksof92cgju/collectedworksof92cgju.pdf
(3) C. G. Jung, "Modern Man in Search of a Soul," (Kagan Paul, Trench, Trübner & Co., 1933)
https://books.google.co.jp/books?redir_esc=y&hl=ja&id=U6lMnx8AQsYC&q=god#v=snippet&q=god&f=false

● Guglielmo Marconi
(1) Maria Cristina Marconi, "Marconi My Beloved," (Dante University Press, 2011)
https://books.google.co.jp/books?redir_esc=y&id=-5vCJgohc84C&q=The+more+I+work+with+the+powers+of+Nature%2C+the++more+I+feel+God%E2%80%99s+benevolence+to+man%3B+the+closer++I+am+to+the+great+truth+that+everything+is+dependen+t+on+the+Eternal+Creator+and+Sustainer%3B+the+more+I++feel+that+the+so-called+science%2C+I+am+occupied+with+%2C+is+nothing+but+an+expression+of+the+Supreme+Will%2C+which+aims+at+bringing+people+closer+to+each+other++in+order+to+help+them+better+understand+and++improve+themselves.#v=onepage&q=god&f=false
(2) Leslie Rumble and Charles M. Carty, "Radio Replies: Third Volume," (Radio Replies Press, 1942)
https://books.google.co.jp/books?id=5zMqCgAAQBAJ&pg=PT9&lpg=PT9&dq=Radio+Replies:+Third+Volume&source=bl&ots=JsPxxsYTIP&sig=rXvlYNSPvYWI-BSsR8o5KPgnehs&hl=ja&sa=X&ved=0ahUKEwil_Yr8yPjVAhVJO7wKHQ7RD244ChDoAQglMAA#v=onepage&q=Radio%20Replies%3A%20Third%20Volume&f=false

● Alexis Carrel
(1) Alexis Carrel, "Man, the Unknown," (Harper & Brothers, 1935, 1939)
https://archive.org/details/TheManTheUnknownByNobelPrizeWinnerDr.AlexisCarrel
(2) Alexis Carrel, "Reflections on Life," Translated from the French by Antonia White, (Hawthorn Books, Inc., 1952)
https://ia800207.us.archive.org/19/items/reflectionsonlif002326mbp/reflectionsonlif002326mbp.pdf

● Robert Andrews Millikan
(1) Dave Armstrong. Science and Christianity: Close Partners or Mortal Enemies? (lulu.com, 2012), pp.198-199.
https://books.google.co.jp/books?id=XzWcAwAAQBAJ&pg=PA212&dq=Arthur+Holly+Compton%E3%80%80religion&hl=ja&sa=X&ved=0ahUKEwjnk_uMqPHV#v=onepage&q=millikan&f=false

● William Henry Bragg
(1) David C. Lindberg and Ronald L. Numbers (eds.). God and Nature: Historical Essays on the Encounter between Christianity and Science. (University of California Press, 1986).
https://books.google.co.jp/books?id=hs2edDIGCqEC&pg=PA446&dq=Science+and+Faith%E3%80%80Bragg&hl=ja&sa=X&ved=0ahUKEwjjlczztvHVAhWETrwKHYWkB6sQ6AEIJzAA#v=onepage&q=Science%20and%20Faith%E3

%80%80Bragg&f=false
● Max Karl Ernst Ludwig Planck
(1) Max Planck, Speech in Florence, Italy, 1944. Archiv der Max-Planck-Gesellschaft, Abt. Va, Rep. 11, Nr. 1797
(2) Max Planck, "Where is Science Going?," (W. W. Norton & Company, Inc., 1932)
https://ia802501.us.archive.org/18/items/whereissciencego00plan_0/whereissciencego00plan_0.pdf
(3) Max Planck, "Scientific Autobiography and Other Papers," (Philosophical Library, 1949)
https://books.google.co.jp/books?hl=ja&id=F3iMBAAAQBAJ&q=god#v=snippet&q=god&f=false
(4) J. L. Heilbron, "The Dilemmas of an Upright Man: Max Planck and the Fortunes of German Science" (Harvard University Press, 2000)
https://books.google.co.jp/books/about/The_Dilemmas_of_an_Upright_Man.html?id=d5zKH2Bx2AwC&redir_esc=y
(5) Tihomir Dimitrov, "Part I. 50 Nobel Laureates Who Believe in GOD: Nobel Scientists (1)," Scientific GOD Journal, April 2010, Vol. 1, Issue 3, p.148. (Planck, Max. 1958. Religion und Naturwissenschaft . Leipzig: Johann Ambrosius Barth Verlag. XIV Auflage. (Trans. Adam Roman). https://scigod.com/file/SGJ_V1(3).pdf
● Sigmund Freud
(1) Sigmund Freud, "The Future of an Illusion," (James Strachey, 1961)
https://ia800208.us.archive.org/20/items/sigmund-freud-the-future-of-an-illusion/sigmund-freud-the-future-of-an-illusion.pdf
(2) Sigmund Freud, "Totem and Taboo: Resemblances Between the Psychic Lives of Savages and Neurotics," (Moffat, Yard and Company, 1919)
https://ia801406.us.archive.org/17/items/totemtabooresemb00freu/totemtabooresemb00freu.pdf
● Lev Nikolayevich Tolstoy
(1) Leo Tolstoy, "What I Believe," (The Age Free Press, 1902)
https://archive.org/stream/whatibelievemyr00tolsgoog#page/n10/mode/2up/search/god
(2) Leo Tolstoy, "The Kingdom of God is Within You," translated by Constance Garnett, (Cassell Publishing Company, 1894)
https://ia800408.us.archive.org/20/items/TheKingdomOfGodIsWithinYou/TheKingdomOfGodIsWithinYou.pdf
● Fyodor M. Dostoyevsky
(1) Fyodor M. Dostoyevsky, "Letters of Fyodor Michailovitch Dostoevsky to his Family and Friends," translated by Ethel Colburn Mayne. (Chatto & Windus, 1914)
https://archive.org/details/lettersoffyodorm00dostiala
● Søren Aabye Kierkegaard
(1)Howard V. Hong and Edna H. Hong (eds. and translators), "Søren Kierkegaard's Journals and Papers: Volume 6, Autobiographical Part Two, 1848-1855," (Indiana University Press, 1978)
https://books.google.co.jp/books?redir_esc=y&id=zOCIGmBDnIUC&q=god#v=onepage&q=God&f=false
(2) Howard V. Hong and Edna H. Hong (eds. and translators), Søren Kierkegaard, "Philosophical Fragments, Johannes Climacus," (Princeton University Press, 1985)
https://books.google.co.jp/books?redir_esc=y&hl=ja&id=kuMoXUAaEr0C&q=And+how+does+the+God%E2%80%99s+existence+emerge+from+the+proof#v=onepage&q=God%E2%80%99s%20existence&f=false
● Michael Faraday
(1) Peter Day, "The Philosopher's Tree: Michael Faraday's life and work in his own words," (IOP Publishing Ltd., 1999)

https://books.google.co.jp/books?redir_esc=y&hl=ja&id=ur6iKVmzYhcC&q=I+am%2C+I+hope%2C+very+thankful+that+in+the+withdrawal#v=snippet&q=I%20am%2C%20I%20hope%2C%20very%20thankful%20that%20in%20the%20withdrawal&f=false
（2） Bence Jones, "The Life and Letters of Faraday, Vol. II," (Longmans, Green, and Co., 1870)
https://ia601406.us.archive.org/27/items/lifelettersoffar02joneiala/lifelettersoffar02joneiala.pdf
● Immanuel Kant
（1） Immanuel Kant, The Critique of Pure Reason, Translated by J. M. D. Meiklejohn (University of Adelaide, 2014), Retrieved from
https://ebooks.adelaide.edu.au/k/kant/immanuel/k16p/part1.2.2.2.3.html#section81
● Sir Isaac Newton
（1） Sir Isaac Newton, "Newton's Principia: The Mathematical Principles of Natural Philosophy," translated into English by Andrew Motte (Daniel Adee, 1846)(first written in 1686)
https://archive.org/stream/newtonspmathema00newtrich#page/n7/mode/2up
（2） Sir David Brewster, "Memoirs of the Life, Writings and Discoveries of Sir Isaac Newton," (Edinburgh, Thomas Constable and Co., 1855)
https://archive.org/details/memoirslifewrit02brewgoog
● Sir Robert Boyle
（1） Edward B. Davis and Michael Hunter (eds.), "Robert Boyle: A Free Enquiry into the Vulgarly Received Notion of Nature," (Cambridge University Press, 1996)
https://books.google.co.jp/books?redir_esc=y&hl=ja&id=f26VYkYYsBgC&q=Doubtless%2C+it+shews+the+wisdom+of+God#v=onepage&q=need%20any%20extraordinary%20interposition&f=false
（2） William R. Newman and Lawrence M. Principe, "Alchemy Tried in the Fire: Starkey, Boyle, and the Fate of Helmontian Chymistry,"
https://books.google.co.jp/books/about/Alchemy_Tried_in_the_Fire.html?id=eQERmMdykZEC&redir_esc=y
（3） Robert Boyle, "A Disquisition about the Final Causes of Natural Things," (John Captor, 1688)
https://books.google.co.jp/books?redir_esc=y&hl=ja&id=9d0emyTHn28C&q=I+should+think+that+this+delightful+and+wonderful+variety#v=onepage&q=but%20in%20those%20parts%20of%20them&f=false
（4） Sam Peters, "Life Changing Wisdom: Learning from Proverbs 3," (Sampet Books, 2014)
https://books.google.co.jp/books?id=YOBUCAAAQBAJ&pg=PP1&lpg=PP1&dq=Life+Changing+Wisdom,+peters&source=bl&ots=CK_AebTW61&sig=v2xaKb9_-YCYBtEPzlbwwJ6hiJk&hl=ja&sa=X&ved=0ahUKEwiipdG91p7WAhVCJ5QKHePpBacQ6AEIRzAJ#v=onepage&q=Life%20Changing%20Wisdom%2C%20peters&f=false
（5） "Robert Boyle" in Stanford Encyclopedia of Philosophy https://plato.stanford.edu/entries/boyle/ (accessed on September 12, 2017)
● Blaise Pascal
（1） Blaise Pascal, "Pascal's Pensées," (E. P. Dutton & Co., Inc.,1958), in The Project Gutenberg EBook of Pascal's Pensées, by Blaise Pascal. SECTION III: OF THE NECESSITY OF THE WAGER, 205-208
http://www.gutenberg.org/files/18269/18269-h/18269-h.htm#Footnote_88_92
（2） Blaise Pascal, "Discourse on the Condition of the Great," (The Harvard Classics. 1909–14.). Retrieved from http://www.bartleby.com/48/3/4.html (accessed on September 12, 2017)
（3） Blaise Pascal, "Conversation of Pascal with M. de Saci on Epictetus and Montaigne," (The Harvard Classics. 1909–14.). Retrieved from http://www.bartleby.

com/48/3/6.html (accessed on October 5, 2017)
(4) Blaise Pascal, "The Art of Persuasion," (The Harvard Classics. 1909–14.). Retrieved on October 6, 2017 from http://www.bartleby.com/48/3/7.html
● René Descartes
(1) René Descartes, "The Philosophical Writings of Descartes: Volume III, The Correspondence," translated by John Cottingham, Robert Stoothoff, Dugald Murdoch, and Anthony Kenny. (Cambridge University Press, 1991)
https://books.google.co.jp/books?redir_esc=y&hl=ja&id=Y3RRKISL810C&q=puts+me+under+obligations+on+account+of+the+pains+that+it+has+pleased+him+to+have+in+me#v=onepage&q=god&f=false
(2) Rene Descartes, "Key Philosophical Writings," translated by Elizabeth S. Haldane and G. R. T. Ross, edited by Enrique Chávez-Arvizo, (Wordsworth Editions Limited, 1997)
https://books.google.co.jp/books?id=jjWPe-9NPoEC&pg=PA29&redir_esc=y#v=onepage&q=Now%20no%20more%20useful%20inquiry%20can%20be%20proposed%20than%20that%20which%20see&f=false
(3) Rene Descartes, "The Principles of Philosophy" (1644), translated by John Veitch, LL. D. Retrieved on October 6, 2017 from http://www.fullbooks.com/The-Principles-of-Philosophy1.html (accessed on September 12, 2017)
● Galileo Galilei
(1) Letter to Benedetto Castelli (December 21, 1613). Retrieved on October 6, 2017, from Interdisciplinary Encyclopedia of Religion & Science, The Advanced School for Interdisciplinary Research, the Pontifical University of the Holy Cross, http://inters.org/Galilei-Benedetto-Castelli
(2) Letter to Madame Christina of Lorraine, Grand Duchess of Tuscany (1615). Retrieved on October 6, 2017, from Interdisciplinary Encyclopedia of Religion & Science, The Advanced School for Interdisciplinary Research, the Pontifical University of the Holy Cross, http://inters.org/galilei-madame-christina-Lorraine
● Peter Russell
(1) "Life after death: THIS is how consciousness continues in the AFTERLIFE - shock claim", PUBLISHED: 16:56, Wed, Sep 26, 2018 | UPDATED: 17:02, Wed, Sep 26, 2018 https://www.express.co.uk/news/weird/1023231/life-after-death-consciousness-what-happens-when-you-die-evidence
● Hans-Peter Dürr
(1) "Life after death: THIS is how consciousness continues in the AFTERLIFE - shock claim", PUBLISHED: 16:56, Wed, Sep 26, 2018 | UPDATED: 17:02, Wed, Sep 26, 2018 https://www.express.co.uk/news/weird/1023231/life-after-death-consciousness-what-happens-when-you-die-evidence
(2) "Quantum Physics & Creativity - Hans-Peter Dürr and Deepak Chopra",
https://www.youtube.com/watch?v=sIKgldFGPe0&app=desktop, https://www.youtube.com/watch?v=ymsCpeN3UZE
● David Chalmers
(1) David Chalmers, "How do you explain consciousness?", TED 2014, https://www.youtube.com/watch?v=uhRhtFFhNzQ
● Robert Lanza
(1) "Life after death: THIS is how consciousness continues in the AFTERLIFE - shock claim", PUBLISHED: 16:56, Wed, Sep 26, 2018 | UPDATED: 17:02, Wed, Sep 26, 2018 https://www.express.co.uk/news/weird/1023231/life-after-death-consciousness-what-happens-when-you-die-evidence
(2) "Biocentrism / Robert Lanza's Theory of Everything" https://www.robertlanza.com/biocentrism-how-life-and-consciousness-are-the-keys-to-understanding-the-true-nature-of-the-universe/

● Arthur Schopenhauer
（1）Internet Encyclopedia of Philosophy. https://iep.utm.edu/schopenh/
（2）～（4）『ショーペンハウアー全集』（白水社）『意志と表象としての世界』（中公クラシックス）
● Plato
（1）New World Encyclopedia. https://www.newworldencyclopedia.org/entry/Plato
● Pythagoras
（1）New World Encyclopedia. https://www.newworldencyclopedia.org/entry/Pythagoras_and_Pythagoreans#Cosmology
● Spinoza / 日本大百科全書、世界大百科事典、世界文学大事典
●湯川秀樹
『天才の世界』（小学館、１００万人の創造選書６）
●おわりに
『わが世界観』（ちくま学芸文庫）エルヴィン シュレーディンガー
『精神と物質―意識と科学的世界像をめぐる考察』（工作舎）エルヴィン シュレーディンガー

● Sir Roger Penrose / Encyclopedia Britannica. https://www.britannica.com/biography/Roger-Penrose
● James M. Tour/ https://www.jmtour.com/
● Peter Harrison/ https://iash.uq.edu.au/profile/244/professor-peter-harrison-faha
● Tony Rothman/ http://engineering.nyu.edu/people/tony-rothman, http://www.tonyrothman.com/about)
● Francis Collins/ Thomas W. Balderston, "The Proven God: The Truth Shows the Way: Philosophers, Scientists, and Atheists Struggle With Finding God,"(Tate Publishing, 2011), p.233
● William Daniel Phillips / Eric Martone, "Italian Americans: The History and Culture of a People, "(ABC-CLIO, 2016), p.252
● Paul Davies / Brian Drape, "ThirdWay July 1999,"(Hymns Ancient & Modern Ltd, 1999), p.21
● George Fitzgerald Smoot III / Peter Badge, "Nobel Faces"(John Wiley & Sons, 2008), p.136
● Henry F. Schaefer III / The Center for Computational Quantum Chemistry (CCQC), The University of Georgia, Georgia, http://www.ccqc.uga.edu/people/member_page.php?id=6
● Saul Aaron Kripke / Encyclopedia Britannica. https://www.britannica.com/biography/Saul-Kripk
● Yoshikawa Shoichi 吉川庄一 / National Spherical Torus eXperiment Upgrade, [Dr. Shoichi Yoshikawa's Obituary – by Dr. Dale Meade of PPPL] http://nstx.pppl.gov/DragNDrop/NSTX_Meetings/Team_Meetings/2011/2011_10_19/Condolences%20for%20Prof%20Shoichi%20Yoshikawa.pdf
● Arno Allan Penzias / Encyclopaedia Britannica, Inc.,"Britannica Concise Encyclopedia,"(Encyclopaedia Britannica, Inc., 2008),p.1470
● Abdus Salam / Elizabeth Lachner ,"Top 101 Scientists,"(Encyclopaedia Britannica, 2016)
● Antony (Tony) Hewish / G. Ramamurthy,"Biographical Dictionary of Great Astronomers,"(Sura Books, 2005), p.105
● Freeman John Dyson / John Daintith, Biographical Encyclopedia of Scientists, Second Edition - ～ Volume Set,(CRC Press, 1994),p.246

● Walter Kohn / E A Moore, “Molecular Modelling and Bonding,” (Royal Society of Chemistry, 2007),p.21
● Arthur L. Schawlow / Benjamin F. Shearer, “Home Front Heroes: A Biographical Dictionary of Americans During Wartime,”(Greenwood Publishing Group, 2007) p.736
● Joseph Edward Murray / John Daintith, “Biographical Encyclopedia of Scientists, Third Edition,”(CRC Press, 2008),p.550
● Sir Derek Harold Rchard Barton / Derek Gjertsen, “Biographical Encyclopedia of Scientists, Second Edition - ∾ Volume Set,”(CRC Press, 1994) ,p.57
● Christian Boehmer Anfinsen / James K. Laylin, “Nobel Laureates in Chemistry, 1901-1992,”(Chemical Heritage Foundation, 1993) ,p.532
● Charles Hard Townes / Bailey Maxim, “The 100 Most Influential Technology Leaders of All Time,”(Encyclopaedia Britannica, 2016)
● Sir Ernst Boris Chain / Kara Rogers , “Medicine and Healers Through History˙ ”(The Rosen Publishing Group, 2011) ,p.86
● Sir Nevill Francis Mott / John Daintith´ Derek Gjertsen , “A Dictionary of Scientists˙ ”(Oxford University Press, USA, 1999) ,p.388
● Sir John Carew Eccles / John Daintith , “Biographical Encyclopedia of Scientists, Third Edition˙ ”(CRC Press, 2008) ,p.207
● Paul Dirac / Elizabeth Lachner “Top 101 Scientists,”(Encyclopaedia Britannica, 2016 Paul Adrien Maurice Dirac)
● Werner Karl Heisenberg / Elizabeth Lachner , “Top 101 Scientists,”(Encyclopaedia Britannica, 2016)
● Arthur Holly Compton / Arun Agarwal, “Nobel Prize Winners in Physics,”(APH Publishing, 2008),p.104
● Ludwig Wittgenstein / Kelly Dean Jolley, “Wittgenstein: Key Concepts,”(Routledge, 2014),p.1
● Erwin Schrödinger / Elizabeth Lachner, “Top 101 Scientists,”(Encyclopaedia Britannica, 2016)
● Max Born / L Brown´ B Pippard´ A Pais, “Twentieth Century Physics,”(CRC Press, 1995),p.985
● Albert Einstein / Elizabeth H. Oakes, “Encyclopedia of World Scientists,”(Infobase Publishing, 2007),p.206
● Carl Gustav Jung / Sue Walrond-Skinner, “Dictionary of Psychotherapy,”(Routledge, 2014),p.194
● Guglielmo Marconi / Encyclopaedia Britannica, Inc.,“Britannica Concise Encyclopedia,”(Encyclopaedia Britannica, Inc., 2008),p.1192
● Alexis Carrel / John Daintith , “Biographical Encyclopedia of Scientists, Second Edition - ∾ Volume Set,”(CRC Press, 1994),p.144
● Robert Andrews Millikan / Arun Agarwal, “Nobel Prize Winners in Physics,”(APH Publishing, 2008),p.97
● William Henry Bragg / Ervin B. Podgorsak, “Radiation Physics for Medical Physicists,”(Springer Science & Business Media, 2010),p.663
● Max Karl Ernst Ludwig Planck / Elizabeth H. Oakes, “Encyclopedia of World Scientists,”(Infobase Publishing, 2007),p.592
● Sigmund Freud / Donald A. Biggs´ Gerald Porter, “Dictionary of Counseling, ”(Greenwood Publishing Group, 1994),p.104
● Lev Nikolayevich Tolstoy / Rajni Sehgal, “Dictionary Of English Literat,”(Sarup & Sons, 2002),p.204
● Fyodor M. Dostoyevsky / Martin Davie´´Tim Grass´Stephen R. Holmes´John McDowell´T. A. Noble, “New Dictionary of Theology: Historical and Systematic (Second Edition) ,”(SPCK, 2016)
● Søren Aabye Kierkegaard / Simon Blackburn, “The Oxford Dictionary of Philosophy,”(Oxford University Press, 2016),p.261
● Michael Faraday / Editors of the American Heritage Dictionaries , “The American Heritage Science Dictionary,”(Houghton Mifflin Harcourt, 2005),p.226
● Immanuel Kant / Biography.com https://www.biography.com/scholar/immanuel-kant
● Sir Isaac Newton / Joe Rosen, “Encyclopedia of Physics,”(Infobase Publishing, 2009),p.229
● Sir Robert Boyle / Barry Jones, “Dictionary of World Biography: Fourth edition,”(ANU Press, 2017),p.104
● Blaise Pascal / Simon Blackburn, “The Oxford Dictionary of Philosophy,”(Oxford University Press, 2016),p.351

●René Descartes / Barry Jones, "Dictionary of World Biography: Fourth edition,"(ANU Press, 2017),p.232
●Galileo Galilei / Simon Blackburn, "The Oxford Dictionary of Philosophy,"(Oxford University Press, 2016),p.195
●Baruch De Spinoza / Great Thinkers, https://thegreatthinkers.org/spinoza/biography/
●Isidor Isaac Rabi / Encyclopedia Britannica　https://www.britannica.com/topic/Columbia-University
●Peter Russell / Peter Russell Spirit of Now.　https://www.peterrussell.com/pete.php
●Hans-Peter Dürr / Wikipedia.　https://en.wikipedia.org/wiki/Hans-Peter_D%C3%BCrr
●Robert Lanza / Robert Lanza, https://www.robertlanza.com/
●Arthur Schopenhauer / Encyclopedia Britannica, https://www.britannica.com/biography/Arthur-Schopenhauer
●Plato / Stanford Encyclopedia of Philosophy, https://plato.stanford.edu/entries/plato/
●Pythagoras / Encyclopedia Britannica, https://www.britannica.com/biography/Pythagoras
●David John Chalmers / David Chalmers.　http://consc.net/
●Yukawa Hideki　湯川秀樹 / 大阪大学総合学術博物館　湯川記念室　https://www-yukawa.phys.sci.osaka-u.ac.jp/yukawahideki

**森上逍遥**　もりがみ しょうよう

福岡生まれ。文筆家。思想家。

中学・高校とミッションスクールの西南学院に通い、キリスト教教育を通して聖書と西洋思想に親しむ。高校卒業後、しばらく精神の放浪にて見聞を広めた後、立正大学仏教学部に特待生として入学。昭和５４年度卒。卒論は『龍樹研究』で空観に於ける異蘊の解明を論じた。業界紙記者などを経た後アメリカに移住。地球世界の文化を見て歩き人間研究を行なう。後に帰国。

著書に『侘び然び幽玄のこころ』『人生は残酷である』『タオと宇宙原理』『ループ 忘れ去られた記憶の旅』（桜の花出版）がある。

# 科学者たち 58 人の神観

2021 年　1 月　1 日　初版第 1 刷発行

著　者　森上 逍遥
発行者　山口 春嶽
発行所　桜の花出版株式会社
〒 194-0021　東京都町田市中町 1-12-16-401
電話 042-785-4442
発売元　株式会社星雲社（共同出版社・流通責任出版社）
〒 112-0005　東京都文京区水道 1-3-30
電話 03-3868-3275
印刷・製本　　株式会社シナノ


ISBN978-4-434-28464-9 C0011

カバー：aw design
写真・イラスト：ロジャー・ペンローズ［the Creative Commons Attribution-Share Alike 2.0 Generic. Attribution: Cirone-Musi, Festival della Scienza］、ハンス・ペーター・デュル［Leifiman, CC BY-SA 3.0 <http://creativecommons.org/licenses/by-sa/3.0/>, via Wikimedia Commons］、ロバート・ランザ［RobertLanza, CC BY-SA 3.0 via Wikimedia Commons］、ピーター・ラッセル［Peter Russell Spirit of Now,https://www.peterrussell.com/index2.php］、アレクシス・カレル［Wellcome Library, London. Wellcome Images images@wellcome.ac.uk http://wellcomeimages.org Portait of Alexis Carrel. Les Prix Nobel. Nobelstiftelsen. Published: -Copyrighted work available under Creative Commons Attribution only licence CC BY 4.0 http://creativecommons.org/licenses/by/4.0/］、ネヴィル・モット［University of Cambridge Department of Physics,https://www.phy.cam.ac.uk/history］、デレック・バートン［Nobelprize.org, https://www.nobelprize.org/prizes/chemistry/1969/barton/biographical/］、アーサー・ショーロー［Jose Mercado / Stanford News Service, CC BY 3.0 via Wikimedia Commons］、ウォルター・コーン［Markus Pössel］、フリーマン・ダイソン［ioerror, CC BY-SA 2.0 <https://creativecommons.org/licenses/by-sa/2.0>, via Wikimedia Commons］、アントニー・ヒューイッシュ［Churchill College, University of Cambridge］、アブドゥッサラーム［Molendijk, Bart / Anefo, CC BY-SA 3.0 NL <https://creativecommons.org/licenses/by-sa/3.0/nl/deed.en>, via Wikimedia Commons］、アーノ・ペンジアス［Kartik J at English Wikipedia, CC BY-SA 3.0 via Wikimedia Commons］、吉川庄一［Condolences for Prof Shoichi Yoshikawa.pdf, https://nstx.pppl.gov/］、ジョージ・スムート［Nomo michael hoefner http://www.zwo5.de, CC BY 3.0 via Wikimedia Commons］、ウィリアム・ダニエル・フィリップス［Markus Pössel (User name: Mapos), CC BY-SA 3.0 via Wikimedia Commons］、トニー・ロスマン［New York University Tandon School of Engineering, https://engineering.nyu.edu/faculty/tony-rothman］、ピーター・ハリソン［Luigi156, CC BY-SA 3.0 via Wikimedia Commons］、デイヴィッド・チャーマーズ［davidchalmers, http://consc.net/］、湯川秀樹［(c) 朝日新聞社 / アマナイメージズ］

# 『ループ
## 忘れ去られた記憶の旅』

森上逍遥 著

**人は、記憶を失い何度も同じ世界を旅してきた。**

**君は…いったい誰なんだろう？**

**人生の〈真実〉とは何なのだろう…**

**その究極の秘密について語ろう！**


若い魂に課せられた〈次元上昇〉の物語。

それは、穏やかな風がそよいだときに現われた不思議なヴィジョンから始まる自分探しの旅だった―。

「あの時」のことを想い出すことはあるか。「あの時」のことだ。君が独りで淋しそうにしていた「あのとき」のことだ。君の心に去来していた風は、時に君を独り悲しみに沈ませることがあった。それは辛い想い出だ。

しかし、その時に君の中に純性が芽吹いたことに気付かなかったようだね。君はあの時に内在する純性を肉体に顕わしたのだ。あの悲しみがなかったら、君はいまこの不思議の風を受けることは出来なかった。

葛藤こそが霊性を向上させる。葛藤の昇華は自己犠牲を意味する。迷う人にこそ超越の可能性がある。

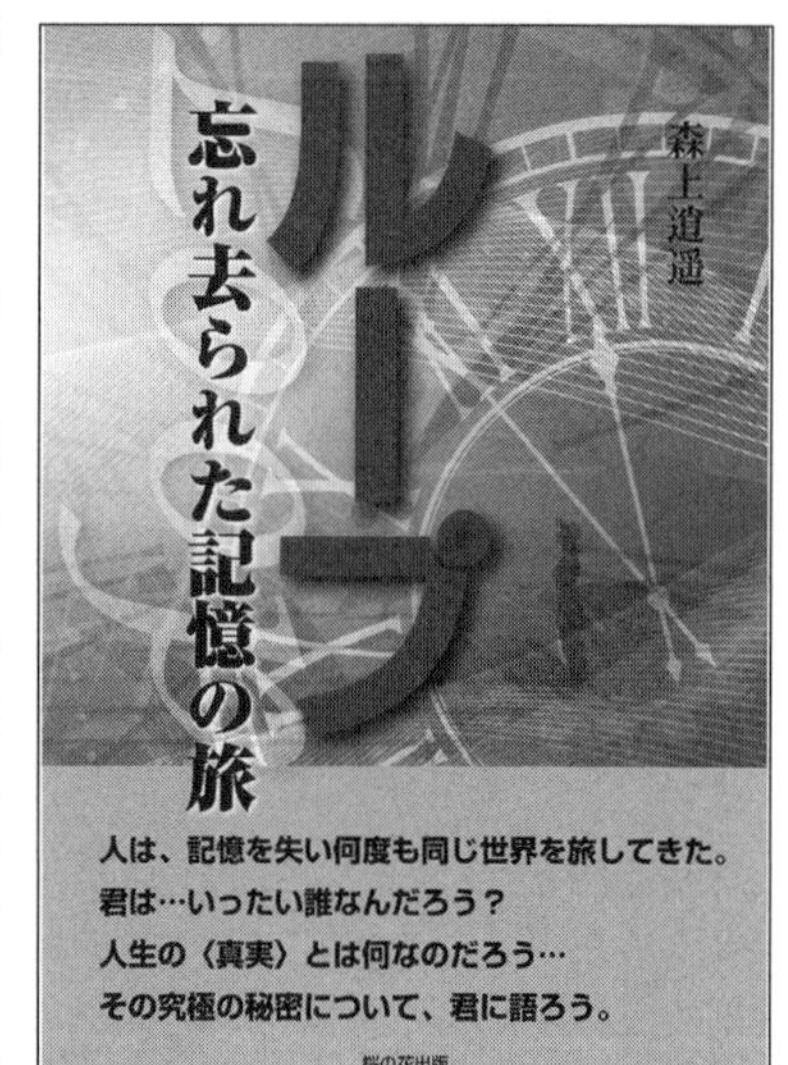


進化した証として、魂は一つの結晶化を成す。〈他者〉の眼差しは君の人生のどんな責任もとってくれない。

**果てしないループ（繰り返し）の中に迷う全ての人へ贈る待望の書！**

Ａ５判並製 331 頁　定価 1700 円＋税　★電子書籍あります。